WITHDRAWN

Matamoros, Blas

   Genio y figura de Victoria Ocampo / Blas Matamoro
Buenos Aires: EUDEBA, 1986.
   320 p.; 16 p. il. (Genio y Figura)
   Incluye bibliografía.

ISBN: 950-23-0273-7

Genio y Figura de

Victoria Ocampo

Colección Genio y Figura

Genio y Figura de

Victoria Ocampo

Blas Matamoro

Editorial Universitaria de Buenos Aires

Fotografías: Archivo General de la Nación
Fiora Bemporad

Tapa: Carlos Pérez-Villamil

EUDEBA S.E.M.
Fundada por la Universidad de Buenos Aires

© **1986**

EDITORIAL UNIVERSITARIA DE BUENOS AIRES
Sociedad de Economía Mixta
Rivadavia 1571/73

Hecho el depósito que marca la ley 11.723
ISBN 950-23-0273-7
IMPRESO EN LA ARGENTINA

CRONOLOGÍA

1890. Construcción de "Villa Ocampo" en San Isidro. El 7 de abril nace Victoria Ocampo, hija de Manuel y de Ramona Aguirre.

1896. Primer viaje a Europa.

1901. Primeras prosas en francés, imitaciones de la condesa de Ségur. Revista familiar en inglés.

1903. Amores silenciosos con Luis García F.

1906. Inicia su amistad con Delfina Bunge. Clases domésticas de francés e inglés. Lecciones de música. En París, amistad con Edmond Rostand, noviazgo con Edouard Champion. Conoce a Enrique Larreta, Ángel de Estrada, Martín Aldao y Carlos Reyles.

1908-1910. Temporada en Europa.

1908-1909. Primeros poemas en francés. Clases de teatro de Marguerite Moreno.

1908. Fanie entra a su servicio. Victoria asiste a las conferencias de Enrico Ferri. Lecturas de Schopenhauer y Nietzsche. Conocimiento de M. Estrada, que será su marido.

1909. En París asiste libremente a cursos de Henri Bergson, Croiset, Faguet, Audler, Jeanroy, Hauvette, Monceaux. Sus temas: Dante, San Agustín, historia del arte, filosofía vitalista. Retrato de Victoria por Helleu.

1910. Retrato de Victoria por Dagnan Bouveret.

1912. Matrimonio de Victoria. En diciembre, viaje de bodas a Europa.

1913. En febrero, conoce en Roma a Julián Martínez. En París, asiste al estreno de *Le sacre du printemps*, de Igor Stravinski, por los Ballets Russes de Diaghilev (en la sala está Paul Valéry, que será su amigo muchos años después). El 20 de octubre se conoce con Adelina del Carril y Ricardo Güiraldes, que se casan ese día. Victoria es retratada en estatua por Troubezkoy.

1914. Regreso a Buenos Aires. Instalación en la calle Tucumán. Crisis religiosa. Lectura de *Gitanjali* de Rabrindanath Tagore, traducido por André Gide.

1916. Viaje de Ortega y Gasset a la Argentina. Ángel de Estrada lo presenta a Victoria, junto con Julia del Carril y Elena Sansinena.

1920. Separada de su marido, Victoria se instala a vivir sola. Publica su primer artículo, *Babel*, en *La Nación* de Buenos Aires.

1921. Escribe *De Francesca a Beatrice*, que la Revista de Occidente publicará en Madrid en 1924.

1922. Toma sus primeras notas autobiográficas.

1924. Encuentro con Tagore y Ernest Ansermet en la Argentina. Victoria se instala en un departamento de la calle Montevideo.

1925. Tagore abandona la Argentina. Victoria participa en el estreno de *Le roi David* de Arthur Honegger, en el teatro Colón de Buenos Aires.

1926. Conoce en Buenos Aires a María de Maeztu.

1925/1927. Temporadas de música moderna de Ansermet en la Asociación del Profesorado Orquestal. Amistad con Juan José Castro.

1927. Lectura de Keyserling. Primeras cartas al filósofo. Construcción de su casa de Mar del Plata.

1928. Alejandro Bustillo construye su casa en el Barrio Parque de Buenos Aires. Segundo viaje de Ortega a la Argentina.

1929. Fin de su relación con Julián Martínez. En diciembre, viaje a Europa. Conoce, en París, a Keyserling, Anna de Noailles, Paul Valéry, Pierre Drieu la Rochelle (en casa de Isabel Dato), Ramón Fernández, Jules Supervielle, Adrienne Monnier, cuya librería en la Rue de l'Odéon frecuenta. En Londres con Bernard Shaw, Huber Wells, John Galsworthy y lady Astor. De vuelta en Buenos Aires para las conferencias de Keyserling. Conoce a Waldo Frank, que le presenta a Eduardo Mallea.

1930. Viaje por Estados Unidos y América Latina. En julio está de regreso en Buenos Aires. Muere su padre. El 6 de setiembre, golpe de Estado en la Argentina. En París (Boulevard Flandrin) y en Bruselas contactos con Jean Cocteau, Jacques Lacan, Ramón Gómez de la Serna, Leo Ferrero, Le Corbusier, Stravinski, Francis Poulenc, Henri Sauguet, Chestov, Berdiaev. En Nueva York con Taylor Gordon y Sergio

Eisenstein. Asiste a conciertos de jazz y de negro spirituals.

1931. En enero, fundación de la revista *Sur*. Viaje a España. Visita las cárceles españolas en compañía de Victoria Kent.

1932. Conferencias de Drieu en la Argentina sobre la crisis de la democracia. Guillermo de Torre abandona la secretaría de *Sur* y marcha a España, donde permanecerá hasta el comienzo de la guerra civil.

1933. Fundación de la Editorial Sur.

1934. Viaje a Europa con Eduardo Mallea. André Malraux (mayo) la invita a Rusia. Conferencias en Italia.

1934/1935. *Sur* deja de publicarse.

1935. Entrevista con Benito Mussolini en el Palazzo Venezia de Roma. En Buenos Aires, conocimiento de José Bianco.

1937. *Sur* toma posición a favor de las democracias y contra los sublevados en España.

1938. José Bianco es secretario de *Sur*.

1939/1942. Último viaje de Ortega a la Argentina.

1943. Viaje a Estados Unidos.

1945. Viaje a Europa después de la guerra. Asiste al juicio de Nuremberg.

1950. Gran Premio de Honor de la SADE.

1952. Viaje a Europa. Entrevista en Roma con Vittorio de Sica, a quien invita a filmar en la Argentina. Comienza a redactar su autobiografía.

1953. Es detenida en la cárcel del Buen Pastor. Allanamiento de su casa y de las oficinas de *Sur*.

1955. Caída del gobierno peronista. Se habla de Victoria como embajadora en la India.

1958. Es nombrada Presidenta del Fondo Nacional de las Artes.

1961. José Bianco abandona la secretaría de *Sur*.

1964. Viaje por Europa y Estados Unidos.

1965. Recibe el Premio María Moors Cabot.

1966. Recibe el Premio de la Fundación Vaccaro.

1971. *Sur* deja de publicarse regularmente.

1973. El 16 de noviembre renuncia a su puesto en el Fondo de las Artes, ante las presiones motivadas por la nueva situación política.

1977. Ingresa en la Academia Argentina de Letras.
27-1-79. Muerte de Victoria.
1979/1984: Publicación póstuma de su autobiografía (seis volúmenes).

ESCENAS DE FAMILIA

NOMBRES

Se llamaba Victoria Ramona Rufina. Se hizo llamar Victoria, que supone combate y triunfo. En el apellido hay un campo, heredado del padre, ya que el apellido es paterno. Un campo de batalla en que vencer. Lo heredado y masculino que implica la relación con el padre es el lugar de la victoria, el lugar de Victoria.

Ramona y Rufina son desdeñadas. Nombres de misias y de doñas, tipología de la señora normal que habita las páginas del *gratin* porteño. Devotas del bridge, memoriosas de antepasados, tenaces clientas de Poiret y de Paquin, se ocupan de echar al mundo una prole de herederos que llevan y perpetúan los apellidos de sus maridos. Justamente, lo que Victoria nunca hará.

Por paradoja de esta historia de familia, el apellido paterno, Ocampo, se fija en la memoria colectiva por el trabajo de dos mujeres que no tienen hijos: Victoria y Silvina. El apellido se torna obra propia, autogénesis, escena encantada donde la mujer se convierte en padre por el ejercicio de una facultad tradicionalmente viril: la escritura.

Victoria nace en el lugar que, normalmente, debe ocupar un varón. Le corresponde la primogenitura. Su carácter de mujer irregulariza la expectativa de los padres, que insisten en busca del hijo que prolongue, durante una generación, el nombre del padre. Y así nacen cinco niñas más: Angélica, Francisca, Rosa, Clara, Silvina. Clarita, la niña prodigio que se embeleza ante la música de Debussy y las enigmáticas palabras de Maeterlinck, muere de pequeña. Su fantasma habita el grupo. Todas conservan, por el sacrificio de Clarita, una niñez prodigiosa que ya no acechan los peligros de la decrepitud (o de la madurez).

Pero el otro fantasma, el del primogénito varón, es más persistente, porque no se corresponde con cuerpo alguno, vivo o muerto. ¿Dónde habita el espectro del heredero?

FECHAS

Victoria nace en 1890. "¿Qué acontecía por ahí?", se preguntará en sus memorias: "Se sospechaba que Pellegrini se sentaría en el sillón de Juárez Celman". Por cierto, hubo más que desplazamientos de muebles y apellidos. Hubo la Revolución del Noventa (objetivamente, tal vez, muy modesta, pues hay quien le asigna apenas 500 participantes) que puso en la calle, por primera vez, a lo que enseguida se convertiría en el radicalismo, la fuerza política argentina más importante en medio siglo. Y hubo el modelo de crisis con el cual, en cierta medida, la sociedad argentina vivió todas las suyas: una crisis de omnipotencia, donde los riesgos de la inversión superaron a las garantías, se especuló más que se produjo y apareció un brusco estado de quiebra generalizada. Todo ello montado, cómo no, sobre un país real y espectacular expansión, que construía la red de ferrocarriles más extensa de Sudamérica, se convertía en el socio más numeroso del capital inglés en el subcontinente y empezaba a exportar ganado en pie y a instalar la infraestructura de ciudades de la que viviría hasta la fecha. Y las primeras huelgas obreras. Y una comunidad de mayoría inmigratoria, profundamente indiferente en materia política. O sea: motines, movilizaciones sindicales y un estado generalizado de insolidaridad.

La vida de Victoria se adapta a la evolución y crisis de la Argentina moderna como si su biografía acompañara los grandes nudos de esta historia o, al revés (que es lo mismo) como si la historia hiciera sus grandes quiebres en los que la vida victorial instala sus momentos críticos.

Su expansión como mujer independiente coincide

con los años veinte, que son de expansión. La fundación de *Sur* es contemporánea con la crisis del treinta y la muerte llega para Victoria cuando culminan las masacres del videlato. Poco antes, *Sur* se retira de la escena sobre una montante de neoperonismo. La onda corta y recogida de la biografía se diseña sobre un paisaje histórico de alcance más largo pero de perfil similar. Tal vez no pueda ser de otra manera.

ASUNTOS DE FAMILIA

La alta burguesía terrateniente (popular y abusivamente conocida como "oligarquía") se imagina a sí misma como un patriciado fundacional, suerte de hontanar perenne en cuyas aguas "los demás" deben mirarse como en un espejo de virtudes (palabra que viene de *vir, varón*) y del que surgen los valores sempiternos de la nacionalidad, esos que, de no practicarse, colocan al disidente en el lugar del extranjero. Esta clase habla de la historia argentina como de un asunto de familia. Y enseña a los niños de buena estirpe a conservar esta costumbre.

Hay que hablar de la historia como de una cuestión de generales, no de soldados. De patrones y no de peones. De dueños de casa y no de sirvientes. Pronto, Victoria comprende que este mundo de emanación, de provisión, de providencia, de padres, patricios y patriotas, no es un mundo de mujeres, mucho menos de mujeres que leen y pretenden escribir. Con los años, esta mujer enrostrará a los varones el reservarse los puestos lucidos de la historia. Pero esto, justamente, es lo que su clase ha hecho respecto a las demás clases: deshistoriarizarlas, castrarlas.

Muy pronot, la adolescente Victoria comprende las diferencias que la van separando de los sujetos "normales" de esa clase.

(Enrico Ferri) En su conferencia sobre América *vista al di là dell'Oceano* explicó que este país está en la fase agrícola. Verdad de Perogrullo, si se quiere. Yo diría que está en su fase ganadera y que la ganadería está muy adelantada

15

porque el ganado asiste a las conferencias de Ferri. (Carta a Delfina Bunge, 24 de agosto de 1908.)

A la misma le escribe desde París, el 19 de enero de 1909:

> Ayer fuimos a casa de unos compatriotas. Todos los domingos reciben visitantes ilustres que exhiben ante otros visitantes no ilustres como si fueran momias egipcias... Después, tuve la mala suerte de comer en el Ritz. Ya no se trata del *esnobismo* de las Letras, sino el de la nobleza: el marqués de Tal, el duque de Cual, el hijo del Conde Perico de los Palotes. He decidido no ir donde pueda encontrarme con argentinos.

No es como esa gente de su clase, de la cual no podrá salir en toda su vida. Ellos son pedantes, ignorantes, esnobs y tilingos.

EL PADRE

El abuelo y el padre son, todavía, hombres rurales. Estancieros que trabajan en sus campos, madrugan, dirigen las labores, vigilan a la peonada, tienen mujeres que cocinan y bordan. El padre agrega a esta condición la de técnico, es un ingeniero de caminos, de los que dibujan en el mapa las comunicaciones del interior con Buenos Aires y ultramar. Una síntesis de la Argentina que se expande y se civiliza (se vuelve civil, urbana, ciudadana, burguesa) en la década del ochenta.

El campo está asociado, en Victoria, a la infancia. Ya la adolescencia restringe el horizonte y se recorta sobre un fondo de quintas. La madurez persiste en su devoción por árboles y plantas, es morosa en el inventario de flores, raíces, tallos, hojas. Pero el referente es íntimo y cívico: el jardín de la mansión porteña, aunque sea en una *green city* de suburbio elegante.

Esta traducción de la estancia a jardín implica una traducción sexual (de lo viril a lo femenino, del campo abierto a la casa), del trabajo al ocio y la meditación, de la praxis y la intemperie a la interioridad. Cambian los espacios, pero también la dirección de la historia. Si el padre es el pionero que lleva tendidos de ferrocarril de la capital al interior, a través del campo virgen, la hija circulará entre la capital y Europa, será animal de ciudad, de una ciudad insuficientemente europeizada, que ella contribuirá a europeizar. La imagen del país se concentra y pierde extensión, confundiéndose con la obra maestra del Ochenta: Buenos Aires.

La familia de los Ocampo es todavía patriarcal. Cerrada pero promiscua, defensiva ante el exterior pero dejando, en el interior, que los chicos jueguen y convivan con los servidores y sus hijos. No se manifiestan prejuicios de clase, sí de nacionalidad y de casta. Los patricios fundadores tienen a bien no ser aristócratas. Las manías nobiliarias vendrán luego, quizá, cuando se hayan olvidado unos orígenes demasiado cercanos para Victoria.

A la hora de la lección, las maestras separan a los niños de los sirvientes. Luego, los sirvientes se encargarán de controlar a los niños, pues son los depositarios de los valores patriarcales. Unos valores que actúan con una pesada lista de prohibiciones tabúicas y fóbicas: no tocar ciertos animales, no comer sino cosas caseras, huir del contacto sexual. No hablar en la calle con nadie, en esa calle que se reduce a un intenso reino de miradas. No ir a la universidad ni subirse a los escenarios de teatro.

Victoria reacciona ante casi todos los valores patriarcales. Amará cierta promiscuidad, cierta gula, las curiosidades que no se satisfacen con la mirada hambrienta. Tendrá siempre cierta reverencia por un mundo al que se asoma de vez en cuando: el trabajo. Y cierto puritanismo la alejará de las zonas resbaladizas.

La bohemia no me ha atraído jamás y prefiero mil veces el espectáculo de un mecánico en overol manchado de aceite, por su trabajo, que el de un poeta desaliñado y legañoso, con las uñas sucias.

EL NORTE Y EL SUR

Los Ocampo son del norte de la ciudad y la familia, a través de los siglos, viene del norte, avanzando hacia el río. Los Aguirres son del sur, de los viejos barrios patricios y fundacionales. Los de arriba y los de abajo, lo paterno y lo materno, la cabeza que piensa y el vientre que reproduce la vida, el espíritu y el cuerpo, lo solar y lo telúrico. Victoria no tendrá hijos, pero fundará su familia en el *Sur*.

ANTEPASADOS

Victoria recuenta su estirpe, pero a la hora de encontrar espejos personales en ella, selecciona unos pocos. Le gustan los Bemberg Ocampo, porque se instalan en París, donde ella nunca se atrevió a quedarse, tal vez por amor a un destierro constante, por amor a la falta y la carencia. Carencia de querencia en Europa, carencia de cultura en la patria.

También es un espejo Enrique Ocampo, que mata por amor, internándose en lo trágico de la pasión, como Paolo y Francesca. Y Águeda, la india que funda la estirpe de los Irala, luego los Aguirre, la india amancebada con el conquistador, el cuerpo habitado por logos de ultramar y vinculado a él en un matrimonio morganático, por decirlo mal. Y Victoria Ituarte, por ser fiel a su novio y no casarse con el militar que pretende imponerle su familia (la milicia es una institución viril). Y Rita Dogan, una loca casada con un calvinista. Y Manuel Hermenegildo de Aguirre, que compra armas para la independencia, como ella, de algún modo, hará también, en el extranjero y con dinero argentino.

Hacerse reconocer como independiente, hacerse perdonar la vida. ¿Por qué hay que pedir perdón por la vida? ¿Porque es el resultado de un mítico Pecado Primordial que nadie cometió y todos purgamos? ¿Hacerse perdonar, tal vez, los privilegios económicos montados sobre las carencias de tantos? En cualquier caso, el mecenazgo se funda en un sentido misional del dinero: los ricos reciben de la sociedad unos privilegios que deben devolver en obras útiles al conjunto. La concentración de riqueza es necesaria para que haya capitales y también obras de beneficencia.

En la generación de Victoria, no por casualidad, aparecen varias mujeres de la buena sociedad porteña que encabezan organizaciones de estímulo cultural. Bebé Sansinena, las hermanas Del Carril, Adelia Acevedo, Tota Atucha, Magdalena Bengolea. Pagan a los maestros, dirigen el gusto, a veces lo tiranizan. Son las que Manucho Mujica designaba, irónicamente, como *les précieuses de Buenos-Ayres*, incluyendo entre ellas a un *précieux*, Arturo Jacinto Álvarez.

Hubo un espejo sin espejos, Florentina Ituarte, la hermosa, muerta más que centenaria que, a cierta edad, mandó retirar los espejos de su casa para no verse envejecer. Hoy, muchos palacios se han pulverizado en demoliciones, mucha colección ha sido vendida al menudeo por descendientes menesterosos o ignorantes. *Sur* permanece en la penumbra de las bibliotecas, amarillenta y enhiesta.

CONFESIONES

Victoria escribe sus páginas autobiográficas como quien se confiesa, sin ocultarse lo sacramental o psicoanalíitco (sacramental sustitutivo) del acto. Invoca una fe, pero no la católica institucional y recibida, sustento de las fobias patriarcales, sino otra, de sesgo pietista, si se quiere: la intimidad del hombre con Dios, que prescinde de la mediación sacerdotal. La fe del mandarín, no la del carbonero, una fe libre, siempre en conflicto con los cleros instituidos, acaso porque habla desde otra clericatura.

Desde pequeña, Victoria siente repugnancia por el acto católico de la confesión, pero no es el contenido lo repugnante, sino la indecente presencia del cura. La niña se siente obscenamente observada por unos ojos que chispean tras la celosía del confesionario. Con los años, San Agustín y Pascal vendrán en su ayuda. Ellos eran mandarines, más que sacerdotes.

Estas confesiones escritas, cuando vienen de un escritor profesional (al menos, habitual, como es el caso de Victoria), llevan un peligro implícito que la misma Victoria advierte: es posible hacer hablar al yo bajo las especies de una fantasía de yo. La relación autor-lector es la de un exhibicionista y un voyeurista (o escopófilo), pero el primero, antes de desnudarse, se ha hecho la cirugía estética. Porque de estética se trata cuando hay literatura.

Esta diferencia es insuperable, pero poco visible. ¿Cuánto de yo querido y no experimentado hay en la memoria? Aquí Victoria pide otro apoyo, esta vez a Marcel Proust.

En cualquier caso, importa lo que hay de religioso no institucional (salvo que consideremos una institución a la literatura, y hay razones para hacerlo) en todo acto de confesión pública y sin mediación sacerdotal. En el caso de Victoria, lo que hay de infinita dación en todo hablar con Dios, ya que lo alimentamos como si fuéramos la nodriza de un niño insaciable, como el deseo alimenta a su objeto y el escritor al papel en blanco, con retazos incompetentes de infinito. Hay la fantasía prometeica (y crística también) de invertir la relación con el Padre y hacer la relación con el Hijo, hacer del Creador, la criatura a la que damos sin cesar.

Dios, el escucha infinito y siempre despierto, se transforma así en el Gran Receptor. Pero ¿qué recibe? Mejor preguntado ¿por qué le damos lo que podemos? En toda confesión hay, subterránea, una deuda a pagar. O, simbólicamente, una culpa. Manifestación de última voluntad, larga preparación a la muerte, discurso de la vida como testamentario. Es lo que Rosa Chacel atribuye a la confesión como tal, dejando a las memorias la misión subalterna de resucitar al menudeo una vida pasada y muerta en el tiempo perdido.

Es un tópico repetido desde Ortega y Gasset (por Américo Castro, Juan Carlos Ghiano, Ángel Battistessa, Adolfo Prieto) que en las literaturas hispánicas escasean las autobiografías. Un tópico desmentido por la investigación, por ejemplo la de Prieto respecto a los escritores argentinos del XIX. En éstos, dado que llevan la carga de la fundación del país, hay la necesidad de contarse ante la opinión pública como opinión política, como una rendición de cuentas del poder recibido y ejercido.

Lo peculiar de estos discursos es que, no obstante aparecer emitidos por un Yo, tienen un talento definido por el Tú. Según quien escucha es el sesgo de lo que se dice. No es lo mismo rendir cuentas a Dios que a los contemporáneos o a la posteridad.

Por ejemplo (sigo siempre a Prieto) parece evidente que los hombres públicos argentinos del xix que se confiesan intentan asegurar sus valores en la invención de un pasado nobiliario, justamente, por ser ésa su carencia. Todos propenden a mostrar cómo descienden de una aristocracia más o menos borrosa, o a describirse como aristócratas de algún tipo de nobleza simbólica, que no pase por la sangre ni por el dinero.

Sarmiento, nostálgico del buen orden patriarcal (al que tanto contribuyó a destruir y contra el que despotricó cuanto pudo), de los esclavos tratados sin denigración, de las familias patricias no entreveradas con la *chusma*, actúa de modelo para Victoria, como en tantas otras cosas. En 1880 se confiesa como hidalgo pobre que compensa sus carencias con los prestigios de la inteligencia y la escritura, aludiendo a "las oligarquías, las aristocracias, la gente decente a cuyo número y corporación tengo el honor de pertenecer, salvo que no tengo estancia", y se desmarca de "los pillos que tienen tanto de argentino, de pueblo, de nación, como mi abuela que era española, noble y colonial".

Tal vez convenga precisar algunos matices. La *autobiografía* es la biografía de un personaje público al cual el autor denomina Yo, pero que los demás reconocen en su fisonomía exterior, su identidad notoria. Las *memorias* son anotaciones sobre un mundo que la memoria reconoce como su correlato exterior a través de diversas épocas. Los *diarios* son apuntes que intentan salvar noticias de la acción del olvido (la censura). Las *confesiones*, por fin, dan la palabra al Otro, no al Yo ni al Tú, sino a alguien que es extraño para el que escribe y para el que lee, y que se constituye y se revela en la escritura misma.

En Victoria hay un poco de todo esto, hay sujetos diversos que emiten voces distintas, divergentes Victorias que se reconocen y se desconocen en un juego de espejos, disfraces y desnudeces, al cual la escritura sirve, insuficiente como siempre, tanto de disimulo como de destape.

No parece dudoso que el género de la primera persona vaya de camino con el desarrollo de la cultura del Yo, en la era clásica del humanismo. Cuando la persona gana su derecho de ciudad (el pícaro español del XVI que llega a la capital), un sujeto sin nombre se descubre a sí mismo y se bautiza, profanamente, como Yo. De ahí pasa a la literatura francesa, luego europea, y transforma la escritura de memorias (del reinado tal, de la casa cual, de tal o cual época) en memorias de la Memoria, de algo personal, que se ha salvado de la destrucción amnésica.

Enseguida, la primera persona protagoniza novelas alegóricas (*Roman de la Rose, Songe de Polyphile*, cuyo antecedente es Dante) en que el Yo viaja a las tierras sin lugar de las utopías y edifica sus fantasías inmanentes. Más tarde, cuando el sujeto descubre que forma parte del proceso de la historia, intenta dar cuenta de ambas dimensiones y nace la ciencia nueva, a la vez que una nueva calidad de memoria, la autobiografía cuyo modelo es Giambattista Vico. Los románticos explorarán en lo interior de este sujeto, huyendo de las compulsiones de la historia, y se asomarán al abismo que hay dentro de cada uno. Pero, como la escritura no puede dar cuenta de estas profundidades, se quedarán en los bordes del vértigo, de la muerte, hablando desde ultratumba, a veces, como Chateaubriand. Victoria invierte la dirección de la mirada y prefiere fisgar hacia un infinito solar y superior, ese Dios que nada tiene que ver con las penumbras, un tanto rufianescas, de los confesionarios, donde siempre la deuda termina en contabilidad. Se trata del Padre, no de los padres, como se suele denominar a los sacerdotes católicos.

Por fin, lo que escasea en los países de tradición católica son las confesiones y los diarios íntimos, porque están bloqueados por la confesión como sacramento, como inspección fiscal de la religión en la intimidad. En cambio, el luterano, el pietista, el calvinista, acceden a la intimidad con el Otro Absoluto, que carece de lenguaje, por lo mismo que es absoluto, y que todo lo oye después de haberlo visto.

ABUELAS

Las abuelas y las tías abuelas son el refugio de la niña en esos paraísos de poder matriarcal. Todas se le someten, menos Vitola, a la cual ella se somete. Pero, en rigor, se somete a un nombre: Victoria. Vitola ha adquirido su derecho de victoria antes que ella, ha abierto ese lugar victorioso donde, algún día, la niña reinará.

¿QUIÉN SOY?

Las memorias son un ejercicio de reconocimiento. Nos conocemos, todos los días nos miramos en un espejo de cristal, o recibimos la constancia de un nombre, las miradas familiares. Pero cuando cambiamos el *tempo* del conocimiento, cuando miramos el pasado como un gran instante de la memoria, entonces nos aparecemos a nosotros mismos como un extraño. Estoy en la vida que vivo, pero no estoy en la vida que evoco. Allí hay otro que ocupa mi lugar, alguien que usurpa mi nombre, que finge mi identidad, que se hace pasar por mí. ¿Quién es? Y, por lo mismo, si él no es yo, ¿quién soy?

Yo no soy "aquello", lo perecedero que formó parte de mí y ya nada tiene que ver conmigo. Soy lo *otro*. Pero ¿qué?

Proust, de nuevo. Hay un sujeto del tiempo perdido que no es el del tiempo recobrado ni el del presente continuo y cotidiano, en que, a cada momento, decimos que se llama *yo*. Es un sujeto al que podríamos llamar *quien*, disponibilidad de la historia que se va llenando con el proceso del recuerdo, lleno de

23

olvido y de esas imitaciones de las actitudes antiguas, las cuales, en el reposo, se vuelven poses.

LA NENA AL BORDE DEL ALJIBE

En París, alguien le pregunta a la nena qué joya prefiere. Ella dice que un rubí de la joyería Cartier. El alguien le enseña que ese rubí no es un anillo para chicas. La nena siente que hay una valla puesta ante ciertas cosas que las chicas no pueden pretender.

La nena ama a Pepito Martínez de Hoz y algún día piensa que se casarán. Pasean por Palermo y el nene se desabrocha la braqueta y le muestra su muy pequeña y rosada diferencia. "Pepito parece orgulloso de lo que me muestra. A mí me molesta ese detalle ridículo... Su cara es tan linda que acabo por perdonarle esa imperfección".

La nena se sube al borde del aljibe. Cuando cree que nadie la ve, el abuelo paterno, designado con el nombre arquetípico de Tata, se acerca amenazante, blandiendo el bastón. La nena huye aterrorizada hacia Vitola, hacia el lugar de la victoria.

No es cuestión de pene, sino de falo, dirá un psicoanalista. Yo lo dejo decir. En efecto, cuando la mujer se sube al aljibe, el hombre muestra que tiene en su poder el falo y la amenaza. Será cuestión de adueñarse de esa herramienta que parece un bastón, un cetro, un eje, y hasta, también, un miembro viril.

NEGROS Y HERMOSOS

En el tercer patio de la casa, allí en lo más hondo y menos visible de la mansión, están los negros. La nena suele visitarlos. Cuando tenga más de cincuenta años, empezará a evocar insistentemente esa infancia de niña bien que se asoma al tercer patio.

Puede imaginarse que los negros hablan con acento bozalón, que recuerdan a sus abuelos esclavos, que huelen a catingo. La nena los ve hermosos. Los seguirá viendo hermosos toda su vida, en los bailongos de Harlem, en los cuadros de Pedro Figari, en la música de Duke Ellington. ¿No será que, en aquel hondón africano de la casa, ha escuchado la promesa de dicha, pronunciada en *patois*?

Obscuros, representan el mundo del trabajo, algo habitual pero de lo que la nena está infranqueablemente separada por el código paterno, lo mismo que del rubí de Cartier. Algo diario y extraño: algo siniestro. De grande, evocará: "la pobreza, en un hombre, me atraía más que la riqueza. Casi todas las personas que yo más admiraba habían sido pobres. O, por lo menos, no se distinguían por la riqueza, sino en otro terreno".

¿Se acerca a la pobreza del varón esta mujer rica? ¿Acentúa la diferencia como un modo de poderío? O por el contrario ¿se homologa a la pobreza esplendorosa del sabio o del artista? ¿Deja cerca del pobre su dinero misional?

En cualquier caso, la belleza empieza a ser asociada por la niña con la tiniebla, lo plebeyo, lo demoníaco. En Carnaval, prefiere disfrazarse de Diablo. Y el primer hombre hermoso que registra su memoria es un peón de la estancia La Rabona, Evaristo, el que trae las galletas y piropea a las sirvientas. Lo bello acentúa su belleza al ser prohibido, o lo prohibido adquiere la belleza de la lejanía que no puede saltarse o que encubre la amenaza de un castigo.

LA DUEÑA DE CASA

En casa de las tías, a menudo, la nena se pasea por los salones solitarios. La escena se refuerza en verano, cuando la casa está inactiva. Las salas, cerradas, se pueblan de muebles cubiertos y de alfombras arrolladas. La nena se pasea como acechando apoderarse de la mansión. O como reinando en una construcción vacía, solitaria, donde divaga su figura sin pares.

François, el criado negro antillano, la llama "la Infanta". ¿Podrá reinar una mujer en esta monarquía? ¿Será su lugar el de una eterna Infanta, junto al rey, al príncipe y al favorito regio?

25

MAESTRAS

Alexandrine Bonnemason, Miss Ellis, Miss Krauss, Madame Sanderson, enseñan a las niñas, que no van a la escuela. Idiomas, matemáticas, música, religión, literatura. Hay una institutriz que la trata mal, que la nombra con metáforas animales, acaso para que se vaya habituando a un mundo en que las mujeres son objetos animados, eventualmente preciosos, como aves del Paraíso, pero cuyo destino es la jaula, dorada o menos. La maestra, aunque mujer también, es la transmisora de los valores patriarcales, como la sirvienta. Es una virago que se impregna de los ideales masculinos reinantes en la sociedad. Todo lo contrario de aquello que fantasea Victorita.

Le va mal en matemáticas. Lo suyo son los versos recitados en un escenario. El teatro. Seguirá fascinando su recuerdo aquel encuentro, a la hora del té, con la gran soprano dramática Salomé Krusceniski. Victoria la ha visto, con su casco alado y su lanza, estentórea Brunilda que desafía la ley paterna y es condenada por Wotan a dormir rodeada de fuego hasta que el varón sin miedo la despierte y la conduzca al desfloramiento. Y la ha visto en la adúltera Isolda, la que ama en Tristán el espejo de las transgresiones. Esas voces continúan sonando en los corredores del teatro interior donde Victoria pone en escena sus fantasías. Sagrado y excitante, el teatro es también lo prohibido por el padre.

¿Por qué esta original inclinación al teatro? Puesto de mando sobre una multitud anónima, lugar desde donde se proclama la palabra, el teatro se parece sugestivamente a una actividad de conducción, de dirección, de gobierno. Modélica en su rol de hembra privilegiada, la cómica es, de algún modo, un líder. Subsidiario, en tanto obra como vehículo de la escritura del hombre y pone en escena la fábula del primado fálico, pero líder al fin.

La niña a la que se enseña, en principio, que ella es la Gran Castrada y que el falo está afuera, en poder de los varones, pasa por un primer período de profundo maltrato en su narcisismo. Es el período en que la institutriz trata a Victoria como a un animalito doméstico, tal vez de lujo, mas bestia al fin. Para compensar esta herida primordial, la mujer aprende a decorarse y a rellenar el vacío imaginario de la castración con todo el folclore de la femineidad: vestidos, joyas, peinados, afeites, carruajes, mansiones. En cualquier caso, es un hueco a llenar por el varón, que la colmará de dones, de palabras, de normas, de ideas, de penes erguidos, de orgasmos con efusión de semen, de embarazos y de apellidos. Nacerá, así una suerte de narcisismo secundario o compensatorio, la imagen de la mujer como algo bello y deseable, aunque pasivo y a la expectativa.

El sujeto es el varón, la mujer es objeto del deseo masculino y su propio deseo es ser deseada por el macho. Un ideal histérico, si se quiere, y no es casual que la tipología de la mujer, en el siglo XIX, tanto en la literatura como en la ciencia, pase por el modelo histórico.

Histeria es, en gran medida, histrionismo, teatro. La mujer sale a escena y desfila ante una platea de varones que se seleccionan y pujan. Histeria es, en tanto "enfermedad", la ruptura del rol de la mujer, pues la histérica es deseante del hombre como objeto, usurpadora del falo. No sale a escena a ser deseada, sino a gobernar, con un cetro en la mano. La platea masculina la manda al manicomio o, al menos, a tomar baños de mar y a pasear por colinas solitarias, lejos de la Ciudad que ella amenaza con sus locuras.

La mujer tiene algunas estrategias oblicuas para sortear este modelo que la lleva de la castración al loquero. Puede replegarse en la frigidez o elegir como partenaire sexual a otra mujer. No son las opciones de Victoria. Ella quiere seguir siendo una hembra, pero empuñar la lanza de Brunilda, que es el bastón de Tata Ocampo.

Los roles sexuales no son meras realidades fisiológicas y anatómicas. Son, ante todo, significantes. Victoria, al rehusar ser esposa y madre, transmisora y conservadora de los valores patriarcales a través de la aceptación de una castración primordial y de un narcisismo sustitutivo, se erige en significante anómalo, cuyo lugar de realización es la escritura, tarea significante por excelencia. Su bastón, su lanza, su cetro, están en su cálamo de escritora, en su sitial de directora de *Sur*, muy pocas veces en un escenario donde trepa y dice la palabra de los maestros, convertida en un instrumento vocal privilegiado. Esa es la victoria de Victoria, lograr un puesto de mando a la intemperie, cuando el destino de la mujer es la intriga en la alcoba, la cocina y el cuarto de costura, o la escucha atenta y muda en el salón donde peroran los varones.

HERMANAS

Cuando Victoria habla de su hermana, se trata de Angélica, la secundogénita. En una casa donde se cubre el espejo del baño para que las niñas no se vean desnudas (la mujer desnuda sólo puede ser vista por el varón) el espejo secundario es otra mujer, la primera que aparece. Siempre, en la trenza amorosa, se muestra esta figura especular. Drieu ama a Victoria y luego a Angélica. El hermano de Julián (que es el amante de Victoria) se enamora de Angélica. La niña va por la casa deshabitada, intentando imaginar cómo son las reinas, y su voz busca y encuentra (inventa) un eco angelical. La escucha, la confidente, el séquito de la reina tienen mucho de fraternidad femenina, de eso que Unamuno llamó la "sororidad".

¿CUÁL ES MI CUERPO?

La hermana permite objetivar el cuerpo propio, ese cuerpo negado por la castración primordial de la mujer (simétrica a la castración primordial del varón, que es separado de la madre por la valla del incesto).

No había secretos entre nosotras (¿y cómo podría haberlos habido si ella era yo?). Nos entendíamos con medias palabras. Nos poníamos los mismos vestidos, los mismos sombreros, los mismos zapatos. Los míos eran más grandes, pero eso era todo. Leíamos los mismos libros, a las mismas horas. Estudiábamos en la misma geografía, la misma gramática, a las mismas horas. Íbamos a todas partes juntas, yo adelante y ella atrás. Entrábamos en las mismas tiendas, yo adelante y ella atrás. Subíamos a los mismos coches, yo adelante y ella atrás. Trepábamos por las mismas escaleras, yo adelante y ella atrás.

Cuerpo de mujer habitado por un imaginario masculino, que proyecta disputar con los hombres la administración de la ley, no es difícil imaginar por qué la primera imagen corporal amable que se le aparece es femenina. Valorizar el cuerpo bello de otra mujer es, por de pronto, edificar el narcisismo secundario dañado por la castración primordial, ignorar el valor del pene de Pepito Martínez de Hoz. Es, en otra instancia, ver a la mujer con los ojos de un varón. Es Lesbos, bloqueado por un proceso de modelización posterior.

Siempre me fascinó la belleza femenina, pero el lesbianismo ha sido una tentación o una comarca desconocida para mí. El hombre fue mi patria.

"El hombre fue mi patria", la tierra de mi padre. La niña dirige su deseo hacia el modelo admitido, que es el padre, vallado por el incesto y desplazado hacia los varones de la tribu. En ellos se dispersa el padre, que siempre tendrá algo de incorpóreo cuando ejerza el logos. El varón en que habitan sus palabras aprendidas en los libros que enseñan la belleza de los amores clandestinos, tenderá a la mudez. El varón elocuente será oído con atención, sin palabras, la penetrarán como orgasmos, pero fuera del acto sexual propiamente dicho (aunque, bien mirado ¿cuál es este acto propiamente dicho, sino algo que está dicho, necesariamente, con palabras?).

En un jardín, aparecen María Florentina y Lita. Es la primera escena de contemplación amorosa. Lita es amada por la mirada de Victoria, que la evoca como agobiada por su propia belleza y como desatenta en presencia del agobio. Le parece una diosa de la mitología, inalcanzable como tal diosa. Tal vez, lo divino de su propia femineidad. La diosa, la diva que lleva adentro y que quiere irrumpir en los escenarios del mundo. Luego aparece el tío Juan. El también es hermoso, pero la belleza del hombre se define en Victoria como una belleza vicaria, asociada a la belleza de la mujer.

Juan, el dios moreno, es el marido de Lita. Es lo masculino de Lita, de ese continuo de belleza sagrada que envuelve a los dos. Victoria no sabe a quién ama más. Pero empieza ya a traducirse el amor narcisista al propio sexo en amor activo por los varones, que lleva a la batalla y a la victoria.

LA CONQUISTADORA BLANCA

La nena juega al croquet, los veranos, con dos niños negros y uno blanco, de familia inglesa. Son hijos de sirvientes. Ella gana siempre pero envidia al blanco. A la vez, la envidia se mezcla con el amor. El varón blanco que viene a ocupar América la enamora. Victoria se enamora del sexo con que compite en la conquista de América.

MATERNIDAD

La madre de Victoria está encinta. La hija la ve deforme, fea, siente que se la sustraen, que ya no es suya, por no ser ya su modelo de belleza. La maternidad se le aparece, por de pronto, como una fealdad.

Otro horror asociado es el de la primera menstruación. La ignorancia de la época, vestida de buenas costumbres, echa un velo de mudez sobre el acontecimiento. La regla es aquello de lo que no se habla. Se limpia en silencio, como cualquier otra suciedad, pero no pasa por el lenguaje de la mujer. Victoria se siente humillada y traicionada por su cuerpo. La sangre menstrual la encarcela, por su oscura relación con la maternidad. Una decisión precoz la aparta de ella. "Yo no me sometería. Con sangre o sin ella, me lavaría con agua fría. Me subiría al trapecio, con sangre o sin ella. Y ningún poder en el mundo me obligaría a tener hijos".

Años después, durante su relación con Julián, cree estar encinta. De nuevo, el cuerpo ajeno que puede jugarle una mala pasada. Descarta el aborto, piensa en el suicidio. Cierta noche, se despierta húmeda de menstruo. Se siente renacer, ha pasado el peligro suicida.

"Un cuerpo ajeno" ¿Por qué ve ajeno a su propio hijo, más aun si es hijo del hombre que ama? Acaso porque el hijo integra el orden de la sucesión paterna, lleva el apellido del hombre, recibe sus poderes. En esta línea hereditaria, la mujer es el lugar donde se ejerce la transmisión del dominio patriarcal, un instrumento del orden regido por valores masculinos. Una fobia de varón a quedar embarazado salva el imaginario de Victoria.

LA MIRADA DEL AMOR

La regla le hace sentir su cuerpo como extraño. La regla, la norma. Lo paterno. La función a que el orden patriarcal destina su cuerpo. Su cuerpo que tiene otras reglas, secretas, mudas, íntimas. El amor pasará la prueba de silencio en cuanto aparezca en la forma de lo prohibido, que lo caracterizará y entregará su modelo a Victoria para siempre.

Luis García F. es adolescente, bello, seductor, insistente. Pasa a caballo y Victoria se siente mirada por él. El muchacho es un ideal de belleza: intangible, mudo, andrógino. Ella lo ve como el retrato de Juana de Arco con el sexo de Napoleón. Una santa guerrera y un emperador, también militar.

Ella y él sólo se encuentran en la iglesia. El amor se asocia a lo sagrado (el cuerpo de la diosa) y a la violación de la religión institucional. Más aun: Victoria consigue una tarjeta postal con la imagen de un caballo y la escritura de Luis. Guarda la tarjeta entre las imágenes de santos y besa la escritura. La palabra escrita tendrá siempre para ella una carga erótica, no sólo porque siempre escribir es un acto erótico, de caricias al imaginario cuerpo de ángel que nos duplica, según la imagen rilkeana, sino porque la escritura es masculina, así como el habla es femenina y la transmite la madre. Al dorso del caballo, las letras de Luis tienen algo de metonimia fálica. Y la asociación se funda y perdura: santidad, transgresión, escritura, erotismo.

La clandestinidad se va identificando con el amor. Los adolescentes suben a azoteas y balcones para mirarse, su cuerpo está en la mirada y en las letras de Luis, que también deben ser miradas para existir. No hay palabras habladas, no hay más contactos, ni siquiera el teléfono. La familia sorprende el idilio y clausura azoteas y balcones.

La figura del caballo es también una clave. El hombre aparece como un caballo a domar y a montar. El caballo es un atributo masculino, pues la caballería es una institución excluyentemente viril. Sólo se llama caballero al varón y las virtudes caballerescas jamás se asocian a la mujer. El caballo es la tentación de Victoria, esa Brunilda de las letras que quiere cabalgar como los hombres.

Los hombres porteños suelen ver a la mujer como yegua, versión paródica de la cabalgadura noble. Un piropo recibido en Viamonte y Florida le dice a Victoria *Botafogo* (célebre caballo de carrera de la época). Ella se aleja convertida en Diana, la diosa cazadora (de animales y de hombres, que lo diga Acteón). Ella anula la imagen del animal en la mirada masculina y la sustituye por una imagen divina.

Luis y Victoria ya son mayores y pueden hablarse. Victoria no le encuentra ningún atractivo especial. No era de Luis de quien se enamoró, sino del andrógino que la familia le prohibía, de esa mezcla armoniosa y lejana de santa y emperador.

LECTURAS

En el hotel Majestic, de París (donde luego instalaría su cuartel general la Gestapo) la madre de Victoria descubre que la adolescente lee clandestinamente el *De Profundis* de Oscar Wilde y que oculta el libro en la cama. Este libro cuenta cómo un amor ilegal se transforma en una experiencia religiosa, de conocimiento a través del dolor. El poeta que presumía de pagano se descubre como cristiano. La lectura, como el acto sexual, se asocian al lecho. La madre, invocando la ley paterna que prohíbe la homosexualidad y también el goce de la lectura (la lectura es edificante, no hedónica) secuestra el libro.

La lectura tiene el poder de crear un tiempo ajeno a lo cotidiano. Es, de una parte, el "había una vez" que se remonta al Paraíso Perdido y, por otra, el salto de tigre hacia el futuro (cf. Walter Benjamin) que es la recuperación del origen (cf. Karl Kraus). La lectura descubre la posibilidad de modificar la historia, de hacerla, de deshacerla. Un tiempo mítico, jardín de Lita y utopía a la vez, insiste en los cuentos infantiles, como insisten el deseo y la música, en un presente que se recapitula infinitamente.

El niño que lee construye su tiempo y su espacio, se sustrae a la ley paterna y viaja sin acompañantes, progenitores ni espías. Los libros son las calles por las que corre Victorita, mientras la puerta de calle está cerrada y el llavín paterno reposa en un bolsillo inaccesible.

En los libros ocurren castigos terribles, generosos banquetes (que compensan de los castigos), viajes al país del hielo, donde todo es puro y congelado como un arquetipo.

Victorita lee, mientras las mujeres de la casa cambian de ropa a los niños, recogen legumbres en la huerta, preparan el arroz con leche. Con los años, el mundo de los cuentos infantiles se desvanece, pero queda la figura insistente: el Príncipe Encantador que llega al abrirse el libro. Insiste, como insiste el deseo. La sala de lectura es la habitación del deseo, el lugar de citas con el Príncipe Encantador, que llega, puntual e invisible para la mirada paterna, trayendo un collar de piedritas que se transforman en perlas y una tarjeta postal donde está escrita su declaración de amor.

Victoria guarda como una reliquia, de por vida, el sillón donde le secuestraron *El sabueso de los Baskerville*. Desde allí parte de viaje hacia las ciudades mencionadas en los libros, incluida la ciudad celestial donde, por fin, la mirada paterna legaliza el amor de Dante y Beatriz.

Ya escribe en 1920 (*Al margen de Ruskin*):

> No soy un colegial que se divierte lanzando guijarros contra los libros amontonados sobre un sepulcro. Soy más bien un colegial que, maravillado de la belleza del paisaje que lo rodea, camina apretando contra su corazón un libro, que no recibe otros golpes que los latidos de su corazón.

Y en 1972: añadirá:

> Así, con los monos y papagayos de mi vida interior he entrado yo en los libros y he establecido, en ellos, mi reinado. Soy una miserable y feliz Robinsona.

Apretada contra su corazón, va la isla de la pionera. En ella, el sillón de San Isidro y la cama de París. El Príncipe Encantador siempre está por llegar.

OLIGARQUÍA Y LITERATURA

En el siglo XIX, la clase alta argentina genera escritura. Ante todo, las memorias a que aludí antes. Luego, historias, discursos edificantes, literatura. A la vez, el intelectual de clase alta hace política y los dos espacios se comunican abiertamente y se alimentan en forma mutua. Hacia fines del siglo se produce, por desarrollo de la división del trabajo social, una distinción de profesiones bastante marcada. El intelectual empieza a reclamar sus fueros, no ya como un mandarinato rector, a la manera de la generación del 37, sino como habitante y administrador de una parcela estrictamente artística. El modernismo cristaliza esta actitud. La clase comienza a mirar con recelo a este nuevo tipo de intelectual. Victoria lo advierte en esa época y escribe a Delfina Bunge el 24 de agosto de 1908:

Literato es una palabra que sólo se toma en sentido peyorativo en nuestro medio. "Es un literato" (o peor aún "es una literata") significa un inservible, un descastado, un atorrante, hasta un maricón... Si se trata de una mujer, es indefectiblemente una *basbleu*, una *poseuse*, está al borde de la perversión y, en el mejor de los casos, es una marisabidilla, mal entrazada.

NEGOCIOS DE FAMILIA

En 1971, Victoria evoca a Águeda, la india que dio a Domingo de Irala, en el siglo XVI, nueve hijos de los que descienden los Aguirre (familia materna) y los Ibarguren. "En lo que a mí toca, me siento solidaria de la criada y no del patrón", concluye, tomando el partido de Águeda.

La criada. Aquella a quien se ha criado. El padre, en su momento, la entrega como un objeto al novio convenido. Si ella se resiste, si pretende elegir, le corresponde la fama de perdida. La fantasía de Victoria es que su alma de varón defiende a su cuerpo de mujer. Pero la mirada de los hombres acarician la corporeidad de la hembra. Es esta mirada la que hace de Victoria una mujer, en el sentido corriente del papel femenino. El ser nos viene de los otros y si prescindimos de su mirada, corremos el riesgo de desaparecer.

CATOLICISMO

Desde la adolescencia, Victoria vive en conflicto con el catolicismo en que ha sido educada. La primera ruptura, a sus dieciocho años, se da por el descubrimiento del fariseísmo de la Iglesia, su clasismo, su moral de doble fondo, su ritualismo sin contenido.

Pero la divergencia es más amplia y más honda. Hace a la noción de Dios, a una noción agustiniana, pascaliana, existencial, que puede adscribirse a una pasión romántica: el culto a la conciencia desdichada. La conciencia humana, finita, advierte que el infi-

nito existe y le resulta inabarcable. Esta angustia de
la infinita desproporción entre el Creador y la criatura es la base de una religiosidad más compatible con
el protestantismo que con el catolicismo, ya que éste
impide la relación directa y pone, de por medio, al
sacerdote que resuelve toda la casuística moral del
feligrés con un código inapelable y seguro.

Lo angelical y lo animal son, en el hombre, imper-
tinentes. No se corresponden, no son coextensos, el
uno no da cuenta del otro. En el fondo de la experiencia mística, estética o sexual, el mismo episodio
de hastío, el cansancio de dar vueltas en torno a la
torre cierta, sin dar con la puerta de entrada.

Por otra parte, el catolicismo es religión de la nor-
malidad, del término medio, de la adecuación a lo
heredado, a la regla que todo lo resuelve. Y Victoria
concibe la santidad como una variante del genio, de
aquello que cada cual tiene de incomparable, de desmesurado, de único. De irracional, si se quiere, en
tanto la razón es medida común, pauta, canon.

Y, por fin, los *clercs*, los mandarines, disputan a
los curas el mismo terreno: la producción de ideología. En Occidente, desde la revolución burguesa, el
intelectual es orgánicamente enemigo del cura, salvo
que sea un intelectual orgánico.

PARÍS

La fantasía de instalarse en París es constante. No
ya por las ventajas obvias de su mercado cultural,
sino porque París es el modelo de la gran ciudad
burguesa, de la cual Buenos Aires es un remedo provincial. Una verdadera burguesía puede prescindir de
controles pacatos, clericalismo y rigideces. De algún
modo, París es la fantasía de huir de su clase (con
el dinero de su clase) e instalarse en una capital literaria, donde lo burgués puede disimularse tras una
espesa capa de vida mandarinal.

Victoria puede casarse con Champion o con Rostand. Pero hará todo lo contrario: volverá a Buenos
Aires y se casará con el señor M. Estrada, ejemplo
de la mayor dureza patriarcal y católica. Una clase

que da mucho, retiene mucho. A pesar de que la riqueza otorga variados medios de desarrollo personal, ata más al origen que la pobreza. A una mujer de clase modesta le habría resultado menos difícil ir a la universidad o hacerse actriz, con todas las trabas que estas actividades tenían en la Argentina de principios de siglo.

Buenos Aires era, además, el escenario en que Victoria podía ser protagonista, cosa no tan clara en París. Posición social y prestigio cultural brillaban mucho más junto al Plata que junto al Sena.

PRÍNCIPES ENCANTADORES

La niña lee las aventuras de Sherlock Holmes y del capitán Hatteras. Ambos la fascinan hasta el enamoramiento: son hombres misóginos, que no se interesan por las mujeres. Es como si se trataran de igual a igual, poniendo el sexo entre paréntesis, o como si ellos mostraran un rasgo ascético de carácter, propio de los santos. Ya empiezan a encantar a Victoria los santos (no las santas).

Son los años en que Miss Ellis la llama *caballito salvaje*. Santos que son pioneros, que son conquistadores y que vienen a la niña por los libros, configuran las bases de su mundo mandarinal posterior.

RETRATO DE BODAS

La mañana de la boda, el abuelo la lleva del brazo. El viejo está hermoso con su barba blanca y su nariz aguileña: una mezcla de ave de presa y patriarca árabe. Victoria ha intentado no parecer una novia de tienda barata. Ni solemne ni demasiado cuidada, con ese poco de desgaire que cierta gente considera imprescindible a la elegancia.

De pronto, el abuelo camina con paso militar y ella no se atreve a hacerlo con otro ritmo. La mujer debe seguir el paso del hombre y éste impone a aquélla una rigidez jerárquica cuyo modelo es el ejército. *Insight*: Victoria comprende que el patriarca gobierna una tribu muy primaria.

EVITA Y VICTORIA

Victoria no fue precisamente peronista. No deja de llamar la atención ni deja de ser rigurosamente lógico el párrafo que dedica a Evita en sus memorias:

> En mi país, me avergüenza comprobarlo, los hombres son hijos del rigor, y las mujeres mansas prefieren no disgustarlos. Sólo el día en que una humillada los humilló, los llevó por delante brutalmente (y merecidamente, en este particular) cedieron y hasta se arrodillaron. Me refiero a Eva Duarte. Intencionalmente digo Eva Duarte y no Eva Perón. Lo que era de veras el feminismo, lo que había sido, los sacrificios que había costado, nunca lo supo. Aprendió de boca de un antifeminista (todo fascista lo era) una falsa definición del feminismo...

La aproximación tiene algo de autorretrato. También Victoria era, en parte, una humillada (como era, en parte, una privilegiada) que humilló victoriosamente a unos cuantos hombres, conocidos o menos. Las dos se sintieron atraídas por el teatro, tal vez como manera de acceder a puestos de comando. Victoria lo hizo apenas, seguramente bien. Evita se prodigó en pocos años, sin llegar a ser nada memorable como actriz, aunque gran parte de su seducción se debía a su experto histrionismo. Ambas intentaron imponerse por un accionar competitivo con el masculino, fueron vistas como hembras vistosas y, en cierta medida, no pudieron sustraerse a los poderes tradicionales del encanto femenino.

Las dos chocaron con instituciones varoniles que les cerraron el paso: la Iglesia y el Ejército. Victoria vivió bastante como para ver desplegada su obra, a Evita todo le pasó con una rapidez cegadora. En distinta manera, con lenguajes distantes, con orígenes e historias divergentes, coincidieron en expresar una sociedad donde las mujeres, como en un colectivo, iban ocupando lugares a partir de su propio trabajo. Victoria es el mito de la niña bien que da un portazo y sale a la calle, abandonando el palacio. Evita es el mito simétrico: la callejera que empuja el portón del palacio y se mete en el jardín. En cuanto a casarse con el peor enemigo, las dos hicieron algo muy parecido. Se dice que, en su entrevista con Mussolini, Victoria le preguntó cuál era el lugar de la mujer en el fascismo. El Duce no pudo ser más preciso: *La cucina.*

CEREMONIAS SECRETAS

A pesar de las convenciones doradas, del viaje de bodas fastuoso, las fiestas con la aristocracia romana, los apellidos sonoros, Victoria comprende con rapidez que su matrimonio es desdichado. A su vuelta, en Buenos Aires, una cena pone su mirada en la mirada de Julián Martínez, un pariente de su marido, que conoció en Roma. Se inicia entonces, en 1914, una relación que cubrirá quince años de su vida y a la cual dedica *La rama de Salzburgo*, el tercer volumen de su autobiografía.

Todo empieza en la mirada, como reanudando los frustrados amores con Luis, diez años antes. Enseguida, fuera del tiempo y del espacio, se presentan los modelos de Príncipe Encantador que aprendió en los libros prohibidos. Ella es Isolda frente a Tristán, Ana Karenina frente a Vronski, Francesca frente a Paolo. Son eternos, pero también infinitos, no son ellos y la falta de límites produce una gozosa angustia.

Julián es un hombre de la alta sociedad, frecuentador de los círculos elegantes, mujeriego, diplomático, de buenos apellidos, pero de la rama bastarda de su familia. Padre, para más datos, de un hijo extramatrimonial (de los que entonces se llamaban, graciosamente, "naturales"), categoría eliminada por una ley peronista que Victoria tendrá la nobleza de elogiar, apenas salida de la cárcel. Tal vez fue su primer encuentro imaginario con Evita, que había muerto dos años antes.

Una mirada, unos modelos que se acomodan a la realidad y la organizan, unos acordes wagnerianos, el hombre irregular y la mujer que puede llegar a serlo, gracias a ese hombre que la mira. En torno, los filisteos conversan sin advertir gran cosa. Luego, habrá encuentros en la calle, sin palabras (de nuevo, la escena adolescente de la doncella custodiada, en este caso, la mujer casada a quien su marido custodia en nombre de su padre). Después, flores, libros que se entregan para ser leídos a la misma hora, la voz del otro por teléfono. El cuerpo del amor, oblicuo, escurridizo, presente en todos los objetos.

"Para decir la verdad, en ese momento (cosa que deseaba) hubiese tenido que ser *huérfana*. Me paralizaban mis padres". He aquí su problema central: la imposibilidad de dejar de ser hija, de considerar muertos a sus padres como figuras internas que la acompañan a todas partes y la bloquean con la mirada de los otros. Los padres son todos, es el conjunto de una sociedad que la señala por su nombre y apellido, sobre todo por su apellido, que viene del padre.

Esta tragedia sin solución se prolonga gozosamente en el amor. Es la batalla entre el deseo y la ley, siendo que la prohibición alimenta al propio deseo y no puede levantarse, so peligro de que cese el deseo mismo, bajo pena de muerte.

Muchos años después, escuchando *The rape of Lucretia* de Benjamin Britten, se reconocerá en las palabras de la protagonista a Colatino: "Querer como queríamos era morir diariamente de ansiedad". Y estas palabras se repetirán, en eco, con las de Mélisande a Pélleas: "Lloro siempre al pensar en ti. Soy feliz, pero estoy triste".

Las citas son clandestinas, en taxis, en plazas, finalmente en una lejana *garçonnière* de la calle Garay. Para evitar el control del mecánico, ella aprende a conducir su coche. Hay telefonazos y cartas anónimas. La criada, instrumento paterno, reprocha a la señora su inconducta. Esto es halagador: un elemento más de novela con adúlteras. Y más aun, cuando una carta de Julián cae en manos del marido y Victoria pasa a la categoría de perdularia, en el cajón de sastre de las mujeres que no merecen respeto.

El desprecio del hombre normal es proporcional a la admiración del amante, para el cual, tal vez, Victoria represente el mundo de las familias bien constituidas, que él sabe no es estrictamente el suyo. Para Victoria, en el amor hay un elemento de dominación, de reparación del narcisismo femenino humillado por la castración primordial y por el derecho de desfloramiento que ejerce el marido. La mujer decente no sólo llega virgen de himen al matrimonio, llega inactiva de deseos y hasta de besos. La adúltera y el Príncipe Encantador son, también, la *belle dame sans merci* y el *chevalier servant*, escena en que la mujer venga los pisoteados derechos "naturales" de su sexo. Una suerte de coronación de la adúltera que identifica la tiara regia con la aureola de la santidad. La pasión y la Pasión.

La relación no puede ser pública. En los encuentros sociales, disimulan. Sólo son testigos de la historia unos pocos amigos. No parece casual que, en estas reuniones, se baile el tango, una música todavía desterrada de los salones decentes. Precisemos los nombres: los bailarines son, nada menos, Ricardo Güiraldes y Vicente Madero. El músico, nada menos, Osvaldo Fresedo.

Los rituales son modestos, como se ve. El trasfondo de la historia, no. El amor es, en cuanto alcanza a experimentarlo, para Victoria, una experiencia religiosa. Una muerte sin frialdad, una vida sin posesión: la dación de sí. Y la infinitud del objeto deseado, que hace infinito al ser amado que es su emblema, inalcanzable y angustiosa la dicha de estar con él.

Esta entrega a un extraño que es lo más cercano y que, además, no tiene límites, se parece demasiado a la experiencia del santo en presencia de Dios. Como lo divino, este amor necesita estar cubierto de prohibiciones, tener algo de pecaminoso. Es amor a la prohibición misma, al pecado, a la valla que cierra el paso hacia el tabernáculo.

Por esto, los celos actúan como síntoma del amor. Victoria lo lee en Proust y lo comprueba en carne propia. Si el amado es infinito, hay infinitos resquicios de su vida que se nos escapan. Los celos son esta sensación de dominio frustrado por la ausencia de límites. No se puede poseer sin una propiedad determinada, con linderos y medidas discretas.

El matrimonio, el hijo, habrían transformado la relación en otra clase de experiencia. Si Victoria y Julián no se casan ni tienen hijos es porque las interdicciones e irregularidades de la pareja la protegen. Convertirse en la señora de Martínez y en la madre de los chicos de Martínez Ocampo quitaría desasosiego y trascendencia a la relación, reduciría el papel de la mujer (el más expuesto, en todo caso) y pondría fin a la novela.

Este amor es infinito como la muerte, como su pregustación en la nada, ese contacto con una infinita inmovilidad que es la impotencia del ser finito ante un objeto infinito. El Eros abriga al Tánatos y acaba cumpliendo su destino mortífero, el sacrificio de la rosa en el altar de Afrodita. Se ama la transgresión que mantiene vivo al amor y se busca la satisfacción definitiva, que sólo es posible en la ausencia del deseo, es decir en su muerte.

La escritura es, para Victoria (no olvidemos que sus primeros artículos nacen en plena historia con Julián) una suerte de aplazamiento de la muerte por medio de la palabra, que necesita tiempo, tiempo de vida, y, a la vez, de síntesis entre el deseo corporal (escribir es rasgar y es acariciar, es penetrar y es sacarse palabras de la boca, palabras como besos) y el deseo de lo infinito a que se accede por el amor o viceversa (al amor se accede a partir de una iluminación mística previa). Pagar la deuda mítica con el Padre. Por ello, someterse al juicio de los padres: Ángel Estrada le dice que es demasiado directa (las mujeres no deben desnudarse en público, la palabra, al menos, debe ocultar los sitios críticos), Paul Groussac, que es demasiado pedante, Ortega le dice que está muy bien y que publique. Se trata, desde luego, de su libro sobre Francesca y Beatrice, la adúltera que pone al hombre en contacto con el infinito (*amor condusse noi ad una morte*) y la doncella transfigurada que lo reconcilia con el Padre.

La pasión es la Pasión, la entrega a una fuerza sin nombre en la cual, no obstante, confiamos con miedo. Finalmente, el saber por el dolor. Más allá, sentirse abandonado por el Padre y poner el espíritu en sus manos. El Espíritu Santo, el logos, la Palabra, que vuelve a manos del Padre cuando quedamos silenciosos para siempre.

LA MUJER ÚNICA

Ella quería ser actriz y universitaria. Su clase se lo prohibió. Empezó a escribir en un diario de su clase. A regañadientes, fue aprobada. Ella, que no se atrevió a dejar la casa paterna, hizo un pacto con su clase: sería una mujer emancipada, con amantes y sin maridos ni hijos, se dedicaría a las letras, pero ello a precio de no solidarizarse con las demás mujeres, a mostrarse en público como el sujeto de misteriosos privilegios (el buen gusto, el talento), es decir como un ejemplo inoperante, que no debe ser imitado. Su pelea debía ser solitaria y no confundirse con la pelea de otras mujeres que, en esos años (décadas del 20 y del 30) se agitaban en los sindicatos, los partidos políticos de la izquierda, los movimientos feministas. A todo esto llegará tardíamente Victoria, cuando sea consciente de que su pelea no es solitaria, como no lo es la pelea de las demás mujeres, y de los hombres que también se agitan por una sociedad distinta.

La década del 20, la de su iniciación en las letras y sus grandes contactos con los maestros, es la de su formación dentro del mito de la Mujer Única. Viajes independientes, casas propias, encuentros en las cumbres, desembocan en el proyecto más elevado de su vida: una revista donde ella regentee a un grupo de voces, como en el imaginario salón de una *preciosa*.

En 1922, Ernest Ansermet, Jorge Saslavski, Ferruccio Cattelani y Ernesto Drangosch fundan la Asociación del Profesorado Orquestal, sociedad de conciertos en que se darán a conocer las obras de Stravinski, el Grupo de los Seis y otros compositores de la época, con gran escándalo de buena parte del público. Victoria participa de la APO y consigue de su amigo, el presidente Alvear, y del ministro Antonio Sagarna, buenos subsidios para la institución.

En 1924 se funda Amigos del Arte y se producen los encuentros de Victoria con Ansermet y con Rabrindanath Tagore. Junto a Bebé Sansinena y Julia del Carril, Victoria anima las exposiciones y las conferencias de ADA. En sesiones de poesía francesa, en los estrenos de *Le roi David* de Honneger (1925) y *Perséphone* de Stravinski-Gide (1936) puede canalizar su bloqueada vocación de actriz. También se vincula al teatro en 1933, cuando se municipaliza el Colón y forma parte de su primer directorio, junto a Juan José Castro, Alberto Prebisch, Rafael González y Constantino Gaito.

Sus planes ambiciosos (por ejemplo, el estreno de *Wozzek* de Alban Berg) se ven frustrados por las gazmoñerías de los abonados y los arranques de los divos. Se recuerda, no obstante, aquella *Traviata* final de Claudia Muzio, con decorados de Héctor Basaldúa, en que Victoria hizo ambientar el escenario con muebles y objetos de la época romántica, proporcionados por ella y por algunas familias amigas. Un rasgo viscontiano *avant la lettre*.

NEOCLASICISMO

Estos años de la formación victorial (digamos, desde 1913) cuando presencia el escandaloso estreno parisién de *La consagración de la primavera*, hasta 1931, cuando se funda *Sur*, asisten al desarrollo y crisis de las vanguardias, desde los manifiestos del futurismo y el dadá hasta el "llamado al orden" de Cocteau. Este momento, el del reflujo neoclásico de las vanguardias, es el momento en que cristaliza el gusto de Victoria, su personalidad madura: una modernidad acotada por la razón, suerte de pacto mental que refleja su pacto social. La definición de este neoclasicismo está en las palabras de Stravinski que Victoria repite a menudo: "Hay que amar a los antiguos a través de los modernos".

Así como en religión, ella piensa que todos los credos conducen al mismo Dios y, por ello, toda creencia es válida y merece respeto (principio de tolerancia de la Ilustración en materia religiosa), en estética todos los maestros conducen a un espacio inmarcesible donde el tiempo respeta la inalterable lozanía de los clásicos. Por tanto, el arte moderno, sin perder la sensibilidad de la hora, debe propender a esa calidad inmarchitable. Mozart y Bach son modernos porque son contemporáneos de Debussy y de Ravel, y no al revés. El revés sería el clasicismo académico, en que el moderno trata de parecer antiguo y todas las variantes son deformes e invalidadas por "feas".

El neoclasicismo parte de una historia del arte que se despliega en un tiempo propio, tiempo del alma (según las palabras de Victoria), al cual parece oponerse el tiempo profano del cuerpo, el tiempo histórico. "Mi alma era de todos los tiempos, su presente era sólo la forma tangible del intangible pasado, del intangible porvenir que la invadían continuamente."

Años del magisterio de Ansermet, del período neoclásico de Stravinski, su "retorno a Bach" proclamado en 1920 y desarrollado en obras como el *Octeto* (1920), el concierto para violín (1931), la ópera *Edipo Rey* (1926), el ballet *Apollon Musagete* (1927), la *Sinfonía de los Salmos* (1930), y los ballets *El beso del hada* (1928) y *Juego de naipes* (1936), anticipadas, en cierto modo, por los arreglos dieciochescos de *Pulcinella* (1919). Atemorizados por los extremos de las vanguardias, que siempre quieren estar por delante y se muestran insaciables, los artistas de la buena conciencia miran hacia los maestros remotos, en busca de algo que no pueda modificarse e impida el salto en el vacío. La arquitectura de Le Corbusier, la poesía de Valéry, las recreaciones míticas de Cocteau, la música del Grupo de los Seis, son los modelos.

Modernidad, sí, pero también buenas maneras. Y, en un país como la Argentina, la época de sembrar, la sarmientina tarea del pionero. Si el ingeniero Ocampo llevaba ferrocarriles al paisaje virgen, su hija llevará obras de arte modernas y elegantes a los escenarios, las salas de concierto, las páginas de las revistas y los libros del sur.

LA ARGENTINA

Una prisión querida de la que no quiso-supo-pudo huir. En 1960, cuando el sesquicentenario de la Revolución de Mayo, la escena que describe para sintetizar la vida argentina es ella misma, sola, en un vagón de ferrocarril, de Buenos Aires a Mar del Plata, rodeada de gente guaranga, mirando un estupendo paisaje por la ventanilla. Las radios transmiten una música vulgar y machacona, que ella no puede impedir. ¿Dónde está la Argentina invisible, inaudible, intocable, tal vez intacta?

EL ARTE

Si bien no hay en Victoria una teórica del arte, algunas reflexiones e imágenes suyas permiten cierta teorización o, por mejor decir, cierto parentesco con teorías del arte de cierta época occidental. Digamos: el manierismo moderno, desde el simbolismo en adelante.

Ya en 1921 compara el lenguaje poético con las palabras de los sueños, que se degradan al intentar reproducirse en la vigilia. Más vagas y potentes, menos precisas y dominables, resultan finalmente intraducibles. La poesía resulta ese grado límite del lenguaje del que no se puede volver con un significado. El sueño puede narrarse, pero entonces ya es una parodia de sueño, es un resto diurno de la realidad, para siempre perdida, del sueño. Esto da a la poesía su ambigüedad y su carácter elegíaco. Pavana por el significado difunto.

No obstante su ambigüedad, el arte debe someterse a una finalidad ulterior, pues ejerce un cierto magisterio sobre la vida. El arte es inferior a la ética y sin la relación de ambos, la vida se desnorta, se extravía. El desafío del creador se instala en esta peligrosa esquina donde la oscuridad y el bien se encuentran. Siempre de noche, como en los sueños, con el riesgo de que haya asaltantes nocturnos sueltos por las calles de la Ciudad.

¿Por qué este espacio privilegiado del arte, oscuro mentor de la vida? Tal vez porque sea necesario un espacio para que existan y habiten los mandarines, esos dirigentes que no se confunden con la clase dominante ni hablan en su nombre. El arte es una aristocracia, fundada en desigualdades y que rehúye la nivelación, el término medio, la mediocridad. Por debajo, el vulgo, que tampoco es una clase social. Sin la mediación de los mandarines, las verdades neblinosas del arte son ininteligibles.

Por esto, más que la literatura, el modelo del discurso estético es la música, esa palabra que se calla cuando está a punto de hablar. La música es un mundo de certezas inmediatas que dan lugar a la preferencia. Preferir es el acto definitorio del mandarín. Victoria prefiere a Bach, Chopin, Wagner, Stravinski, Honneger, pero no a Beethoven. "Soy capaz de pasarme tardes o noches enteras haciendo girar los mismos discos de Paul Whiteman... Los *rags* y los *blues* me desgarran el corazón, como los folletines desgarran el corazón de las porteras" (artículo en *La Nación*, 9 de enero 1927). La percepción estética es esta suerte de capacidad de desgarro, que comparten la dueña, la casa y la portera, y que no puede describirse. Un acto puro, que tampoco sabemos si se repetirá.

Esta facultad de fervor, claro es (claro era en la Argentina de 1928, cuando el homenaje a Debussy en el Cervantes), tiene circunstancias muy precisas. Un argentino se enfervoriza ante una obra de arte francesa como perteneciente a una misma familia espiritual. Y el alma del argentino se deja en la puerta de los salones europeos, como el paraguas al entrar en un museo. El argentino se vuelve puro cuerpo. Puro y mudo, dispuesto a que lo habite la música francesa.

De niña, oía a Chopin tocado por su madre al piano. Cada vez que escucha a Chopin, los perfumes de aquellas horas y la presencia de la madre se restauran. Se puede hablar de esa música con palabras incompetentes y bellas. En esa intimidad sonora es-

47

taba, ya, la futura "intemperie del corazón". Pero ella elige lo paterno, la escritura, intentando conciliarla con lo materno (la música) por la exaltación de las cualidades poéticas del lenguaje. El resultado es que crece escribiendo y la música la devuelve a la niñez, a la hechizada protección maternal, en una sala donde reinan el sosiego y chopin.

La música nos ayudaba a todos, desde la abuela hasta los nietos, a no sentir el peso real de la vida o los obstáculos que se interponían al cumplimiento de nuestros deseos.

Somos "instrumentos de un gran músico invisible". La música nos evoca esa partitura que leemos a ciegas en nuestro canto cotidiano, que nos hace vibrar sin que sepamos nada de su notación.

AMOR

La materia es distancia, sólo el espíritu es fusión absoluta. La carne, próxima y sólida, es una etapa previa a la definitiva, el acceso al Padre por medio de la Madre. La intercesión amorosa (elemento femenino) lleva al saber de Dios (teología, elemento masculino).

En el amor, pues, se describen los términos de la condición humana como tragedia: la tempestad nocturna de los sentidos tiende a un amanecer sereno y luminoso que no es de esta vida, pero es imposible quererlo sin vivir aquella tiniebla. No se llega a la meta del viaje, todo es errancia. Los amantes están asidos en aquello mismo que los separa, pues están infinitamente separados del Padre, que es infinito. Paolo y Francesca, lejos de Dios, como Julián y Victoria, para siempre expulsados del jardín de Lita. Este padecer es pedagógico. Los hijos se instruyen para una vida de familia armoniosa en el más allá.

La temprana atracción de la Beatriz dantesca no es gratuita. Beatriz reina como Maestra Suprema, en una corte de varones sabios, intercesora ineludible entre Dante y el Padre. Reina aún por encima de

Virgilio. Beatriz es, finalmente, como la *preciosa* que rige un salón celestial.

LA MUJER OBJETO

El discurso manifiesto de Victoria es —y lo es cada vez más acentuadamente a lo largo de los años— un discurso de emancipación femenina. La mujer, como el varón, puede ser padre de sí misma y no tan sólo madre de los hijos del marido. Este discurso deja atrás, y también de lado, el programa de vida de la mujer-objeto, aquella que, en la niñez y la adolescencia de Victoria —lo que hoy llamamos *la belle époque*— llega a la culminación de una cultura basada en el narcisismo secundario y la lucha contra el vacío de la castración.

La morosidad con que recuerda las modas de vestimenta y peinado correspondientes a aquellos años, lo prolijo de sus evocaciones de Cocó Chanel y las sombrererías de París, despiden cierta nostalgia por una vida no vivida, la de Victoria Ocampo como "mujer normal" de su clase. Siempre tenemos esta nostalgia a flor de labios, a flor de memoria, porque la vida es una elección basada en el aborto de otras vidas posibles que no viviremos nunca.

Tal vez hayan sido el peinador y el sastre las más remotas imágenes del artista que percibió Victoria en su niñez. Un arte que se identificaba, ante todo, con la artesanía, el buen hacer, la solidez técnica. Sastres que vestían a mujeres lentas y complicadas como la construcción de los palacios y las catedrales de los siglos clásicos, como esas vísperas de fiesta en que la mesa se organizaba con uno o dos días de anticipación. Las muchachas intentaban parecerse a los grandes ejemplos de la pintura (la niña tonta de *La cruche cassée*) y se adiestraban para convertirse en el mejor mueble del salón, en la mejor vitrina de la sala, el más primoroso cojín de la alcoba. Nostalgia de un preciosismo al que Victoria renuncia en favor del *tailleur*, el *chemisier* y el *overall* (la mejor estrategia para lucir un buen diamante, dicho sea de paso), de una dictadura doméstica donde el poder inmediato, aunque vicario, es el de las abuelas y las institutrices.

Esta ambivalencia del mundo femenino al que Victoria pertenece y contra el cual se insurge, pretendiendo para la mujer el disfrute y el riesgo de los valores fálicos, se ve con bastante claridad en su larga relación con Fani, la criada asturiana que la sirve casi medio siglo, desde 1908 hasta la muerte de Fani.

Victoria, que tanto hizo por incitarnos a la lectura, mantuvo a Fani es el analfabetismo. Quizá la buena señora se resistiera a aprender, considerando que eso, en una mujer, era indecente. Su moral era cazurra y estrecha como la de un campesino montañés (ella era de Trubia) y actuaba con Victoria como una carcelera solícita, pero pronto a informar al verdugo, como corresponde. Un poco la situación de Luisa en *El primo Basilio* de Eça de Queirós.

Victoria la compara con Regina Harrison, autora de *My life in service*, donde cuenta sus relaciones domésticas con lady Astor. Tagore la piropeaba (a Fani) comparando su fuerza con la de un caballo. Como esos machos porteños que comparaban a Victoria con Botafogo. Fani, en cualquier caso, no pudo dejarnos su libro sobre Victoria. Finalmente, es el dueño de casa quien escribe la crónica o paga al obediente cronista para que lo haga.

EL BUEN GUSTO

Evocando al peinador Martin Soulès, Victoria reflexiona sobre los misterios del buen gusto, esa suerte de naturaleza que se tiene para las cosas de la cultura y que se expresa por medio de un discurso pobre, a veces puramente gestual. En el otro extremo de su tabla de ejemplos, Victoria pone a Eugenia Errázuriz, la millonaria chilena que ejerció cierta dictadura del gusto *chiné* en el París de los años veinte. En el centro, alguien que era una señora rica y, a la vez, una artesana: Cocó Chanel.

Soulès distinguía con ejemplos lo que era auténticamente elegante, lo *chic*, de aquello que intentaba parecerlo sin alcanzarlo: lo *chiqué*, lo *chicandeau*. Y, desde luego, lo que era cursi o de mal gusto: lo *caché*, lo digno de ser ocultado (Dios, en la teología pascaliana de Victoria, es algo similar: es *caché*, se oculta, acaso por razones de buen gusto). La Errázuriz apenas decía "me gusta" o "no me gusta".

Intentar ser. No es de buen gusto intentar nada. El esfuerzo es feo. El buen gusto se identifica con cierta languidez, con cierta negligencia, con cierta molicie relajada, propia de la vida ociosa, la vida señoril, que permite contemplar el mundo como algo lejano y espectacular, como una obra de arte.

El buen gusto es, precisamente, una capacidad de distinguir, no una manera de categorizar. No lleva al concepto, sino al gesto. Por eso se identifica con lo "distinguido", objeto del acto de distinción que es propio de quien, enigmáticamente, tiene la calidad inmanente de distinguir. Victoria llevó este juego a su extremo: no quiso ser distinguida, ejerciendo meramente el poder de admitir y de rechazar que da el dinero y que consiste en abrir o cerrar puertas, en incluir o tachar de la lista de invitados. Quiso ser distinta para estar distante y poder juzgar con claridad.

Este es el matiz que la relaciona y, a la vez, la separa, de la distinción codificada de su clase, adepta a la ley estacional de la moda, esa suerte de *potlach* que tira por la ventana, al final de la temporada, los ídolos de meses atrás. El gusto de la alta burguesía argentina era *pompier* y exhibicionista, gusto de nuevo rico que juega a rastacuero. El gusto de Victoria era austero y recatado, gusto de mandarín que tira a santo laico. Sólo por excepción ha elogiado la obra típica de su medio social, la rumbosa estancia que se disfraza de castillo inglés. Elogia *Chapadmalal*, de los Martínez de Hoz Acevedo pero, justamente, porque le parece una obra de arte y no una estancia.

Su ideal de buen gusto es el *chineur*, esa institución del mercado de arte cuyo análisis cumplido deja Balzac en *Le cousin Pons*. *Chineur* es encontrar la pichincha, la bicoca, la oportunidad oculta en medio de la pacotilla. Descubrir la obra de arte de alta calidad entre los trastos de un remate o los muebles de una casa subastada en bloque. Allí donde las miradas del mercachifle y el filisteo no ven nada, el mandarín *chineur* percibe el diamante en la ceniza.

LA ESCRITURA, EL PADRE

La escritura, tarea masculina en una cultura donde la ley es cosa de varones (y la ley se escribe), representa para Victoria una empresa andrógina. Como el amor por Luis y el espejo de Virginia Woolf, ese Orlando que había nacido varón y se había metamorfoseado en hembra. Como Tiresias, que había adquirido la facultad de profetizar y hablar, a la vez, con los vivos y los muertos, tras pasar por ambos sexos. La mujer que asume la escritura adopta una tarea varonil y el resultado es ese andrógino que los hombres situados en su rol consideran parecido a Botafogo (por no transcribir otras designaciones menos púdicas).

Pero la androginia, ese emblema de la perfección (plenitud, totalidad) se proyecta desde los antepasados. José Hernández, el escritor de la familia, es de la rama materna de Victoria. También lo es Prilidiano Pueyrredón, el pintor que inventa, con su mirada pionera, el paisaje de la pampa, y que descubre la belleza de la mucama desnuda y las delicias ocultas del cafuné o despiojamiento, en que la criada recorre, con dedos acariciantes, el cuerpo del ama. La escritura, componente paterno, viene de la madre. Por el contrario, es el padre quien desaconseja a la niña que se dedique a las letras, apartándola de la escuela y la universidad.

En Victoria hay, pues, la necesidad de buscar la aprobación paterna de la escritura, fuera de la casa. Un padre de la caballería de las letras le dará el pescozón y las espuelas de oro. Ella sale a buscarlo.

El primero es Groussac. Pero éste considera que medirse con Dante, sin ser erudito, es pedantería. Victoria se siente como descubierta en pleno idilio de miradas con Luis. "Basta de balcón" dice la madre, en nombre del padre. Basta de Dante, dice el duro maestro tolosano.

Padre es también Güiraldes, muerto en plena formación de Victoria y antes de la fundación de *Sur*. El es un señorito educado en Saint Cloud, que no sabe castellano y que, por misterios de la estirpe, entiende a los gauchos mejor que nadie (Ramón Doll disentirá de estos juicios, lo sabemos). Reúne a los amigos en privado y les enseña pasos de tango. Escribe versos de vanguardia. Sus compañeros del Jockey Club lo consideran un afrancesado, un esnob, y se ríen de sus pretensiones de literato. Güiraldes no es demasiado institucional.

El padre acogedor será Ortega. Lo veremos en su lugar.

La figura paterna que aprueba a la niña escritora aparece reiteradamente. Con humildad auténtica, o afectando humildad como una manera de la coquetería, Victoria pide permiso, pide perdón. Debe ser iniciada en los misterios fálicos, que siempre tienen algo de impúdicos, pues, si se habla abusivamente de los misterios femeninos, también los hay del otro sexo. Por qué no habremos de ser misteriosos los dueños "naturales" de la escritura.

Con permiso de Dante, se mete con Paolo y Francesca, luego con Beatrice. Con permiso de San Juan de la Cruz, escribe *Soledad sonora*. Junto a Shakespeare, se siente siempre niño (el otro es siempre adulto y le impide crecer, al menos hasta su altura), un niño que juega con un baldecito a la orilla del mar, intentando domesticar al océano.

Por otra parte, la escritura, impertinente a su sexo, es, según se apuntó antes, impertinente a su clase. Escribir es trabajar con las manos, es laborar, y las manos de los grandes señores (sobremanera si son mujeres) no se ha hecho para trabajar. Victoria escribe, poda las plantas de su jardín, destripa los terrones de los almácigos. Y protesta en 1959, defendiendo sus fueros de mandarín:

> Hoy día da más prestigio pertenecer al proletariado que a la oligarquía o a la nobleza. Todo ello me parece absurdo. Lo único que cuenta es lo que cada uno ha hecho de su vida después del accidente del nacimiento, a partir de él.

Pero, justamente, Victoria, hacer es propio de plebeyos, como ser es propio de nobles. Si elegiste hacer tu vida es porque te identificabas, en esa medida, con el trabajador, mal que te pese por momentos. Che.

CASAS

Victoria busca su lugar en el mundo, comprende que no existe tal lugar, que todo el mundo es, para el hombre, una impertinencia, una no-pertenencia. La manera de paliar este exilio es construirse una casa, hacer una miniatura de mundo con las propias manos. Otra tarea de pionera, de trabajadora: la construcción. Otra tarea masculina, pues Dios es Padre y arquitecto, según aseguran sus devotos, devotos, a su vez, de las categorías profesionales.

Las casas que Victoria construye se desmarcan del gusto corriente entre la gente de su clase. En general, ésta prefiere la evocación historicista que sirva para inventarse un pasado, según la manía de antigüedad y nobleza de nuestra alta burguesía, que siempre ha tenido un poco de vergüenza de ser burguesa (al revés que la norteamericana, y así nos fue a nosotros y así les fue a ellos). El gusto dominante es *Kitsch*, en tanto imita lo auténtico sin serlo. Es el similpiedra de la Restauración canovista, el pompierismo ceñudo de la Alemania guillermina. Castillos ingleses, bomboneras francesas, lonjas italianas, más tarde frichulines platerescos y *revivals* de un colonial peruano o californiano. Nunca lo verdadero, el inmediato y austero pasado patriarcal de paredes encaladas y galerías penumbrosas, patios con aljibe y delicadas canceles de forja. Esta es la única arquitectura de su clase que Victoria aprueba (por ejemplo: la quinta Pueyrredón en San Isidro).

Lo viejo que es viejo y lo nuevo que es nuevo valen como tales. Lo nuevo que imita la vejez y el academicismo que niega su modernidad, suenan a falso, a mamarracho tilingo, a esos peinados con bananas que Martin Soulès calificaría de *chiqués*.

Victoria vuelve siempre, en la memoria, a las casas que ha habitado. Casas de ciudad o de suburbio elegante. Las estancias le producen escaso fervor. El mundo del trabajo rural, la peonada, el campo infinito, no son categorías estéticas amables. Güiraldes se identificaba con los gauchos, los ayudantes del patrón y los reseros. Victoria, al recordarlos en La Rabona, San Miguel, El Rincón de López, La Reducción, dice: "Yo los veía solamente de lejos: cuando esquilaban los carneros, cuando marcaban la hacienda, cuando domaban un potro, cuando galopaban por el campo entre los cardos de flor azul, cuando traían las bolsas de galletas". No se identifica, en la memoria, con el rol de propietaria rural. Sí, con el de mandarín de ciudad (no digo mandarina para evitar la broma fácil).

La historia de sus casas es el conflicto entre la casa heredada, que ella quiere terminar señoreando en compañía de los otros mandarines, y las casas que se construye, a imagen y semejanza de su identidad mandarinal.

Al rememorar, en 1954, la casa de la madre (*La casa de la calle México*), Victoria hace el balance de esta herencia. Una casa criolla, cuyas virtudes son la "carencia de grandiosidad, proporciones a menudo muy modestas, absoluta ausencia de fasto". Comparable a Mount Vernon. Casa de patricios fundadores, de aquellos que estuvieron en el mítico origen y que nos ligan a ese mito, por encima de la historia. En la niña se forma ya la imagen de una vinculación con los principios que permite revisar el tramo intermedio y, en su caso, desvalorizarlo.

Casa de mujeres, de seis nenas y una madre, donde la presencia del padre es el único rasgo masculino. Rodeado de mujeres, cercado por ellas y, a la vez, codiciado por la primogénita, que acecha la sala de billar, las esferas de marfil y el aroma del tabaco que son como los fetiches del misterio fálico. La madre le inculca respeto por la herencia: "No estropees con los pies el sofá de Prilidiano". Finalmente, lo prestigioso es ser Pueyrredón, es ser Hernández.

Esta casa es el fondo en que transcurren las primeras escaramuzas de un largo asalto: el de Victoria a la fortaleza fálica de la escritura. Muchos años después, al recibir, allí mismo, el Premio de Honor de la

SADE (la casa es ya la Casa del Escritor), Victoria vuelve al grado cero de su carrera. Ha logrado su propósito: la casa patricia se ha convertido en la casa mandarinal, una familia de hermanos sin padres que invade salas y patios. La mujer insumisa al mandato del patriarca ha desplazado a la mujer atada a la figura del marido, transmisora de herencias y de pautas ajenas. Los escritores han ocupado el sitio de los fundadores, cumpliendo la fantasía de *Sur*: regenerar el país a partir del mandarinato.

La otra casa de infancia es también crucial. La construye el padre el mismo año en que nace Victoria, 1890, y es un quintón más pretencioso y robusto, muy fin de siglo, aunque aún disimulado por la lejanía de la ciudad, el río y las frondas del jardín, que los tiempos harán selvático. Es San Isidro, un lugar identificado con Victoria misma, donde ella se instalará en el último y largo tramo de su vida. Es la casa imaginaria de la que quiere huir y a la que, finalmente, vuelve, cuando puede ser la dueña de casa.

En la casa se habla de la historia argentina como de un asunto de familia. Todos los próceres son parientes entre sí y emparentados con la gente de la casa. Victoria se desentiende de esta conversación (aunque la rememorará prolijamente tantas veces se cuadre) para atisbar el mundo de los sirvientes y huir al archipiélago mental de la lectura. Esa casa fija su forma espiritual, una amplia vacilación entre los tres mundos: el patriciado, el proletariado y su punto de síntesis, la literatura.

También con esta villa ocurre lo de la calle México: el mandarín acaba desplazando al patricio y adueñándose del lugar. En 1964 hará otro balance:

> Mi casa no tiene más glorias que la de haber visto a hombres como éste (Camus) sentados en un sillón de mimbre, al sol; o junto a una chimenea, con una taza de café en la mano. No guarda colecciones de valiosas pinturas, de ediciones raras, de objetos coloniales de plata, etc. Sólo he coleccionado pasos y voces (*La belle y sus enamorados*).

Las casas, como en la alquimia, son lugares donde se vive una identidad. De nuevo, y siempre, Proust. La calle Tucumán es el frustrado matrimonio con el señor Estrada. La calle Montevideo es la soledad de la independencia. La avenida de los Incas es el amor con Julián Martínez. Pero las casas de Victoria son las que construye su fantasía de mandarín mezcla de santo: Mar del Plata, Barrio Parque, París. Casas donde no se queda a vivir (o sea: a morir) pero que permiten encontrar una imagen exterior en la cual reconocerse como en un espejo que fuera, a la vez, la imagen del mundo.

En 1927 contrata a un constructor de galpones para edificar una "casa cúbica" (*sic*, parece la frase de una novela ramoniana) en Mar del Plata. Hecha en un lugar solitario, rodeada de horizontes marinos, sus paredes blancas sólo atesoran muebles de pino y un piano Steinway. Empezar de cero, despojarse de las herencias, hacer tabla rasa: religarse con los orígenes, en un paisaje desolado que evoca el desierto, según lo vieron Echeverría y Sarmiento. La casa encierra, además, una escena: Victoria y Julián cuando su pasión se aquieta y se convierte en tierna costumbre. Siempre los amantes viven en el desierto. Arena, mar, libros, vientos desmemoriados y el otro. Nada más.

En 1928, Victoria vende esta casa y, con el dinero recibido, encarga a Alejandro Bustillo construir una casa racionalista en la calle Rufino de Elizalde (cierta vez, desde la *Revista de Occidente*, recibe allí una carta para Bebé de Elizalde, su rival en la *guerre en dentelles* por la exclusividad del gran padre Ortega, carta que Victoria devuelve indignada con un texto en francés donde la única palabra española es *cagatintas*, definición del equivocado corresponsal).

Bustillo no entiende gran cosa de racionalismo. Para él, se trata de una casa de estilo racionalista, cuando el racionalismo (y así lo ve claro Victoria) es la abolición de los estilos. El resultado es feliz, a juzgar por los elogios de Le Corbusier, y queda como un jalón en la historia del incipiente racionalismo argentino (Alberto Prebisch, Alejandro Virasoro). Las lógicas peloteras entre la comitente y el arquitecto se resuelven cuando Bustillo se niega a poner su firma en la fachada. Luego se dedicará a obesas evocaciones del Moscú staliniano y la Roma fascista, siempre casos de excelente construcción, pero nada vinculado con aquel experimento victorial, que motivaba las bromas de los vecinos y las agresiones al portero. El mandarín indigna al filisteo.

Esta casa es, seguramente, la más victorial de todas y, en tal carácter, ha generado su respetable literatura. Victoria se refería a ella en carta a Keyserling (desde París, abril 1929): "Mi casa de Buenos Aires no te gustará. Nada de pasado ni de pátina. Todo es de una novedad repugnante, tipo casa de santo". Enteca casa de santo, casa de mandarín fundacional y regenerador. Una buena observación.

Le Corbusier, de gira por América (1930), tras juzgar que Nueva York es "una paradoja patética" y Buenos Aires un signo de interrogación, "destino, ciudad nueva", opina:

Y bien, Buenos Aires es así, que sus dos millones de habitantes, unos inmigrantes propensos a la ternura académica, choquen contra esta mujer sola y voluntariosa. En su casa se hallan Picasso y Léger, encuadrados por una pureza que, hasta ahora, he visto pocas veces.

Waldo Frank le dedica un par de páginas en *América hispana* (1932):

El emblema de la casa, el escudo de armas de la dueña, el cactus. El cactus es la flor esencial de América: una espinosa y potente exuberancia que, bajo el espanto del sol tropical y sobre la escualidez del desierto, se alza y estalla en un florecimiento de color. Victoria Ocampo, mujer de la Argentina y de América, en su culto a la luz y en su trabajo de estructuración dentro del caos de la pampa, se ha dado cuenta de que debe coger el cactus amargo entre sus manos y apretarlo contra su corazón. Y ha sido la profetiza de su país.

En 1966, la evocación de María Rosa Oliver (*Años de plácida inquietud*) es menos ditirámbica:

> La primera casa *funcional* en la que yo entraba. Una casa muy blanca, muy sin recovecos, muy abierta a la luz, con cristales de borde color agua, cactus enmacetados, asientos de línea simple, flores y olor a cera.

Salvo el enigma del "color agua", lo demás está claro. En París, las casas de Victoria (Avenue Malakoff, rue Raynouard, Boulevard Flandrin) propagan los mismos criterios, sólo que sin la pujante naturaleza americana en torno y sin vecinos meteretes y burlones, tan dueños de la intimidad ajena, como corresponde a una sociedad de dominante católica. Paredes blancas, muebles de pino, sillas de paja, sirven para exaltar la porcelana inglesa, los cepillos de oro y carey, los cubiertos de plata. Es el reino del *chiné* que proponen Chanel y Errázuriz: las esmeraldas lucen más sobre un pulóver discreto que sobre una suntuosa *soirée*. En cualquier caso, si se cuenta con la caoba, bien. Si no, es preferible el pino lavado con lejía a la imitación de la caoba.

MUJER Y ESCRITURA

No puedo más que rozar el tema, pero es imposible obviarlo. En el conflicto de Victoria con los valores patriarcales se movilizan algunos dramas muy antiguos de nuestra civilización. Rescato dos principales: el acceso de la mujer a la escritura y los esfuerzos de la intelectualidad laica por desplazar el rol tradicional de la Iglesia como única fabricante de ideología. En este apartado me ocupo del primero y en el correspondiente a la historia de *Sur*, del segundo.

El centro del problema es un componente de nuestra cultura judeocristiana, que reserva al varón el contacto con la escritura porque ésta se vincula con la ley, asunto masculino. La ley es revelada por el Padre, que es la hipóstasis del varón, a otros varones (los profetas). De ahí en adelante, los hombres de la ley son *hombres* y la mujer es desplazada al mundo exterior a las normas, el mundo amoral y meramente impulsivo de la naturaleza. La religión judeocristiana, en sus diversas variantes (tal vez ocurra lo mismo en todas las religiones semíticas, incluyendo entonces al islamismo) está basada en una Escritura cuyo desciframiento y explicación pasan por otras escrituras, derivadas o vicarias. En cualquier caso, tareas viriles. No puedo explicar, fuera de esta división del trabajo simbólico, por qué se da la misma dicotomía en las culturas paganas. En cualquier caso, ocurre algo similar: la escasez, la casi nulidad de mujeres en las tareas relativas a la producción del discurso. La diferencia está en que el paganismo contiene en su Olimpo diosas y admite el sacerdocio femenino, en algunos casos de manera excluyente. La mujer puede ser sibila y estar en contacto con el logos divino, sirviendo de mediadora. Puede vaticinar, profetizar, etc. Escasamente, puede meterse en el discurso profano.

Xantipa, la esclava de Sócrates, sería una excepción aislada. Y las poetisas de Lesbos, pero, finalmente, Lesbos es una isla. Aspasia, en el siglo de Pericles, cumple el papel clásico, complementario, de la actividad creadora varonil: es inspiradora, excitadora, motivo de la producción, pero no sujeto de ella. Luego hay otro caso eminente y solitario, el de Elizabeth de Bohemia. Para encontrarnos con una presencia femenina normalizada y masiva en el campo del pensamiento, hay que llegar al siglo XX: Lou Andreas Salomé, Edith Stein, Janne Hasch, Simone Weil, Susan Langer, Medwig Conrad-Martius, Suzanne Mansion, María Zambrano, Simone de Beauvoir, Susan Sonntag, Rosanna Rosanda, Rosa Luxemburgo, Alejandra Kollontai, Sonia Kowalewska, Victoria Camps, Anna Freud, etcétera.

En el mundo de la literatura, aceptando todas las convenciones epocales que se quieran para encasillar este tipo de discurso, hallamos escritoras en las cortes de Provenza (siglos XII y XIII) y el caso de Florencia Pinar, española del siglo XV, época en que se consolida la monarquía castellana con una mujer al frente, Isabel la Católica, en cuya corte hay ejemplos de mujeres que se ocupan de tareas intelectuales, como la humanista que le sirve de maestra, Beatriz Galindo, *la Latina*. Enseguida se registran Lucía Medrano y Juana de Contreras dando conferencias en la universidad de Salamanca, y Francisca de Nebrija, sucediendo en la cátedra a su padre, el célebre primer gramático del idioma. En cualquier caso, los nombres son contados y se mueven en el mundo cultural de la nobleza y bajo la estricta mirada de la Iglesia, institución varonil si las hay.

En el Siglo de Oro español tiende a ser familiar la figura de la escritora, mujer noble o monja, generalmente autora de poemas religiosos, moralidades o loas a la autoridad, destacando la figura de Juliana Morell como pensadora (cf. el estudio en curso de Clara Janés: *Las primeras poetisas en lengua castellana*).

En este contexto, no deja de ser notabilísimo el ejemplo de María de Zayas y Sotomayor (1590-1661), habitante de un siglo en que se refuerzan los criterios inmovilistas de la monarquía absoluta y que, no sólo irrumpe abiertamente en la ficción profana, sino que batalla por los derechos de la mujer a la tarea intelectual con argumentos como éste:

¿Por qué, vanos legisladores del mundo, atáis nuestras manos para las venganzas, imposibilitando nuestras fuerzas con vuestras falsas opiniones, pues nos negáis letras y armas?

La mujer, maniatada por el hombre, no puede empuñar la pluma ni la espada, y pide que le concedan estos privilegios fálicos. Los hombres acuñan el mito de la *mujer fuerte* o *mujer varonil*. La primera busca su inspiración en la Biblia y la pintura del barroco suele retratarla como género aparte. Decirle varonil a una hembra, en los siglos XVI y XVII, no es peyorativo, como lo será luego, cuando quiera señalarse, en la mujer pensante y escribiente, una anomalía de la naturaleza, un híbrido o un virago. El mismo Miguel Ángel, afecto al amor homosexual, cuando quiere explicarse por qué lo fascina Vittoria Colonna (que

ya en su apellido lleva un elemento axial y fálico,
ordenador y sustentador, y en el nombre de pila, el
resultado de su batalla), se dice: "Un hombre en
una mujer (casi un Dios) habla por su boca".

En el teatro clásico español el problema está ex-
plicitado. Por una parte, pululan las mujeres que
se travisten de varón y fingen una identidad que les
permite salir de casa, eludir a dueñas y padres y,
finalmente, elegir al hombre que prefieren y no el
que imponen las convenciones patriarcales. La mujer vestida de hombre parte a calles y plazuelas, encuentros secretos y cabalgatas, pero, finalmente, su
meta no es ocupar el lugar del varón, sino encontrarse con el hombre que la haga su esposa, el hombre que la desviste de su disfraz y repone las cosas
"en su lugar": la mujer en el estrado, convenientе-
mente encerrada, cubierta de tontillos y refajos.

Por otro lado, aparece la mujer letrada, objeto de
la sátira lopesca, pues desbarata el rol tradicional
(la mujer alejada de la escritura) y compite con los
varones en el monopolio de la reflexión.

En *La dama boba* (1617) Lope opone dos modelos
de mujer en dos hermanas, Finea y Nisbe, la boba
y la lista. Los libros entran en la casa bajo la mirada
perpleja de Octavio, el padre, quien juzga perniciosa
la conducta de Nisbe:

> No son gracias de marido
> sonetos: Nisbe es tentada
> de académica endiosada,
> y a casa los ha traído.
> ¿Quién la mete a la mujer
> con Petrarca y Garcilaso,
> siendo su Virgilio y Tasso,
> hilar, labrar y coser?   (III,III)
> Siempre alabé la opinión
> de que la mujer prudente
> con saber medianamente
> le sobra la discreción.   (III,XVI)

Finalmente, el amor de los varones (Laurencio para Finea) repondrá las cosas en su lugar. Finea se
hará inteligente, pero no por leer y pensar, sino por

ser amada. El hombre, desde su altura solar, hará
bajar la luz a su tiniebla. Y Nisbe será casada, según
aconseja Miseno:

> Casadla, y veréisla estar
> ocupada y divertida
> en el parir y el criar.

Finea pasa de animal y planta, sin alma racional,
a criatura humana. El amor, conservación de lo natural, emite luces "que las tinieblas deshacen / pues
hacen hablar los nudos / pues los ingenios más ru-
dos / sabios y discretos hacen" (III,I). El genio divino del amor (*sic*: genio es *genus*, capacidad de engendrar, potencia viril) dispersa la luz en la sombra,
penetra y llena lo cerrado y vacío. Lope insiste en el
tema (*La vengadora de las mujeres, La doncella Teo-
dor*) y también Calderón (*El José de las mujeres*) y
Shakespeare en *La fierecilla domada*..

Otra estrategia femenina para asaltar la almenada
fortaleza viril de la escritura es el *preciosismo*. Si la
monarquía actuaba como lugar de atracción hacia el
poder cultural, y las reinas solían concentrar en sus
salones (o junto a su lecho, como Margarita de Navarra) a los ingenios ambiciosos, contrastando con
la tradición de la nobleza territorial, ágrafa y poco
cultivada, la aristocracia de ciudad, la *noblesse de
robe* y los grandes señores propietarios que rondaban
la corte, instalaron sus propios salones y rivalizaron
con palacio respecto al mecenazgo, en el París del
XVII.

La sala azul del hotel de Rambouillet, donde tro-
naba la marquesa Catherine de Vivonne, el hotel de
Monpensier y la casa de Mademoiselle de Scudéry,
eran los centros del preciosismo francés. En general,
las *preciosas* (que Molière encontraría sospechosa-
mente ridículas) no escribían, salvo la Scudéry, sino
que escuchaban la lectura de sus ingenios favoritos.
Se practicó un estilo elusivo y metonímico, suerte de
primer código del esnobismo, en que nada podía nom-
brarse por su designación directa. El preciosismo su-
bió a escuela literaria y consagró a nombres como

Jean Louis Balzac y Honoré d'Urfé, originando la contraofensiva de los *burlescos* (Bergerac, Scarron, Furetière).

Las preciosas intentan organizar un ataque de la mujer contra las limitaciones de la cultura patriarcal, montándose en otros movimientos sociales: la guerra de los encajes entre la nobleza territorial y la Corona, la exclusión de las mujeres de las Academias (una forma de excluirlas de la nobleza togada), un oblicuo y doble juego de fuerzas entre la preciosa y el escritor preciosista: ella encierra al ingenio en su salón y se apropia de su discurso, a condición de escuchar en silencio. De algún modo, una de las actitudes de Victoria frente a los grandes maestros del logos. Pasiva, maravillada, abierta, la mujer se deja penetrar por la palabra, atributo viril.

Musa, diosa (diva), protectora, valedora en el mundo, la mujer está por encima o por debajo de la naturaleza humana. Pertenece al reino de lo divino o de lo animal, pero no a la sociedad, en tanto ésta es conducción, gobierno, discrimen. Santas en los altares, reinas en los tronos, cortesanas de lujo en los palacetes que tienen algo de ambas cosas, pero no gobernantes, guerreras, pensadoras. Una española puede señirse la corona o vender tabaco, reflexionó alguna vez Concepción Arenal, pero no escribir un libro.

El salón será, en las sociedades más reacias a la movilidad de los sexos, el lugar privado donde la mujer podrá ejercer su poder cultural y aún político. De puertas adentro, y sin intervenir demasiado en el discurso de los hombres, las saloneras presentan a los recién llegados, relacionan a dirigentes de la política y la banca, consagran a escritores, propician romances y matrimonios.

Este tipo de salón tiene exponentes en el XIX argentino, como Joaquina Izquierdo, a cuya casa acudían los poetas de Mayo a escuchar cómo la patrona recitaba sus versos, y Misia Mariquita Sánchez (1786-1868), autora de poemas y memorias, dueña de idiomas, amiga de Rivadavia, Rosas y Mitre, madre del escritor exiliado Martín Thompson, y Juana Manuela Gorriti, sobre quien luego volveremos.

En España, el salón decimonónico puso de pie a una mujer postrada en la molicie de los estrados por siglos de encierro, devoción y costura. En el XVIII ya había sigisbeos y despejos, donde las conversaciones pasaban por la aventura galante y la petimetra podía convertirse en bachillera, versión hispánica de la *basbleu* francesa. En la centuria siguiente, hubo influyentes figuras de mujer que movieron los hilos en la trastienda, a condición de mantenerse en una actitud de encierro y hermetismo. Algunos ejemplos: María Manuela Kirkpatrick, condesa de Montijo (madre de una emperatriz de Francia y una duquesa de Alba), amiga de Stendhal y Mérimée, mantuvo una quinta de verano en Carabanchel, en cuyo teatro se representaban comedias y aún óperas; Ángela duquesa de Medinaceli, reunía en su destartalado caserón de la calle Alcalá a escritores de diversa tendencia, como Castelar, Zorrilla, Núñez de Arce, Echegaray, etc., aparte de colaborar con la Arenal en la atención de los heridos que volvían de las campañas africanas; la condesa de Campo Alange sostenía un salón conservador, presidido por Cánovas del Castillo; María Pereira de Buschental, de quien se decía era hija natural del emperador brasileño, reunía a los liberales y a los banqueros ligados al negocio de los ferrocarriles; Cánovas se encontraba con Valera y Campoamor en casa de la duquesa de Sesto, Sofía Trubezkoy, de la cual se murmuraba era hija del zar y que influyó notablemente en la Corte de la Restauración.

A veces, estas señoras se asomaban a la escritura, pero sobre todo en la que circulaba privadamente (cartas según el modelo de Madame de Sévigné, diarios íntimos, memorias que solían publicarse póstumas).

No faltaban escritoras en el XIX español (tomo este ejemplo por ser el que tengo mejor documentado y por su similitud con el caso argentino en algunos aspectos): Criado y Domínguez, en su libro *Literatas españolas del siglo* XIX, registra unas doscientas. Pero las condiciones de trabajo eran bastante rígidas, si se tiene en cuenta, por ejemplo, que sólo el 9,6 % de las españolas sabía leer y escribir en 1878, o sea que la mujer escritora debía optar por dirigirse a un público predominantemente masculino (y, por lo tanto, prejuiciado contra la "literata") o limitarse a la triste condición de "escritora para mujeres": revistas del hogar, folletines rosas, devocionarios ñoños. El control de la Iglesia sobre la moral, las modas, el gusto literario, era rígido y pasaba del confesionario a la casa, a la educación de los niños, al espionaje indirecto sobre el marido. La escritora que se salía de este molde, como veremos, debía pagarlo caro.

El siglo de ruptura es, en este campo, el XVIII, con la Ilustración en primer término, seguida de la Revolución Francesa y, a finales de la centuria, de la primera revolución industrial, en que el telar automático empieza a llevar a las mujeres a las hilanderías y tejedurías, sacándolas del marco hogareño y metiéndolas en los infiernos del trabajo mecánico, codo a codo con los hombres, explotadores o explotados.

Si bien en siglos anteriores hubo textos en favor de la emancipación cultural y política de las mujeres, se debieron a varones excepcionales, contrarrestados con otros, como el clásico *La perfecta casada* de fray Luis de León, modelo de la mujer casera y sumisa, defendido por la Iglesia. El XVIII, en cambio, contempla la aparición de la aragonesa Josefa Amar y Borbón, autora de reivindicaciones como *Discurso en defensa del talento de las mujeres y de su aptitud para el gobierno* (1786) y *Discurso sobre la educación física y moral de las mujeres* (1790). Frente a estos intentos, una opinión masiva hace burlas de la mujer intelectual y exalta a la petimetra o currutaca, aficionada sólo a las complicadas modas de la época. Los ilustrados dan cabida a la mujer en las Sociedades de Amigos del País, cenáculos que propugnan el progreso científico y tecnológico, sobre todo de la vida rural, y hasta se conocen los primeros casos de mujeres académicas: María Isidra Quintina Guzmán y de la Cerda fue, en 1785, la primera mujer a la que, por especial merced de Carlos III, se le permitió doctorarse (en la universidad de Alcalá y en filosofía); hija del marqués de Montealegre, obtuvo una cátedra y fue admitida como socia de la Real Academia Española, aunque no se tiene noticia de que actuara en ella; también hubo académicas de honor (no de número) en la de Bellas Artes de San Fernando, siendo esta rama de la cultura más accesible a la mujer, en esos años.

Desde luego, se trataba de mujeres de la nobleza y su admisión en el mundo del poder cultural pasaba por su nacimiento, pero era ya algo, que se sumaba a las voces de los novatores e ilustrados que, como el padre Feijoo, Jovellanos, Moratín y Cubé, apoyaban la incorporación de las mujeres a la tarea intelectual.

Son varias las mujeres escritoras que empiezan a mostrarse en público en el XVIII español y las saloneras que dirigen parte de la vida intelectual y política de Madrid. Los casos de la duquesa de Alba, Cayetana, y de la duquesa-condesa de Benavente han tenido cierta popularidad, por su relación con el pintor Goya, pero merece recordarse a la condesa de Montijo, acusada de jansenista y condenada a destierro de la Corte por un tribunal del Santo Oficio.

Del XVIII datan, también, los que podríamos considerar primeros documentos del feminismo: la Declaración de los Derechos de la Mujer y de la Ciudadana, que redacta Olimpia de Couges el año revolucionario de 1789, y el libro de Mary Wollstonecraft (1792) *La vindicación de los derechos de la mujer*, donde se aboga por la actuación de la mujer en política. Aparecen las primeras ligas por los derechos femeninos y, en 1804, la peruana Flora Tristán, socialista utópica y feminista, funda y dirige un sindicato obrero.

El XIX es un siglo de restauraciones y revoluciones alternadas, en que el feminismo pasa por una faz combativa y las mujeres son sometidas con mayor rigor y, por contraste, adquieren algunos logros firmes, como su incorporación a la universidad.

Es curiosa la relación entre las ideas de revolución social y de emancipación femenina. No obstante verse hoy con claridad que ningún movimiento por la liberación de los seres humanos puede prescindir de las reivindicaciones de los sexos, la cosa no parecía

67

excesivamente trnsparente en aquellos tiempos, más dados a la teoría y al intento revolucionario. El marxismo, por ejemplo, posterga la liberación femenina a la lucha de clases, y este punto de vista es defendido tanto por hombres (Engels) como por mujeres (Louise Michel). Es desde otros sectores desde donde se pide la igualación, sea en la tradición ilustrada de un Condorcet o del progresismo burgués de un Victor Hugo o un Zola. Es un varón, Leon Richier, quien organiza en 1878 un Congreso Internacional de los Derechos de la Mujer, conforme a un Código publicado en 1869. Luego vienen los diarios feministas *La Citoyenne* (de Hubertine Auclert) y *La Fronde* (de Marguerite Durand, 1897). Hasta 1892 no se reúne un congreso propiamente femenino.

En la segunda mitad del siglo, las mujeres son autorizadas en Francia a concurrir al bachillerato y, como consecuencia, a graduarse en la Universidad. Es curioso observar que la profesión originaria es la medicina (en 1873 se gradúa la primera médica en Francia) y las leyes y las letras aparecerán tardíamente. Las mujeres pueden ser maestras o pediatras, conectarse con el mundo de la infancia, pero no, al principio, con otras ramas más intelectuales del saber y, concretamente, vinculadas a la escritura. En 1900 se gradúa la primera abogada francesa y más tarde se autoriza a abogar en lo penal a dos mujeres, Maria Verone y Andrée Téry. En 1903 hay ya una automovilista: Madame Dugast, pero las francesas no podrán votar hasta 1945. Ligas pro sufragio y contra la prostitución empiezan a funcionar en este siglo y, en 1901, Viviani propone, sin suceso, dar el voto a las mujeres que no estén casadas, criterio que muchas mujeres defienden, para conservar su rol de madres con el tiempo debido y, viceversa, creyendo que la maternidad no les deja espacio para la política.

Desde luego, los partidos de la derecha no admiten a las mujeres, cuya actuación pública es dejada en manos de la Iglesia, a través de sociedades de beneficencia, de acción social obrera y ligas de moralidad.

En la Europa del XIX tiende a generalizarse la presencia conflictiva de la mujer en las letras, con los matices que veremos. Las inglesas se afianzan y las francesas, con ser muchas, tienen dificultades hasta el siglo siguiente. En el París de la joven Victoria Ocampo triunfan Gisèle d'Estoc, Anna de Noailles y Gyp (Sibylle Gabrielle Riqueti de Mirabeau, 1850-1932), siendo ésta, con su ambiguo seudónimo que evoca el sonido de *jupe* (pollera o falda), un ejemplo de mentalidad *frondeuse* y reaccionaria, fuertemente crítica de la sociedad de su época, pero desde la perspectiva de los valores del Antiguo Régimen, como poniendo en escena un modelo de mujer apegada a la tradición y custodia de los "valores eternos".

Aparece entonces, tímida y disimulada, Colette. Al principio, cuando su matrimonio con Arthur Willy, no puede firmar sus libros sola, y luego será, sucesivamente, Colette Willy, Colete Jouvenel y, simplemente, Colette o, como se la institucionalizó en sus últimos años, Madame Colette. La pelea por el lugar era la pelea por el nombre. Ella supo contarlo en *Trois, six, neuf*, la historia de sus casas sucesivas y transitorias, símbolo del itinerario de una mujer finalmente independiente y solitaria.

En nuestros parajes hispánicos, con un atraso de almanaque, el fenómeno es el mismo. En España, la primera graduada universitaria se registra en 1880, en Ciencias Exactas, seguida de medicina (1883) y filosofía (1890). Las estudiantas son un espectáculo curioso, pues suelen concurrir a clase acompañadas de sus padres, se les prohíbe alternar con los varones en los pasillos y, en el aula, se las obliga a sentarse en sillas sueltas, junto al catedrático, evitando toda promiscuidad. No faltan escenas de inquietud entre los varones, que intentan recuperar el monopolio perdido. Tampoco, las denegaciones de matrícula, como a la propia hija de la Pardo Bazán. En 1928, aún había en Madrid sólo tres abogadas, destacadas dos de ellas (Victoria Kent y Clara Campoamor) por su actuación en el gobierno de la República. Sólo hubo una ingeniera (Pilar Careaga, de la alta burguesía vasca, más tarde activista de derecha) y en 1929, y la primera arquitecta, Matilde Ucelay, en 1936. Catedrática, con resultados más bien magros, fue la condesa de Pardo Bazán en 1916, cuando el ministro liberal Julio

Burell le dio la plaza de Lenguas Neolatinas en Madrid.

En el Río de la Plata tenemos una médica uruguaya en 1908 y una abogada en 1911, las hermanas Paulina y Clotilde Luisi, dirigentes feministas en años posteriores. En 1903 María Abella de Ramírez (1863-1926) funda el primer centro feminista argentino, en La Plata. Ella misma propone al Congreso Internacional de Libre Pensamiento (Buenos Aires, 1906) un programa mínimo de reivindicaciones femeninas. Desde 1902 se conoce la revista *Nosotras* y en 1910 se organiza, también por la Ramírez y en Buenos Aires, la Federación Femenina Panamericana.

El movimiento feminista aparece, al principio, muy marcado por la burguesía intelectual, y contrasta con la escasa presencia de la mujer en la dirigencia política de las izquierdas, donde se supone que debería tener cierta presencia. En España llama la atención que, entre las feministas laicas que animan círculos de mujeres de inquietud intelectual (sobre todo a partir de 1920) figuren señoras de la aristocracia (la condesa de San Luis, la marquesa del Ter, la condesa de Yebes). Esta última, escritora ella misma, fue amiga de Victoria y lo mismo María de Maeztu, discípula de Ortega y hermana de Ramiro, fundadora del Lyceum Club, suerte de Amigos del Arte madrileño (1926). Estas figuras responden a una mancha social pequeñísima, si se piensa que, en 1919, hay apenas 300 universitarias en toda España. La mujer española es mayoritariamente conservadora y ello explica que el dictalor Primo de Rivera les conceda el voto en los ayuntamientos y en un intento de parlamento corporativo, la Asamblea Nacional. Durante la República hubo sectores progresistas que se opusieron al voto femenino, basados en esta circunstancia social.

En otro campo, más teórico si se quiere, la incorporación de la mujer a la vida activa ha tenido severos opositores en el mundo hispánico. Autores como Palacio Valdés, conservador católico (*El gobierno de las mujeres*), Novoa Santos (*La mujer, nuestro sexto sentido*) y aún el liberal Gregorio Marañón (*Biología y feminismo*) sostuvieron que la mujer inteligente y

creadora era una anomalía. Es una hembra con algo
de viril, la parte de sí misma que la mujer "normal"
lleva "adormecida", y como tal, como excepción, debe ser tratada, sin pretender generalizaciones. Algo
similar dirá Ortega, mentor de Victoria, en parte ins-
pirado por su trato con estas deliciosas "anomalías".

En la Argentina, la situación de minusvalía legal
de la mujer se fue matizando con los años, a partir de la ley de protección a la madre trabajadora
(1908), hasta llegar a la igualdad civil con las reformas del Código sancionadas en 1926 por impulso de
Celina Morgan (salvo en cuanto a la patria potestad
compartida, conquista reciente) y al voto, primero
en la provincia de San Juan y, a partir de las elecciones a constituyentes de 1949, en toda la Nación.

Hubo dirigentes feministas como Julieta Lanteri
de Renshaw y Elvira Rawson de Dellepiane, y cuadros en los partidos de izquierda, como Carolina
Muzzilli, Alicia Moreau, María Rosa Olivier, Alcira de
la Peña, etc. Los partidos nacionales, por llamarlos
de alguna manera, empezaron a incorporar mujeres
en los años cuarenta y la figura de Eva Duarte es
decisiva en este campo.

Lo detallado de este cuadro tiende a mostrar el
contexto universitario y político en que se movió la
mayor parte de la vida de Victoria. En general, su
incorporación a tareas feministas es tardía, y más
por imposición de los hechos que por decisión propia. Bloqueados la universidad y el teatro por decisión paterna, alejada del trabajo por su calidad de
propietaria, Victoria debió jugar a la mujer excepcional y anómala, dotada de un prestigio brillante y,
a la vez, ambiguo. Era una anormalidad dorada, pero
irregular en el fondo. Concurrió a la Asamblea Nacional de las Mujeres (3 de setiembre de 1945) para
oponerse al montante peronismo, y escribió *A las
mujeres argentinas* (*Sur*, mismo año). Entonces, como en 1947, exhortó a las mujeres a rechazar la dá-
diva demagógica del voto, que se le daba de modo
gracioso de manos de un hombre (Perón) que suje-
taba a una mujer (Evita) como símbolo del primado
fálico. Siempre reivindicó esta actitud, así como
aplaudió la "ley ómnibus" que sancionaba el divorcio

y la no discriminación de hijos extramatrimoniales (1954).

En una de sus habituales contradicciones, Victoria abogó por el derecho al aborto y al control de la natalidad por parte de la mujer y al divorcio, y enrostró a los hombres que defendían el derecho a la vida como sagrado, el que hicieran la guerra y la enaltecieran, como en el caso de los fascistas apologetas de ambas cosas (madres paridoras de guerreros y guerras que matan a los hijos de las madres paridoras). En cambio, no advirtió la continua interferencia en la vida política argentina de una institución excluyentemente varonil: el Ejército. Y hasta se enterneció por gobernantes de facto como Aramburu y Onganía.

Victoria fue la primera académica argentina (1977) y este tema (la exclusión primaria de las mujeres en las Academias y su inclusión tardía) tiene interés como ejemplo de la organización institucional de una cultura sexista.

Reglamentariamente, las Academias suelen excluir a las mujeres pero, como nada es durable más allá de las circunstancias que le dan origen, el siglo industrial y progresista ve conmovido también este principio por el hecho evidente de que las mujeres escriben y, por ello, se las supone capacitadas para ingresar en las corporaciones de letrados.

George Sand fue propuesta para la Académie Française en 1860. Contaba con numerosos votos en la organización y la protección de la Corte, donde la emperatriz Eugenia se había interesado, primero en un premio muy generoso y, más tarde en el sillón académico. La elección fue negativa y apareció, en aquellos días, un folleto anónimo, *Les femmes à l'Académie*, en que se apoyaba la decisión excluyente de la corporación.

En España ocurrió otro tanto con Emilia Pardo Bazán, propuesta y no elegida. Juan Valera, liberal y enamoradizo, a pesar de esto o, tal vez, por esto mismo, escribió su folleto pertinente, *Las mujeres y las Academias* (1891), oculto con el seudónimo de Eleuterio Filogino. En él sostenía que las mujeres se ven impedidas de ser académicas por deber dedicarse a la maternidad y a la lactancia, así como que los sexos comprenden a los espíritus, que son sexuados. En consecuencia, la hembra tiene un espíritu femenino y éste es ajeno a la vida académica. Gertrudis Gómez de Avellaneda también hizo lo suyo para ser academizada, sin lograrlo.

Con los años, los criterios se van alterando y así se registra el ingreso de la sueca Selma Lagerlof en la Academia, tras recibir el Premio Nobel de 1909. La colombiana Mercedes Gaibrois fue nombrada académica de la historia en España durante la Segunda República (1932), hecho del que tal vez fue causante su matrimonio con un historiador muy influyente, Antonio Ballesteros Beretta. El caso permaneció aislado y, tras la guerra civil, las mujeres fueron excluidas de los cargos funcionariales de alto rango, de modo que salieron del servicio exterior, los rangos ministeriales, etcétera.

Juana de Ibarbourou fue académica de letras en el Uruyuay, en 1947 y, treinta años después, parece romperse definitivamente la veda académica para las mujeres con las nominaciones de Rachel de Queiroz en Brasil, Victoria en Argentina, Carmen Conde en España y Marguerite Yourcenar en Francia. Colette fue miembro de la Academia Goncourt, pero se trata de una institución privada.

El modelo de mujer de la era victoriana tiene muy poco que ver con las aspiraciones victoriales, más aún teniendo en cuenta que le tocó en parte ser argentina, vivir en un país al margen y de fuerte raigambre clerical.

La mujer era, sexualmente, un animal fecundo y carente de impulso, que se suponía hecha por la naturaleza para satisfacer las iniciativas del marido, según la teoría del orinal, que asimilaba el sexo femenino, como órgano, a un vaso de noche donde el varón depositaba sus eyaculaciones, en los momentos de plétora y urgencia. Ignorante en todo cuanto hacía a la vida sexual (menstruaciones, orgasmos, embarazos, enfermedades venéreas) el modelo proponía una novia virgen, que no tenía con su novio más que algún leve contacto de manos y algún beso inofensivo, hasta que la noche de bodas, con frecuencia traumática, se producía el desfloramiento y se constataba lo intacto de ella y lo eficaz de él.

La mujer honesta no tenía por qué sufrir inquietudes sexuales, apenas sí inquietudes higiénicas. Hasta finales del XIX el baño integral era desaconsejado, salvo en casos de enfermedad, en que se preferían, de ser posibles, los baños de mar con vestidos que cubrían totalmente a la enferma. Las casas no tenían cuarto de baño ni, mucho menos, bañera fija. Estos artefactos eran portátiles y se alquilaban para casos como el señalado. No era bien vista la mujer que tomaba baños sin estar aquejada de algún mal, ya que se suponía que se bañaba para desnudarse ante un hombre, cosa que no era de recibo en las señoras decentes. El amor o lo que fuere se hacía de noche, a oscuras, a menudo con un camisón que se entreabría a la altura conveniente. Los cónyuges debían ignorar mutuamente sus desnudeces, que tampoco se podían ver en las playas.

La frigidez era, por una parte, la defensa de la mujer sin educación sexual ante el sometimiento físico que era la prenda del matrimonio y, por otra, se aconsejaba a las hembras prudentes como símbolo de buenas costumbres. "Casta aún en el lecho conyugal" era un elogio funerario que registraban muchas tumbas de inconmovibles matronas victorianas.

La mujer no era dejada nunca sola, siempre debía haber a su lado alguna persona de confianza que vigilara con quién estaba y qué hacía al salir de casa, evento muy infrecuente, como no fuera ir a la iglesia o al colegio de monjas. Una vez casada, esta vigilancia era ejercida por el marido, quien delegaba en alguna doméstica de confianza las tareas vicarias.

La señora de su casa engordaba a la sombra, se ponía rechoncha sin tomar sol, pues no era de buen tono tener la piel pigmentada, detalle propio de razas inferiores. Anchas caderas de madre, amplios pechos de nodriza, piel nívea y carnes rollizas conformaban el ideal de la mujer burguesa, que exhibía su poder económico en su gordura: ella podía atracarse de comida en un mundo donde aún menudeaban los hambrientos.

Fecunda, madre múltiple de unos hijos que diezmaban las enfermedades infantiles, esta mujer solía recibir como elogio una descripción de su obesidad, que se fue transformando en ideal erótico. Para ello basta ver la imaginería profana de la época, poblada de cortesanas rechonchas, pechugonas y culonas, a menudo exaltadas en su robustez por el corsé y el *pouf* cubierto de crinolina.

El vestido señía, ocultaba y exaltaba los detalles críticos de la anatomía femenina, aparte de que trababa los movimientos e impedía toda languidez pecaminosa y la exhibición del cuerpo, como no fuera, en las fiestas, algo de los hombros, el cuello y los brazos. Lo demás permanecía oculto, tal vez no muy limpio, perfumado y convertido en fetiche erótico de una época que se excitaba con cabelleras, guardapelos, botines y todo el complicado repertorio de la ropa interior.

El trabajo industrial llevaba al hambre, la extenuación y la tisis. La mujer que no se casaba y confiaba en el trabajo del marido, debía contar con rentas de familia o dedicarse a comerciar con su cuerpo. La puta callejera era una Corte en parodia, la Corte de los milagros. En el Madrid de la restauración, por ejemplo, las pelanduscas más conocidas llevaban apodos que eran sorna de títulos de nobleza: la Clotildona, Rosa la de la Huerta, Pepa la Sastra, la Napoleona, la Moño Triste.

Unas pocas de estas mujeres venales llegaban alto y hasta podían disponer del poder secreto que conceden las alcobas, los reservados, los saloncillos y los gabinetes de confianza. No se descartaba que ascendieran a divas, a diosas del espectáculo, cuyos favores se pagaban de manera disparatada y que habitaban palacios comparables a los de la nobleza.

Victoria luchó contra este paradigma. Luchó sola, contando con los privilegios del dinero, en una guerra de los encajes secreta y rodeada de espesos muros. Algunos cayeron al publicarse sus memorias. No todos, desde luego, apenas los que ella volteó. Pero suponemos que a las mujeres corrientes de su medio social no les caerían demasiado en gracia sus gestos de emancipada. En torno a ella, el machismo, aún el de los círculos intelectuales, tejió un folclore de gracias gruesas y a menudo, fantásticas. Era también una pelea por el falo, esta vez el poder que representa tomar la iniciativa en una relación amorosa o simplemente sexual. Otro de los monopolios varoniles que la sociedad industrial iba deteriorando definitivamente.

La literatura argentina cuenta una historia consabida de incorporación tardía y no exenta de conflictos, de la mujer a sus filas. Como precursora, ha quedado una monja santiagueña, María Antonia de la Paz y Figueroa, que fundó en Buenos Aires la Casa de Ejercicios. Según el mito corriente, no pudiéndose entender que una mujer escribiera, se dijo de ella que era un jesuita disfrazado, un travesti, lo cual añadía la aberración sexual a la anomalía mental.

Hacia 1870, ya se puede hablar de una literatura hecha por mujeres. Las antologías poéticas recogen los nombres de Juana Manso, Josefina Pelliza de Sagasta, Silvia Fernández, Juliana Gauna, Ida Etelvina Rodríguez, Agustina Andrade, Emma Berdier. Este último nombre era una impostura de Bernabé Demaría, apoyada por la Gorriti.

Juana Manuela y la Manso fueron novelistas, lo mismo que Eduarda Mansilla, la Pelliza citada, Rosa Guerra y Rufina Margarita Ochagavia. Manuela Rosas se ocultaba bajo el ambiguo seudónimo de M. Sasor, la Mansilla con el de Daniel. Su hijo, prefigurado en esta fantasía verbal, será otro escritor, Daniel García Mansilla. Sus artículos de modas y costumbres merecen apenas la firma de Eduarda.

El uso de nombres varoniles tenía cierta boga entonces y era una estrategia de la mujer para colarse en un mundo cerradamente masculino. Luego veremos ejemplos, pero baste recordar a George Eliot, César Duayen (Emma de la Barra de los Llanos), Gabriel Luisa y Perico el de los Palotes (seudónimos de Carmen de Burgos, que se firmaba también Colombine), Catalina Albert y Paradís que se hacía llamar Víctor Catalá. María Lejárraga, casada con Gregorio Martínez Sierra, coescribía con su marido sin firmar sus obras.

En Argentina, hacia 1880, ya se puede hablar de un movimiento de literatura femenina, si por tal se entiende una tendencia feminista sostenida por escritoras de distintos países, como la Gorriti, que tuvo un importante salón en Lima, Clorinda Matto de Turner, fundadora de la novela indigenista, Carolina Freyre de Jaime (madre del poeta modernista Ricardo) y Gabriela de Coni. En 1913, cuando Ricardo Rojas funda la cátedra de literatura argentina en Buenos Aires, estas escritoras empiezan a tener un estatuto más formal. Algunas serán editadas como clásicos y se tomarán como objeto de monografías y tesis.

La aparición de Victoria en el mundo literario, en 1920, pues, no es un evento novedoso. Sí lo es el cambio de composición social en las escritoras de su generación, que ya dejan de ser exclusivamente señoras del patriciado o maestras de escuela: la inmigración comienza a encontrar en la producción cultural un modo de ascenso en la sociedad rioplatense. Casos: María Eugenia Vaz Ferreyra (1875), Delmira Agustini (1886), Alfonsina Storni (1892), Juana de Ibarbourou (1895).

Se advierte un predominio de la literatura de ficción y, dentro de ella, de la poesía, disciplina que las convenciones de la época consideran menor y como más vinculada con lo inmediato sentimental y corporal, o sea lo femenino. No hay mujeres de pensamiento y apenas se recuerdan casos de historiadoras, como Juana Manso (*Compendio de historia de las Provincias Unidas*, texto escolar de 1862) y Elisa Ferrari Oyhanarte, con su estudio sobre la batalla de Cepeda (1909).

Lo interesante de estas poetisas contemporáneas de Victoria es advertir que, con distintas perspectivas, asumen su identidad de mujer que escribe, y no intentan ocultarla ni disimularla en una objetividad inauténtica o, mucho menos, en un desplazamiento hacia lo "viril". Se rompe el mito de la mujer fuerte o varonil que se hace escritora para objetivar, justamente, su virilidad ideal.

Delmira es la más atrevida, y su final dramático (fue muerta por su marido Enrique Reyes, con quien estuvo fugazmente casada, en una casa de citas, en

1914) no puede abstraerse de sus confesiones líricas.
Si bien, en parte, responde al tópico de la mujer modernista, la hembra fatal que tiene deseos y se ve a
sí misma como loca, malvada y animalesca (se compara con una serpiente, metonimia del demonio, "flor
de inocencia y espuma de vicio"), eleva el amor
sexual, como Santa Teresa, a experiencia mística, y
se dirige a Dios como a un amante. Y, en sus mejores logros, deja impecables imágenes del derecho al
placer, de las que copio dos:

Amor, la noche estaba trágica y sollozante
cuando tu llave de oro cantó en mi cerradura...
Y descansó en mi almohada tu cabeza fragante;
me encantó tu descaro y adoré tu locura.

(El intruso)

En mi cuerpo, una torre de recuerdo y espera,
que se siente de mármol y se sueña de cera,
tu Sombra logra rosas de fuego en el hogar...

(En el camino)

Menos segura de sus derechos aparece Alfonsina,
que siempre se define por relación al varón, cuyas
virtudes no describe, pero que aparecen, por oposición, cuando ella confiesa sus defectos y debilidades
femeniles. Sin la mirada del hombre, la mujer desaparece, hundida en su pasividad, incapaz de activar
su deseo, volviendo a la figura de la madre que calla
y llora (cf. el poema *Pudiera ser*).

Soy esa flor perdida entre juncos y achiras
que piadoso alimentas, pero acaso ni miras.

(Soy esa flor)

La palabra, en cualquier caso, es el territorio ganado a generaciones de mujeres silenciosas, castradas
de toda expresión. Territorio ganado al hombre, si
se quiere, pero sólo en la medida en que sirve para
dirigirse a él.
Alfonsina es la mujer que intenta pulsear con el
hombre y admite su inferioridad. Es sólo una parte,
el varón es un todo. La mujer sigue definiéndose, en

ella, como una carencia, como el hueco de la castración primordial que sólo se llena cuando lo llena el macho y que, en su ausencia, se rodea de palabras que apenas logran disimularlo como un suntuoso vestido.

Ah, me resisto, pero me tienes toda,
tú, que nunca serás del todo mío.
(Tú, que nunca serás)

Con mayúscula escribo tu nombre y te saludo,
Hombre, mientras depongo mi femenino escudo
en sencilla y valiente confesión de derrota.
Omnívoro: naciste para llevar la cota
y yo el sexo...
...¡Salud! En versos te hago mi fina reverencia.
(Saludo al hombre)

Cabeza loca que necesita ser sujetada por las manos varoniles, alma agitada por el viento, cerebro de estopa, facilidad para el llanto, seducción de los débiles, oquedad, desequilibrio, torpeza caprichosa, agitación estulta, "luz de cristalería, fruto de carnaval / decorado con escamas de serpiente del mal": el retrato modélico de la chica que perdió la cabeza por no hacer como la madre, de la oveja descarriada que vaga sola, por la playa primaveral, con los hombros encogidos y la vista perdida en un horizonte quimérico.

Juana, de algún modo, es la síntesis de los dos extremos: el derecho al goce en igualdad de condiciones con el varón, la serenidad institucional de la relación macho-hembra dentro del matrimonio, el nido en el cual se reposa. En nombre de la muerte pide gozar de los contados días del placer, antes de convertirse en "ceniza bajo la tierra negra", pues "Sólo el grito de gozo es la palabra / y la flecha de Eros es la cifra" (*El grito*). Hay un intento de recuperar la figura de la hembra primitiva, sobre un fondo reiterado de bosque virgen, soledad natural e idilio primario entre el hombre y la mujer originales, pero, por fin, la errancia libre del deseo se aquieta en el tálamo, como el pájaro solitario y divagante busca un nido en el árbol y éste se transforma en el lecho conyugal:

> Y en ti me acurruco como una avecilla
> que busca el reparo de su compañero. *(El nido)*

Con matices, avances y retrocesos, estas mujeres son las primeras en desnudarse, con palabras, en el escenario del espectáculo literario. Las enfoca una luz disimulada pero suficiente: la palabra retorizada en poema. Pero ella basta para que advirtamos que están desnudas y nos dicen que tienen un cuerpo, cosa extraña a la mujer en el imaginario del XIX, cuando el cuerpo era un objeto en las manos del varón o, en caso contrario, era un cuerpo de hombre extraviado en una distracción de la naturaleza, que pronto se corregía en el manicomio o en la cárcel, si llegaba al adulterio.

En general, Victoria no nos dice nada de estas compañeras de ruta. Tal vez no las leía, ocupada en lecturas de mejor calidad. O las leía y no aceptaba el espejo que estas mujeres le proponían. En rigor, ella nunca aceptó el espejo que le tendiera otra mujer. Intentó mirarse siempre en la mirada de un hombre magistral, pues, en último análisis, el logos es masculino y la mujer que quiere valerse de él tiene que robarlo. Robar al Tata Ocampo su bastón mientras duerme la siesta, confiado en su omnipotencia.

He allí sus páginas sobre Anna de Noailles, a quien ve, sobre todo, como un caracterizado personaje de salón. Tendida en la cama como una reina de Francia a la espera de sus preciosos. O sobre María de Maeztu un eco de Ortega. O sobre Gabriela Mistral y Eugenia de Errázuriz, mujeres, sí, pero americanas, carentes de logos, cuerpos mudos que esperan la sugestión espermática de ultramar. O sobre Virginia Woolf, que era un andrógino, una mujer que recordaba haber sido varón y llevar aún el nombre de Orlando.

Victoria suele apartar la mirada de los espejos femeninos. ¿Qué otra razón hay, si no, para que no se mire en Santa Teresa y en Sor Juana, ambas escritoras, ambas en castellano, ambas mujeres solas que orillan, desde su frontera imaginaria, el mundo de la mística y el mundo de lo erótico?

Familia y amor se van transformando, en Teresa, por medio de metonimias religiosas, fórmulas de escritura que aluden a experiencias inefables. El discurso es la bella insuficiencia de su entusiasmo visionario, que la pone al borde de la herejía. Precisamente, el argumento del censor para no censurarla es que se trata de una mujer y es aceptable, en un pobre entendimiento como el femenino, un abuso de visiones, de cosas traspuestas, de alucinación.

Teresa reemplaza al padre por Dios y convierte, en su monacato, al dios paterno en el Divino Esposo, resolviendo su complejo de Electra. La Virgen es la madre. He allí su religión personal, incrustada, no sin dificultad, en el sistema de la religión dominante, una religión de varones. De pequeña funda sus cultos en el jardín, sobre un altarcillo de piedra y en unas ermitas improvisadas. Con su hermano (que luego será compañero de Pedro de Mendoza en la defectuosa y primera fundación de Buenos Aires) proyecta ir a tierra de moros, a convertirlos, a realizar una novela de caballerías. Ella, vestida de galas.

Su vida, contada a su confesor y por mandato de él (esto excusa a la mujer que escribe: la obediencia al varón, la escucha censora varonil, el tú varonil del discurso confesional) se arma como una novela de caballerías a lo divino, con una doncella guerrera que se encamina a grados de perfección espiritual guiada por un amado lejano (Cristo) y atravesando la compañía de demonios y otros monstruos, el menor de los cuales no es el mismo y temible Dios encarnado. Como a los caballeros andantes, se la da por muerta, se la tiene por loca y enferma, atraviesa el desierto y descubre, por fin, que sólo puede hablar de Dios en términos eróticos, y que la experiencia de la fusión con el ser supremo tiene su equivalente en la fusión con el amante en el acto sexual. O viceversa, que es lo mismo. Es decir: la experiencia que cuenta Victoria en su ensayo sobre Dante y en *La rama de Salzburgo*.

Renacer, regenerarse, asumir un nuevo generador,

un nuevo padre. Dios reemplaza al papá y "le da luz" como si volviera a nacer. Dios sufre como una madre en este nuevo parto iniciático y la niña (que gatea tras una catalepsia en que recibe los últimos óleos) empieza a aprender su nueva lengua: el don de lágrimas, luego la oración, luego la quietud que precede a la unión mística. Primero es Cristo en su divinidad, una abstracción interior que la posee, después su glorioso cuerpo resucitado, divino y humano a la vez: bello, blanco, resplandeciente, descubierto de a poco, como se descubre, morosamente, el cuerpo del amado: una mano, un rostro, por fin el resto de los miembros. ¿Estaba divinamente desnudo el Divino Esposo? Imposible pensar, de ser así, que nada de su corporeidad gloriosa resultara obsceno para Teresa. Ella confiesa su espanto. ¿Qué amor no es, en cierto modo, espantoso? ¿No es atributo de Dios lo misterioso y tremendo, que sólo se siente, sin pasar por el lenguaje?

El amado entra en la amada y ella adquiere sus virtudes varoniles. Ante todo, la inteligencia:

> Todo mi ánimo (que dicen no le tengo pequeño y se ha visto que me le dio Dios arto más que de mujer, sino que le he empleado mal)...

Luego, la omnipotencia, descrita ya por San Pablo: *Todo se puede en Dios.*

Y más: escribir al dictado del Señor, ser la sierva de su palabra, de su logos, ser la Divina Amanuense:

> ...por ser mujer, y escribir simplemente lo que me mandan... los que no saben letras, como yo...

Y más: la capacidad de elevarse, como el falo, la facultad de lo sublime:

> No subir el espíritu, si el Señor no le subiere...
> En especial, para mujeres es más malo.

Como en el amor, el alma se sale del cuerpo y vuelve en compañía del amado, que se convierte en la figura interior y vive en ella. Teresa, en sus viajes fuera de sí, se encuentra en la oscuridad, como si el amado la esperase en la sombra de un jardín, para iluminarla mejor en la tiniebla. La suya es "una blancura suave, y el resplandor infuso, que da deleite grandísimo a la vista y no la cansa, ni la claridad que se ve, parece ver esta hermosura tan divina... Es luz que no tiene noche sino, como siempre es luz, no la turba nada". Hasta las cinco heridas del amado son bellas, con su encarnado de piedra preciosa. El la toma de la mano y transforma la simple cruz de madera de Teresa en una alhaja con gemas sobrenaturales. Talismán del caballero que vuelve de la proeza, regalo del novio.

Eros deviene Tánatos, su otra cara. Estar con el amado es querer morir, eternizar el encuentro más allá de la vida, donde el bello momento no sea marcesible por el tiempo. Dios, por fin, infinito, aniquila el deseo de la vida, es la infinita satisfacción que no admite más querer. "Siempre querría el alma estar muriendo de este mal".

La escena en que el querubín la penetra con un dardo de oro (tan formidablemente visualizada por la estatua del Bernini) es la alegría del logos masculino entrando en la cavidad femenina, alegoría doble en que el desfloramiento es metonimia de la iluminación y viceversa, lo que prueba lo inseparable de la experiencia mística y la erótica, cuando ésta no es mero evento fisiológico, es decir cuando pasa a una página de literatura mística o erótica. El dardo hiere el corazón, desgarra las entrañas, el dolor se torna "excesiva suavidad", el alma y Dios se requiebran en el cuerpo de Teresa, la pena es gloria, la dicha es embobamiento, las entrañas salen al exterior. Luego, ella sabrá distinguir al ángel del demonio, que también se le aparece con su cara fogosa, por la izquierda (el lugar de lo siniestro). Ella ríe (risa de miedo o risa de dios pagano) y le muestra la cruz. El demonio se ennegrece y se consume despidiendo mal olor. Pero los tormentos amorosos que le ha suscitado son los mismos. El demonio se lleva su maloliente oscuridad. Teresa lo ha defecado y se siente pura. La voz del amado le dice que no tema.

Llega el día de Santa Clara, cuando todo es santo

y claro. San José y la Virgen, sus padres iniciáticos, la visten de blanco. La luz del logos la ha emblanquecido, la unión con el amado la ha depurado y el deseo satisfecho, imagen de la muerte, la aquieta.

Si se superponen los textos de Victoria y de Teresa se advierte que, para la amante profana, el amado es una metonimia de Dios y, para la santa, Dios es una metonimia del amado. Detrás del uno está el otro, que oculta al otro y así hasta el infinito. Denis de Rougemont ha intentado mostrarnos que la literatura amorosa de occidente enmascara una religiosidad cátara y hereje. Lo contrario también puede ser cierto: la literatura cátara enmascara una escuela del amor que enmascara una escuela de lo sagrado y así hasta el infinito.

Acceder al saber sin masculinizarse, en una sociedad de varones, es también el desafío de Sor Juana Inés de la Cruz, en el Méjico barroco. Hija natural, la figura del padre está tachada en su memoria inconsciente, tachada como la de un muerto. Ella se asume como su viuda y se imagina la diosa Isis, diva de la escritura y madre universal. La casa del lenguaje, la biblioteca de su abuelo, es su refugio.

Se habla de la homosexualidad de Sor Juana, y Octavio Paz entiende que los documentos con que contamos no son suficientes para probarla ni para acreditar lo contrario. Una relación amorosa entre dos mujeres, si eran de rango elevado y si sus sentimientos se mostraban como ideales (incorpóreos), era aceptada por las convenciones de la época. Una mujer no tenía impulso sexual, dos mujeres que se amaban no hacían, por lo tanto, el amor. La homosexualidad castigada era la masculina, precisamente, y por paradoja, por razones machistas. Los hombres sí tienen sexo y pueden transgredir el código de las buenas costumbres sexuales.

Sor Juana quería ser como un hombre, no ser un hombre. Por ello rechazó el matrimonio, entró en las órdenes, asumió la escritura. En esto, Victoria se le parece puntualmente. Y en algo más: en la aspiración de cierta ilustración mejicana precoz, mezcla de cartesianismo fragmentario y de sabiduría hermética disimulada, de parecerse a Europa, donde, en esa época (siglo XVII) se tomaban las precauciones para llegar a la modernidad del Iluminismo. Falló el contexto: la España dominante estaba involucionando hacia una nueva Edad Media. Algo así como la Argentina de los años treinta.

Sor Juana, mujer e hija bastarda, debía superar su minusvalía afirmándose como intelectual, disputando con los sabios en el templo y demostrando que no era la eterna niña que la leyenda machista identifica con la mujer. Su tendencia a aceptar la autoridad (la tendencia de Victoria a mirarse en el espejo masculino prestigioso) proviene de esta situación de indefensión. No es casual que se haya enamorado de la virreina. En cualquier caso, como a Safo, como a Ana Bradstreet, la poetisa norteamericana de aquellos tiempos, la compararon con la Décima Musa. Las otras nueve eran las inspiradoras de los varones. Una mujer inspirada, esa anomalía, necesitaba una mediación especial para elevarse hasta los dioses de la luz, aunque vinieran envueltos en jeroglíficos y emblemas esotéricos.

Victoria se ocupó de las hermanas Brontë. Como ellas, las Ocampo literatas eran tres (Victoria, Angélica y Silvina) y, como ellas, tenían enfrente una pareja parental con una figura paterna fuerte y definida y una figura materna difusa, difícil de tomar como ejemplo a seguir. Un espejo borroso. Además, había una iglesia cerca. Charlotte Brontë se cría a pocos pasos de ella, hija como es, de un pastor protestante, Patrick (Patricio: el ser padre y patricio también es un rasgo que comparte con el ingeniero Ocampo).

Cercada por la enfermedad (la madre, inmovilizada en su cuarto, se muere de tisis; la hermana mayor, María, fallece a los once años tras hacer de insuficiente remedio de madre ante sus hermanas menores), Charlotte, junto a Emily y Anne, se crían como huérfanas. Todas morirán de tisis, Charlotte complicada con su embarazo, a los pocos meses de casada.

El único hermano varón, Branwell, maestro particular, liado con una mujer casada veinte años mayor que él, se entrega al opio y vuelve vencido a la casa paterna, atacado de insomnio y delirium tremens, para morir, inutilizado, durmiendo como un niño junto al lecho paterno. El padre tampoco se vale demasiado por sí mismo. Su tarea tiene que ver con la lectura y la escritura, pero unas cataratas lo van dejando ciego y recluido en su alcoba.

Mujeres enfermas, sin hombres en qué apoyarse, las tres hermanas se aferran a un falo imaginario: la escritura. Como los escritores varones las desaniman (Robert Southey escribe a Charlotte en 1837: "La literatura no puede ser el negocio de una vida de mujer") ellas se disfrazan de varón y firman sus obras con seudónimos ambiguos o masculinos. Escogen el apellido apócrifo Bell (campana) como si quisieran tocar una campana para llamar la atención de una sociedad que las ignora.

El encierro de las escuelas para niñas es la fuga hacia la libertad. Allí se alcanza el poder: se escribe, se lee, la vida endeble de Charlotte se apoya en un castillo de libros. Allí conoce a Ellen Nussey, suerte de amor platónico (qué torpe adjetivo, no hay otro a mano) aprobado y regulado por el padre (una visita semanal), que la exhorta a mantenerlo de por vida, quizá como impedimento para el matrimonio. El marido de Charlotte exigirá a la Nussey quemar las cartas de su mujer, finalmente conservadas. Charlotte sueña con ser una solterona, no una señora. Las tareas domésticas le horrorizan.

No sabría afirmar que esta fobia al matrimonio tenga un origen sexual. Desde luego, la pareja de los padres no es un ejemplo estimulante y, de hecho, su tardío casamiento con Bell Nichols no coincidirá con una época de creación literaria. Bell: el apellido apócrifo deviene verdadero. Escritura o femineidad parece, más bien, ser la opción. Charlotte elige la escritura, denegando la castración primordial. "Casarse no es un crimen, tampoco estar casada. Es una imbecilidad, que rechazo de plano, en mujeres que no son bellas ni ricas", escribe tras su viaje a Bruselas en 1842. Charlotte ve al hombre como un apoyo. Marido, hermano o padre, tanto da. Ella erigirá su propio apoyo en el eje de la escritura.

Los primeros libros aparecen con seudónimos ambiguos y las cartas de Charlotte a los editores, firmadas como *C. Brontë Esquire*. Currer Bell enmascara a Charlotte, las otras se hacen llamar Ellis y Acton. Algunos críticos sospechan que sus libros pertenecen al mismo autor, en diversas etapas de su vida. Por fin, el embeleco se descubre y Charlotte es aceptada por la sociedad literaria londinense y recibida por el "gigante" Thackeray. Como en el caso de Victoria, hay un padre (Groussac) que bloquea y otro (Ortega) que da el espaldarazo. El Groussac de Charlotte fue, ay, nada menos que Coleridge.

"¿Para qué quieren que escriba? Escriban los letrados que han estudiado, que yo soy una tonta y no sabré lo que me digo. Por amor de Dios, que me dejen hilar mi rueca" decía Santa Teresa, por escrito, antes, seguramente, de atacar sus obras completas, impulsada por la voluntad varonil de la Iglesia. En el otro extremo, Ninon de Lenclos, para tratarse de tú a tú con Molière y La Rochefoucault, decide públicamente hacerse "hombre por el corazón y el espíritu".

En lugares clave de la vida de Goethe aparecen mujeres. Algunas son sus amantes, otras sus valedoras en la corte, como la duquesa Amaria, otras sus inspiradoras esotéricas (Lotte Buff) o profanas (Lotte Stein), alguna su maestra (Suzanna Klettenberg, que lo introduce en la pansofía). Dos se rozan con su escritura, la una desde la mudez, la otra desde la incitación al discurso.

Rahel Levy (1771-1833), doblemente disminuida en la sociedad prusiana de su época, en tanto mujer y judía, es un caso de salonera, más o menos abundante en la Alemania de la Ilustración y el romanticismo: Madame de Staël a su paso por el país, Bettine von Arnim, Henriette Herz.

Los judíos, en Prusia, desde la monarquía ilustrada de José II, tenían una situación protegida por una inestable tolerancia. Raramente se les concedía la nacionalidad prusiana y, al quedar como extranjeros, podían ser expulsados en cualquier momento. Las familias judías, por su parte, de índole fuertemente patriarcal, tenían sometida la mujer a la autoridad del padre o del hermano. De este modo, puede imaginarse que una judía con aspiraciones de poder cultural se veía ante multiplicados impedimentos.

Rahel encarna el mito de Aspasia en una época inestable: la revolución en la lejana Francia, las guerras napoleónicas, la Restauración con su integrismo católico, el cambio de mentalidad que la lleva del individualismo burgués en su juventud al socialismo utópico de su vejez.

Su recurso es el salón. El primero que funda reúne a figuras del prerromanticismo y de la primera Romantik. El salón, en el mundo intelectual alemán, es la contrapartida a las sociedades cerradas y masculinas que forman las ligas de estudiantes y los banquetes literarios (*Tischgesellschaften*). Al menos desde 1749, con la fundación del ilustrado Club de los Lunes, las bachilleras alemanas empiezan a tener ascendiente sobre los intelectuales. Algunas, como Karoline, mujer sucesiva de Friedrich Schlegel y de Schelling, se llegan a inmiscuir en sus obras, aunque disimuladas en el anonimato.

Rahel intenta anudar relaciones de poder en su entorno, la burguesía judía, para superar su situación de inferioridad, trata de casar a sus ricas herederas con aristócratas austríacos arruinados, que aportan sus títulos intachables, diplomáticos catedráticos. Rahel participa de estos encuentros, medita sobre la situación de la mujer y dice: "Que en Europa los hombres y las mujeres sean como dos naciones distintas, es duro. La una moral, la otra amoral, esto no debe seguir así". Sus contactos con filósofos, literatos, historiadores, con escasos hombres de ciencia, forman una larga lista. Lo mismo, sus amores libres con Brinkmann, Ligne y el español Rafael de Urquijo. A los 37 años se casará con Karl August Varnhagen, un estudiante de medicina de apenas 14, que la obliga a "rebautizarse" como Friederike Varnhagen von Ense.

Pero el matrimonio no la sujeta, y su ejemplo es seguido, en Berlín, por nuevas saloneras como Sophie Sander y Enriette Vogel. Viaja. En Weimar se convierte en sacerdotisa del semidiós Goethe, a quien seguirá a la tumba en poco tiempo. Varnhagen, convertido en médico célebre, se lía con otra y ella con el amigo de su marido (esto es casi de rigor) Markwitz. Durante la guerra, tiene un hospital de sangre en Praga. Viaja por Francia y Alemania, se ama con Friedrich Gentz, que ha sido antes amante de Madame de Staël.

En la Restauración, mantiene su segundo salón, de corte liberal, al que acuden Humboldt, el joven Heine, Eduard Gans y su contradictor Leopold Ranke, Hegel (que logra, por Rahel, su única entrevista con Goethe, de dios a dios), los patriotas polacos que se reúnen a conspirar en la pastelería de Stehely. Es iniciada en la teosofía (cerca de Goethe esto no es difícil) y la mística social la lleva al socialismo utópico. Prueba de su poder es que el joven Schleiermacher, recién llegado a Berlín desde provincias, se inicia en la vida intelectual en su salón.

El caso de Bettine von Arnim (nacida Brentano) es parecido y distinto. Vivió entre 1785 y 1859. Nieta de Sophie Laroche, que mantenía un salón, hija de un rico comerciante y de Maxe, que fue amiga de Goethe, desde niña se habituó a vivir entre libros y visitantes extranjeros ilustres.

Esta circunstancia la favoreció en su condición de bachillera, pero la ató a una familia demasiado importante, a la cual ella llamaba "el reino de los viejos". Arnim, que sería su marido, era el amigo fraternal del hermano de Bettine, Clemens Arnim, huérfano de madre, era aficionado a las mujeres maduras y disfrutaba de las costumbres liberales reinantes entre la intelectualidad alemana de la época. Se casaron en secreto en 1811 y vivieron un matrimonio muy irregular, con largas separaciones que algunos atribuyen a razones políticas (las guerras napoleónicas y la miseria general de la situación) y otros, a desavenencias conyugales.

Bettine se vive como esposa desdichada y madre soltera. Dirige su casa hasta en los detalles más prosaicos, a la vez que visita talleres de pintores y frecuenta a escritores célebres. Funda escuelas experimentales y rivaliza con Rahel, despreciando (no sin audacia) a los filósofos que concurren al otro salón. La muerte de su marido en 1831 y de su hijo en 1835, la dejan sola. Sola, ante todo, con la sombra de Goethe, muerto en 1832, que le inspira un libro donde evoca su encuentro con el semidiós de Weimar y un amor fantasmático que la seguirá de por vida. De nuevo el tema de la mujer habitada por el logos del varón.

Es entonces cuando empieza su carrera de escritora y su viraje hacia posiciones políticas avanzadas. Crisis de histeria alternan con temporadas de trabajo. Anota en su diario: "Esta carne se ha vuelto espíritu". ¿El espíritu de sus varones muertos? Y también estas palabras que parecen de Santa Teresa: "El amor todo lo hace amable, y así el amante abandona su propio yo y marcha tras el amor". A los pies de su cama siempre hubo un calco en yeso de los pies de Goethe. Dejando de lado todo fetichismo (por evidente, por obvio) se advierte la alegoría de la mujer a los pies del hombre, ella horizontal en su lecho, él erecto como un falo y señalando la altura (la de Goethe, por supuesto: no es poca altura).

Con Humboldt se hace liberal y envía cartas al rey de Prusia, sugiriendo reformas sociales. Su salón de Berlín se convierte en un centro de ideas sansimonianas, siempre el gallo francés es escuchado por el inmóvil oso berlinés, como diría Carlos Marx, con quien se dice se entrevistó en 1842.

Bettine, como Victoria, fue editora de libros y esto le valió algunos procesos insidiosos. Esperó mucho de los sucesos de marzo (equivalente berlinés del cuarenta y ocho europeo): constitución, libertad de imprenta, sufragio universal. La historia no coincidió del todo con sus deseos. Pero queda clara su introducción en la literatura cuando se produce su independencia respecto a los varones. Victoria diría que su preferencia eran los *mighty deads*, los muertos poderosos, cuyas potencias asumió, mágicamente, al perder ellos su cuerpo.

Los aristócratas que concurrían al salón de Madame Necker ven con malos ojos la presencia de la pequeña Anne-Louise-Germaine, que luego todos conoceríamos como Madame Staël (1766-1817). No es común que los niños alternen con los mayores, pero Germaine ha sido educada por su madre, como ésta por su padre, según la costumbre de la burguesía ilustrada que erige en institución al tutor. La nobleza es más rígida, no transa con novedades. Esto le costará caro.

La muchacha oye recitar a la célebre actriz Clairon (el modelo de Diderot para su *Paradoxe sur le comédien*) que será su profesora de arte dramático. Siempre el teatro como medio de "hacerse ver" por los hombres y ensayar posturas de combate, o, simplemente, de tomar la palabra en público, ella, la mujer, la gran muda.

Germaine, hija del economista Necker, es una de las más ricas herederas de Europa. Esto no será un desdeñable privilegio, como en el caso de Victoria. Su matrimonio con Eric Magnus de Staël-Holstein, diplomático sueco, la lleva a las cercanías de Axel de Fersen y su amante, la reina María Antonieta. Staël, mujeriego cansado (le lleva 20 años, como en las novelas de la época) es una buena figura de marido.

Lo más picante de esa juventud es su amor incestuoso por el padre, que ella describe en una comedia. Compite con la madre, como mandan las reglas, y su primer escrito es un retrato paterno, que compone junto con otro, de la madre, inclinándose el gusto del padre por la hija. ¿Staël es el padre permitido?

El caso de Germaine es el de la mujer poderosa por su inserción social que usa esta plataforma de partida para ensanchar su poder y batirse en todos los frentes. No obstante, su libro inicial, un ensayo sobre Rousseau, debe aparecer en 1788 sin nombre de autor.

La Revolución se aproxima y Necker, como Mirabeau, intenta conciliar intereses y evitar la catástrofe. El salón de Germaine es de sesgo liberal, allí se reúnen los que intentan salvar la monarquía recortando sus abusos. Germaine apunta bien: entre los contertulios está Thomas Jefferson, embajador de los flamantes Estados Unidos y futuro presidente. Enseguida, su amante, el conde de Narbonne-Lara (hijo incestuoso de Luis XV y su hermana Adelaida) es nombrado ministro de la Guerra por intrigas de Germaine cerca del rey. Estamos ya en 1791 y ella sueña con un ejército hecho a su medida y un Senado de notables reclutados en su salón. Pero las cosas van a peor y se exilia en Vaud. Desfilan dos amantes: el conde Ribbing de Leuven y un joven liberal que sustrae a Belle de Charrière (su admirada colega, autora de *Caliste* y las *Lettres neuchateloises*): Benjamin Constant. Como lo indica su apellido, un amor durable y hecho de intenso intercambio intelectual.

Germaine es mujer enamoradiza. A menudo, se hace amar por dos o tres hombres a la vez. Y esto, por paradoja de los tiempos, es visto por sus contemporáneos como poco femenino. Los varones al uso atribuyen su apasionamiento a su espíritu viril y a su escasa belleza. Huelgan comentarios.

En 1795 vuelve a París, en plenas guerras revolucionarias, a intentar una conciliación entre la Francia revolucionaria y la Europa monárquica. En su salón de la Rue du Bac se reúnen viejos aristócratas disfrazados de republicanos y burgueses enriquecidos por el desbloqueo de los bienes nobiliarios. Germaine publica su libro sobre la paz y las pasiones y Goethe la presenta a la Alemania literaria, traduciendo alguna página suya.

La conciliación vendrá, pero no por mano de Germaine, sino de su peor enemigo: Napoleón Bonaparte. Cuando se conocen, él le dice: "No me gustan las mujeres que escriben". Ella responde: "Si yo fuera la señora de Bonaparte, no buscaría mi gloria personal". Se comenta que Germaine intentó seducir al austero corso, sin lograrlo, por lo que escogió el exilio en Suiza. Lo cierto es que Napoleón gustaba de las mujeres caseras, madres prolíficas y dedicadas a sus labores, para lo cual observaba atentamente lo rotundo de sus pechos (de nodriza). Baste recordar la moda Imperio que se impuso bajo su gobierno. Imagino este diálogo similar al de Victoria con Mussolini. A los dos bonapartistas les gustaban las cosas claras: nada de marimachos ni afeminados.

Del resto de su vida me interesan sus viajes de desterrada, sus amores, el éxito de sus libros, la perseguida *Delphine*, elogio del amor libre y el divorcio, y *Corinne*, que agotó cinco ediciones en vida de la autora y que Napoleón mandó perseguir por antipatriota.

Ferdinand Crispin, Prosper de Barante, Pedro de Souza, Friedrich Gentz, Albert Rocca, con quien tiene un hijo y que morirá de tisis, poco antes que ella. Y el constante Benjamin, que solía llamarla (atención freudianos) "mi hombre-mujer". Alemania (que le debe un sabroso libro), Rusia, Suecia, Inglaterra, Viena, la pacata Viena donde la sigue la policía secreta habsbúrgica y llaman la atención sus escotes, sus turbantes de color, sus brazos desnudos. Salones, teatrillos privados, intrigas con el zar, el rey Bernadotte y John Quincy Adams (insisto: Germaine tenía buena vista) para derrocar a Napoleón. Fuma opio y funda una liga contra el esclavismo. Y muere cuando entiende que no podrá escribir.

André Maurois ha hecho un rápido psicoanálisis de la niña Aurore Dupin, luego *George Sand* (1804-1876). Pierde a su padre de pequeña y lo reemplaza por una madre a la cual adora virilmente, como si la hija fuera el esposo. Su preceptor la viste de varón y ella asume este aspecto. Como Santa Teresa, funda una religión privada en su jardín, con un altar de piedrecillas donde libera a pájaros y escarabajos. Un símbolo del mandarinato: tener su religión al margen de las religiones institucionales.

Su casamiento con Casimir Dudevant (Casimiro el de la parte de adelante, no se puede pedir mejor apellido para un señor de la época) entra perfectamente en el esquema de la bachillera. Es un hombre chato y vulgar, querulante y borracho, que la trata de loca novelera (exactamente lo que ella espera de los hombres).

El amor vendrá fuera del matrimonio, primero sin cuerpo, en Aurélien de Sèze, y luego, con él, o sea con Jules Sandeau. Será un hombre débil y filial, según corresponde al modelo que encaja en la personalidad de Aurore. Ya, para que no la molesten y poder circular con libertad, ella va al teatro vestida de varón.

Las cartas comunes se firman *J. Sandeau*. Los libros que hacen a medias también la ocultan. Al separarse, ella adquiere su seudónimo definitivo. Sale de su escondite, detrás de Jules, y se bautiza George, de apellido Sand, que es Sandeau cortado. ¿Qué le ha cortado Aurore a Sandeau para convertirse en George? Cuando se la llama Madame Sand suena a Madame Sans ("señora sin", ¿sin qué?).

Enseguida viene el gran amor. Esto también parece tópico, pero es así. Alfred de Musset, libertino, borrachín, opiómano. Un poeta tierno, que a veces se viste de mujer y sirve la mesa, poeta haragán y molicioso, junto a prosista laboriosa, que se viste de hombre y elabora duras novelas. El travestismo no puede ser más armónico. Ella (con nombre de varón) es la que fuma y gana el dinero. Ella le dice "mi pobre niño" y él, "mi gran Jorge". Ella es el *midons* medieval. Sólo que entre la primera y la segunda revolución industrial, habiéndose criado como un peón de campo, en su granja. El enferma en Venecia, sobre un decorado mórbido a más no poder, y ella hará un trío con el médico: Alfred es el niño enfermo y Aurore la madre-padre que le trae quien lo habrá de curar.

Le escriben cartas en que la tratan en masculino como George. En la época hay otros casos de máscara: Mamade d'Agoult, la amante de Liszt, con quien rivaliza como salonera al separarse de Musset y volver a París, se firma Daniel Stern. Delphine de Girardin, Vicomte de Launay.

Con Chopin se produce un fenómeno de simbiosis semejante al habido con Musset: lo masculino es aportado por ella, lo femenino, por él. Las letras y la música, la salud y la enfermedad, la democracia y la aristocracia, el fuego sexual y la fobia sexual. Esto último es importante, ya que el vínculo físico parece más el de una madre que cuida de un hijo enfermo que el de dos amantes.

Balzac, un varón muy estricto, no entiende nada y escribe:

> Es muchacho, es artista, es grande, generosa, devota, casta; tiene los grandes rasgos del hombre, por lo tanto, no es mujer. Es un hombre, y tanto más hombre cuanto que lo es porque quiere, porque se ha salido de su rol de mujer. La mujer atrae y ella rechaza. Una mujer debe amar

siempre a un hombre que le sea superior, o engañarse y creerlo superior.

George Sand no era, exactamente, una feminista. Creía que las diferencias entre los sexos eran naturales, pero que esto no comportaba una inferioridad moral para la mujer. Bregaba por la igualdad civil y sentimental, pero no por la igualdad política. El trabajo de la mujer es la maternidad, no la gestión de la sociedad. Esto explica la escasez de mujeres notables en la historia francesa del xix, lo que no justifica que las mujeres sean procesadas por adúlteras.
La escritora evolucionó mentalmente de su catolicismo original y hereditario hacia el cristianismo social y el socialismo. Pierre Leroux y Sainte-Beuve influyeron mucho en este cambio. La desilusión del 48 la llevó al campo, donde envejeció y recogió las rentas de su gloria. La sociedad francesa la convirtió en una institución, con lo que se superó la inquina de otrora contra el marimacho fumador. Gestionó amnistías políticas durante Luis Napoleón y celebró el advenimiento de la República en 1871. Estaba desilusionada de la burguesía, a la que veía renunciar de sus ideales revolucionarios, envidiar a la nobleza y aliarse con el clero. Por esto, pensó que sólo la clase obrera cumpliría el programa del 89. Un joven escritor de provincias, Gustave Flaubert, lloraba en las representaciones de sus melodramas, y se hizo amigo de la vieja gloria, esa "ojiva del infinito" que, originalmente, es la mujer para el hombre, su instrumento de comunicación con el fondo religioso de la humanidad. De nuevo los complementos: el joven aristocratizante que contaba la vida de la plebe ínfima y la vieja socialista que escribía dramones románticos. Esta constancia en el permanecer fuera de lugar es uno de los logros más importantes de la mujer que escribe en tiempos difíciles para su sexo, apenas haga lo que se considera "viril".

Un ejemplo muy acusado y que aparece poco cuando se habla del tema es el de Clémence Royer (1830-1902). Si bien, en el xix, hay cierta constancia de la mujer escritora de ficción, es casi inexistente el de la escritora de ciencia o pensamiento. Clémence fue filó-sofa, economista, novelista, antropóloga. Vivió una unión libre con Pascal Duprat y viajó incesantemente. Hija de un legitimista, educada por las monjas, se hizo republicana en el 48 y se inscribió en el Conservatorio de Artes y Oficios, aunque la mayor parte de su formación es autodidáctica.

Fue una de las primeras voces darwinianas en Francia, dictó conferencias y cursos, y la Sociedad de Antropología la aceptó en 1870 como miembro. No obstante, la Sorbona vetó su intervención en 1880 y, algunas veces, la policía impidió que tomara la palabra. Terminó siendo acogida por la cultura oficial, en prueba de lo cual se organizó un banquete en su homenaje (1897) y se le concedió la Legión de Honor (1900). Para no estropear la tradición, Renán dijo de ella: "Es casi un hombre de genio".

Seguidora de Darwin, Comte, Spencer y Proudhon, su saber es enciclopédico y prueba de él son sus comunicaciones a la Academia de Ciencias y sus robustos volúmenes de ensayos. En 1881 fundó la Sociedad de Estudios Filosóficos y Morales y, en 1893, la primera logia masónica que admitió iniciadas mujeres.

Atea y librepensadora, fue, sin embargo, antidemocrática y antisocialista. Defendió un modelo humano de varones bellos y mujeres inteligentes, pero sostuvo la desigualdad natural de los sexos y el derecho de la mujer a filiar a sus hijos, considerando que el marido era un dato pasajero y prescindible. Propuso que el Estado pagara a las madres por sus servicios a la sociedad, que deberían dar su apellido a los hijos, siendo el del padre un sobrenombre. Defensora de un gobierno de elites, sufrió, sin embargo, un proceso policial por "costumbres excéntricas" y debemos convenir que su conducta era bastante inconvencional. A pesar de que sus libros no tienen excesiva actualidad, su figura se recuerda por estos rasgos peculiares, que la convierten en una difícil antecesora del feminismo, orientada hacia la fundación de un nuevo matriarcado.

Contra ciertas opiniones, y por fortuna, España no es diferente. En su siglo XIX, al que se aludió antes, aparecen casos en que las constantes se repiten: la mujer que escribe pertenece a la burguesía intelectual, debe ocultar su identidad, en ocasiones, bajo nombres masculinos, la escritura entra en contradicción con el matrimonio, la comunidad cultural varonil la acepta como una anomalía (la mujer fuerte o masculina), hay una propensión al amor libre y a las ideas sociales progresistas, la literatura de ficción domina a la especulativa y científica (sin excluirla del todo), se busca la protección de la Corte y del Estado para compensar la minusvalía en otros campos.

Concepción Arenal (1820-1892) tiene, de niña, fama de machorra y, para acudir libremente a las clases de derecho en la Universidad, se viste de hombre, tardándose un tiempo en descubrirse la impostura. Concurre con su novio y futuro marido, Fernando García Carrasco, en traje masculino, a las tertulias literarias de los cafés y a los teatros. A menudo se la señala por la calle como una rareza. Con el tiempo, adopta los pantalones y una vestidura talar negra, que le da un aspecto sacerdotal (¿el *clero* laico?), lo cual merece la frase popular: "Ahí va *eso*". Tiene dificultades para ser admitida como redactor de periódico en *La Iberia*: por fin, se le paga medio sueldo. A veces firma sus escritos como Fernando García Arenal. Gracias a la protección de la condesa de Mina, logra el cargo de visitadora de Cárceles en Galicia. Sus escritos son jurídicos y sociológicos, habiéndose especializado en el tema carcelario. No es difícil colegir que la sensación de opresión que le daba la sociedad de su época la llevara a identificarse con la población reclusa.

Contrafigura, en algunos aspectos, es Carolina Coronado (1813-1900). Protegida de la reina Isabel II, escribe hasta que se casa con un diplomático norteamericano. Entonces declara: "Aprendo a callar". Admite la incompatibilidad entre matrimonio y literatura y se recluye en la palaceta de la calle Lagasca que le cede Su Majestad, donde mantiene una tertulia política y literaria (la llegan a visitar los Dumas). Como Santa Teresa, acaso para acreditar su carácter de

anómala, cae en catalepsia y profetiza la muerte de
su hija, a quien obligó a dormir en su alcoba, aun
después de casada. Pasa sus últimos años en un palacio portugués, junto al cadáver embalsamado e in-
sepulto de su marido. Novelón gótico a la española,
Carolina lleva en su apellido la corona y lo viril, el
neo plus ultra de la mujer que escribe (así como Arenal sugiere desierto y travesía forzada, algo como fuga de la ciudad o cuerda de presos).

Rosalía de Castro (1837-1885) es hija sacrílega del
cura José Martínez Vioxo y de María Teresa Castro,
señorita de la mejor sociedad gallega. Una criada de
su madre la salva de la Inclusa y ella es educada en
el campo de esta "Madrina". En su acta natal figura
como de padres desconocidos. La ausencia de la figura paterna, luego su vinculación con lo ilícito y pecaminoso, quita a su madre el carácter de amparo que,
tópicamente, le corresponde. Rosalía es, por fin, hija
de nadie y la escritura funge como su apoyo fálico en
el mundo. Toda su vida oscilará entre el gallego (lengua materna, vínculo con su origen irregular) y el
castellano (la lengua de la cultura oficial, de las instituciones a las que pide regularicen su situación).
Así escribe en el prólogo a *La hija del mar*:

Antes de escribir la primera página de mi libro,
permítase a la mujer disculparse de lo que para
muchos será un pecado inmenso e indigno de perdón, una falta de que es preciso que se sincere...
Olvide el lector, entre otras cosas, que su autor
es una mujer. Porque todavía no les es permitido
a las mujeres escribir lo que sienten y lo que saben.

La vida amorosa de Rosalía merece un perfil típico. Desflorada por un estudiante que pasaba sus va-
caciones en Padrón (superlativo de padre, ejemplo
al caso), mantendrá con él relaciones apasionadas
toda su vida, aun cuando esté casada con Manuel
Martínez Murguía, escritor y académico gallego. Antes, durante el noviazgo, Rosalía es amada por Aurelio Aguirre, amigo íntimo de Murguía, que morirá
en un accidente con apenas 24 años. El matrimonio,

convertido en triángulo por el amante, tendrá en su entorno dos fantasmas: el padre de Rosalía y Aurelio. Esta historia tan *fin de siècle* y, aparentemente, tan poco española (falta un crimen pasional, hombre) ha sido motivo de polémicas por la oscuridad de algunos datos.

Gertrudis Gómez de Avellaneda (1814-1873) cubana afincada en Galicia y luego en Madrid, también merece, de pequeña, la sorna del medio por ser mala estudianta y buena lectora. Se la denomina, en burla, "la doctora". Tiene fama de coqueta porque se permite rechazar novios, contra la costumbre de la época. Para ello hay que tener en cuenta que es hija de un padre anciano y una madre joven, acaso el componente, tan habitual en la mujer escritora, de una instancia paterna débil que se compensa con la escritura.

Las relaciones de Gertrudis con lo masculino pasan por un matrimonio frustrado (Pedro Sabater, un enfermo, de nuevo la fuerza es ella), unos amores histéricos (sobre todo, de parte de él) con Ignacio Cepeda, la oscilación entre reivindicarse como mujer y ansiar ser varón: "Si yo fuera hombre y encontrase en una mujer el alma que me anima, adoraría toda la vida a esa mujer". En ocasiones, se lamenta de la falta de solidaridad de las mujeres y se siente "lastimada de continuo por esas punzadas de alfiler con que se venga la envidiosa teoría de mujeres envilecidas por la esclavitud social". Como la Arenal por los presos, Gertrudis se interesa por los esclavos y escribe *Sab*, alegato contra esa condición de la época.

Su irregularidad se complica con su maternidad de soltera: la hija no es reconocida por Tassara, su padre, y muere a los pocos meses. Gertrudis se oculta con el seudónimo de *La Peregrina*: la mujer escritora, que no encuentra fácilmente su lugar en la sociedad, peregrina de un sitio al otro, y ella misma se caracteriza por mudarse constantemente de casa, escogiendo siempre edificios flamantes y aproximándose a Palacio.

Abundan los juicios acerca de su virilidad, como es de costumbre. Bretón de los Herreros dice: "Es mucho hombre esta mujer". Y José Zorrilla: "Era una mujer, pero lo era sin duda por un error de la naturaleza, que había metido por distracción un alma de hombre en aquella envoltura de carne femenina" (y tan apetecible, a juzgar por los retratos que se conservan de Gertrudis). Y Ferrer del Río: "No es la Avellaneda poetisa, sino poeta: sus atrevidas concepciones, su elevado tono, sus acentos valientes, son impropios de su sexo". Y Ángel Mestre: "Yo he tenido ocasión de observar algunos rasgos que ponen en evidencia su índole varonil".

Pero hay compensaciones, como aquella carta de Quintana, el poeta liberal, que le aconseja no casarse, pues dejará de escribir. O el apoyo del marqués de la Pezuela para que ingrese en la Academia (lo que no ocurrió, como sabemos): "El talento no debe tener sexo". O sea: no es masculino, pero tampoco femenino. Menéndez Pelayo, en contra, reivindicará su condición de mujer que tiene derecho a escribir como tal. No siempre don Marcelino era como se cree.

Finalmente, tras una huida al convento, Gertrudis logra entrar en Palacio. No como azafata regia, según pretendía (¿la casa de la reina era la casa definitiva y acogedora de la madre?) sino por casarse con Juan Verdugo (¿a quién ejecuta este verdugo?) asistente del rey. Destinado a Cuba, presencia la apoteosis de su mujer, pero cuando ella muere, el todo Madrid intelectual falta a su entierro.

Emilia Pardo Bazán (1851-1921) pertenece a la altísima aristocracia gallega y, no obstante su desdén infantil por las muñecas y su afición a los libros de la biblioteca familiar, se casa muy joven con José Quiroga, con quien tiene dos hijos. Rechaza la sugestión de usar un seudónimo masculino y escribe obras de pensamiento. Ni retirada como Rosalía, ni puritana y monjil como Concepción ni como Fernán Caballero (Cecilia Böhl de Faber), hace la intensa vida social que corresponde a una dama de su condición.

La Pardo intenta una síntesis de misticismo católico original y heredado, con ciencia positiva de la época. La atraen Zola y Taine, pero también los católicos belgas, tan avanzados y racionales en comparación con el cerril integrismo de la Iglesia española. La edición de *La cuestión palpitante* produce un escándalo público, planteos de la familia y la exigencia del marido de que deje de escribir. Emilia opta por la escritura y se divorcia.

Menéndez Pelayo, católico y amigo de Emilia, para el cual *Los pazos de Ulloa* es "muestra patente de la inferioridad intelectual de las mujeres", ve claramente el problema de la hembra literata. No es un error de la naturaleza, sino un ser humano que intenta ocupar un lugar bloqueado por la cultura:

> Esta curiosidad febril e impaciente, este insaciable afán de abarcarlo todo y poseerlo, como si quisiera emular en un solo día el trabajo de muchas generaciones de hombres, y arrebatar como por asalto, para corona y timbre de su sexo, la ciencia.

Emilia no escandaliza demasiado por sus ideas políticas, que oscilan grandemente entre el apoyo a la revolución liberal de 1868 y al reaccionarismo católico, para quedarse luego en un intento de síntesis irreal, ya que no hay en España, en aquellos años, un catolicismo modernista. Tampoco su imagen de mujer reflejada en sus novelas, la niña eterna e infeliz, sometida al hombre por naturaleza, representante de una suerte de primitivismo insuperable: la buena salvaje de la sociedad moderna. Lo escandaloso de sus libros, a veces apedreados en los escaparates gallegos, es la mirada con que desnuda a los varones. La complacencia morosa con que describe el rostro o el cuerpo del macho son imperdonables, ya que la mujer no puede tener deseos sexuales ni iniciativas eróticas, como la atrevida viudita de *Insolación*.

El folclore madrileño forja sus groserías acerca de los amores de la condesa, en venganza por la crisis de imagen del macho ibérico que provoca su mirada conquistadora. Se le niega el acceso a la Academia, su cátedra universitaria es ninguneada por la indiferencia y debe cerrarse, tiene conflictos con el Ejército por unos artículos en que denuncia su carestía y su ineficacia (en 1889, casi diez años antes del desastre colonial).

Los modelos de mujer española son, para Emilia,

la obrera catalana y la campesina gallega. Su camino emancipador es el trabajo, y ella misma se ve como una trabajadora. Por fin, la Corte se lo reconoce y le da el título de condesa en mérito a su obra. Pérez de Ayala la llamará "Lope con faldas" y su yerno, el general Cavalcanti, "mi suegro", pero Emilia no renuncia a su sexo y prueba de ello son sus relaciones con Pérez Galdós, a medias conservadas en un epistolario cuya parte galdosiana fue destruida durante el franquismo, ya que el Generalísimo habitaba el paso de Meirás, antigua residencia de Emilia.

Como Victoria, sostuvo de su bolsillo una revista literaria, el *Nuevo Teatro Crítico*, nombre que rinde homenaje al gallego que tanto le interesaba, el padre Feijoo, defensor precoz de la condición femenina. Y de Victoria podrían ser estas palabras de la condesa:

> Para saber lo que es la vocación artística y hasta qué punto puede dominar y regir la vida entera, hay que haber nacido mujer, y de alguna posición social.

El piropo suele ser una manera de rebajar a la mujer para, imaginariamente, dominarla con facilidad. No sabemos qué piropos o definiciones menos halagadoras habrá recibido Victoria, andando por la calle, de a pie o conduciendo un coche, en aquellos años en que esto era una extravagancia escandalosa.

Pero lo llamativo es que, en cierto nivel coloquial, la mujer y la clase alta reciben metonimias comestibles, como si ambas fueran señuelo del hambre, cosas apetecibles que sacian el deseo de alimentarse. De algún modo, la mujer alimenta por la maternidad y la lactancia y la clase alta alimenta arrojando a los niveles inferiores los ejemplos de "buenas maneras". Las buenas palabras, las buenas ideas, las buenas costumbres, el buen gusto.

Ejemplos al caso. En la Argentina se ha llamado a la mujer, elogiosa y hambrientamente: papa, uva, churro, churrasco, budín, bombón. La gente distinguida era en una época, la gente banana.

En Francia, la buena sociedad suele denominarse

el *gratin* o la *crème*, con variantes: el *gratin gratinant*, la *crème fouettée*, la *crème de la crème*.

En España, hacia 1930, de una mujer hermosa se decía *está jamón*, como hoy se dice *está que es un pan*. La gente distinguida ha sido llamada, sucesivamente, pollo bien, niño fruta, niño melocotón, niño pera. Por el contrario, la comida barata sirve como figura despectiva: esto no vale un pimiento, no vale un higo. Como la grasa argentina o el guiso uruguayo.

Hegel sostiene en su *Filosofía de la naturaleza*, que el individuo se experimenta como especie en la sexualidad. O sea que, sustrayéndose a lo específico y afirmándose en lo individual, la sexualidad queda marginada o, al menos, puesta entre paréntesis. El individuo puro no tiene sexo. Esto fue formulado hace tiempo, bastante como para que se sostuviera el principio tradicional contrario (el individuo es masculino, la especie es femenina) y el debate teórico fuera acompañado, o viceversa, por el pleito político. Su argumento es la pregunta: ¿puede la mujer acceder a los puestos reservados por la sociedad a los hombres, o deben quedarse las hembras en el difuso y genérico espacio que les designan los machos?

En otras palabras, el problema es la naturalidad de los roles sexuales en la sociedad. Si la división espiritual del trabajo responde a causas naturales, entonces es inmodificable y todo esfuerzo por su alteración sólo alcanzará a empeorarla. Curiosamente varios de los espejos en que se mira Victoria (Ortega, Keyserling, Drieu) apuntan a esta tipología de lo masculino/femenino como racionalización de un dato natural. Como dado y como natural, siempre igual a sí mismo, inconmovible.

Los tiempos formativos de Victoria son, en este campo, una completa mezcla en que sobre un fondo romántico, revitalizado por las filosofías intuicionistas e irracionalistas, se sobreponen unas pretendidas conclusiones de la ciencia empírica positiva. En medio de las reivindicaciones de las sufragistas, de las intelectuales, de las mujeres obreras, se produce una revolución (la rusa) donde se propende, en un comienzo, como pasó en la francesa del XVIII, a una eclosión de libertarismo e igualación sexual, luego reprimidos por la burocratización de un Estado de modelo militar, o sea masculino. Y, en el espacio opuesto, la exaltación de los valores viriles (la guerra, la competencia y la dominación de los débiles por los fuertes) a cargo de los diversos fascismos.

El romanticismo instala el mito del amor cortés en el orden de la filosofía de la naturaleza. La mujer se identifica con esta última: igualmente insondables y fecundas, son el lado abismal y oscuro del universo. Grande y pasiva, la mujer se opone al varón pequeño y activo. La diferenciación sexual aparece, así, como un animador dialéctico de la realidad: los opuestos se diferencian, se enfrentan, pero también por ello, se atraen. Como prueba científica, se observa que las diferencias están apenas esbozadas en la naturaleza inferior y muy marcadas en los rangos elevados de la misma.

Hegel, romántico y dialéctico, concibe el espíritu de la naturaleza como algo recóndito que sólo es conocido por sí mismo, o sea inescrutable desde fuera. Es en sí, pero no para sí, pues carece de negatividad. Produce el efecto de un enigma. Desplazado al mundo de lo femenino, da como resultado el misterio de la mujer. La naturaleza es femenina, dirán Klages y Keyserling, en tanto el espíritu es masculino. Ensimismada, inmanente, cerrada, siempre igual a sí misma, conservadora, se opone al mundo del varón, cuya escena definitoria es el ágape platónico de hombres solos, que se juntan para practicar la caridad del logos. El hombre es la tendencia a sobrepasarse, a excederse, a dar.

A partir de estos principios, el catálogo de cualidades opuestas es generoso. La mujer connota: cuidado, adaptación, atención a la propia naturaleza y apariencia corporal, dificultad para abandonar el propio cuerpo y entregarse al mundo exterior, pasividad, impotencia, sobrecarga de tareas, conciencia de la debilidad, fuerte noción del deber (de la deuda), dulzura, humildad, menor capacidad para sublimar los instintos, menor interés por lo social, anarquía de los impulsos, mente autoritaria (Freud, Bachofen), masoquismo, placer de ser sometida, resignación, servilismo, obediencia al ataque, tendencia a rendirse y a sufrir, exposición pasiva a la observación (exhibicionismo), asunción del rol, expectativa social en torno a él (narcisismo), satisfacción en la dependencia y manejo dependiente, inmanencia y formalismo.

El hombre, a su vez, connota: trabajo, agresión, expansión, superación de resistencias, trascendencia, contenido. El varón es manifiesto, la mujer es oculta. Mientras el varón es predatorio y tiende a un fin, la mujer divaga y yerra sinuosamente y sin término fijo. Por eso se difuma en el nosotros, actúa como partenaire o acompañante del varón, lo ama como la periferia ama al centro, según la metáfora sexual (los labios vaginales aman al eje fálico). Mientras historia y poder son masculinos, deber y mito son femeninos. A la mujer pertenecen el origen y las criaturas; al varón, el genio y los creadores.

Las estadísticas suelen corroborar estas tablas de pares, más, como dice Buytendijk, los fenotipos utilizados en ellas no son naturales, sino culturales. El Varón y la Mujer de las estadísticas son abstracciones producidas por la normativización de los datos, a partir de presupuestos ideológicos.

Cuanto los biólogos han podido describir es que algunas diferencias corporales actúan como datos y ellas son para la mujer: mayor espacio consagrado a las funciones de reproducción, debilidad muscular, mayor adiposidad, labilidad del sistema nervioso vegetativo o simpático, mayor predisposición a enfermarse, más elevado promedio de vida, eventos dramáticos asociados a las reglas y al parto, facilidad para mantenerse joven, voz aguda y superficial. Para el varón: aparte de los opuestos obvios, una tendencia a localizar sus enfermedades en la mitad superior del cuerpo (a contar desde el diafragma), mayor sensibilidad, voz grave y profunda.

Como se ve, las diferencias son más modestas que las tipologías culturales. Si se otorga a la toponimia del cuerpo un carácter mítico, si se considera al cuerpo habitado por divinidades opuestas, entonces podemos extraer una familia de diversos dioses enemigos que, curiosamente, se corresponden con los cultos dominantes en una Europa original: al norte guerrero y señorial, de cultos patriarcales, corresponde un sur matriarcalista, agrario y sedentario.

Esta temática aparece en los maestros de Victoria y en las páginas de *Sur* como una aguda contradicción, la que diseña, por una parte, una caracterización pretendidamente naturalista de los roles y, por otra, la reivindicación de igualdad social entre mujeres y varones.

Arriesgo la opinión de que, en los días actuales, la mujer y el varón comparten, indistintamente, la tarea de la escritura. Más aún: se da el caso estadístico de que el escritor más leído del mundo es una mujer (Agatha Christie) y, en el idioma castellano, otra mujer (Corín Tellado). Confieso mi escasa admiración por ambas, pero los hechos son testarudos. En cualquier caso, no se trata de una realidad reciente. Si hubiera de señalar un ejemplo que amojona la frontera elegiría el de Lou Andreas Salomé (1861-1937), Pudo ser, por edad, la madre de Victoria. Lamentablemente, no se conocieron y, más aún, se desconocen, El mundo de Lou (Nietzsche, Rilke, Freud, la ciencia, la Viena de la Secesión, el Berlín guillermino) no se toca con el de Victoria. Habría valido la pena el encontronazo.

También Lou, que era rusa, pertenecía a una sociedad atrasada que suspiraba por los esplendores de Occidente. También se manejaba en idiomas que no hablaba el pueblo, alemán y francés, y apenas conocía la lengua aborigen. Algunos datos coinciden con el tipo de literata del XIX. Era hija de un militar (o sea: representante de un colectivo excluyentemente masculino) veinte años mayor que su madre y 57 mayor que su hija. Usó un seudónimo masculino (Henri Lou) para presentarse en la literatura, en 1885, con *Im Kampf um Gott*, (*En lucha en torno a Dios*). Desplazó el apellido paterno (un nombre de mujer: Salomé), por el de su marido (Andreas: andros: varón) y, en su novela *Rodinka (Recuerdos rusos)* hizo decir a un hombre este programa de igualación, pero sugerido por él y no por ella: "¿Por qué no sabemos ser algo mejor que meros caballeros, amantes o señores? Hemos olvidado que somos hermanos de las mujeres".

En 1878 coinciden su crisis religiosa (la ausencia de Dios que desmarca su infancia y es la tarea de su vida), con la enfermedad de su padre y sus amores con el pastor protestante Henri Gillot, que la inicia en las lecturas filosóficas. Luego estudia en la Universidad de Zürich y conoce a Malwyda von Meysenburg, una de las principales feministas de Alemania.

La experiencia que, en la memoria autoanalítica de Lou, designa su entrada en la juventud, es la pérdida de la fe en Dios. Avergonzada del extravío, abandonada, sola, su trabajo consiste, de allí en adelante, en reemplazar a ese garante del universo por otra cosa. La muerte de Dios que tanto inquietaba a su amigo Nietzsche es, para ella, una vivencia. Ahora hay que valerse por sí mismo, sustituyendo a ese Otro, desaparecido, indivisible y extraño, cuya mera y constante presencia era la confianza inmediata. Ella elige una suerte de panteísmo del ser, acaso espinoziano: "Sentimiento fundamental de una camaradería de destino inconmensurable con todo lo que es".

Empiezan los triángulos. El tres emblematiza la perfección y es la Santísima Trinidad. No le basta la escena paterno-filial: la niña prodigio sentada en el brazo del viejo militar ruso como en un trono, dispuesta a reinar. Tiene que ser la madre de un niño que es hijo del gran hombre.

El primer triángulo es con Paul Rée y Friedrich Nietzsche. Si bien con éste el contacto físico no pasó de un hipotético beso en el Monte Sacro (cerca de Turín), beso ritual si se tiene en cuenta que estaban en una montaña sagrada, la relación es con el maestro y el discípulo, el padre y el hijo. Rée la presenta a círculos de estudiosos alemanes robustos ingenios masculinos que la admiten como un camarada más (Brandes, Ebbinghaus y Tönnies figuran entre ellos). Entre las amistades de Nietzsche es la única rubia de ojos claros, atributos del Superhombre. ¿Será el Superhombre una mujer, un andrógino?

De 1887 data su casamiento con el iranista Andreas, que durará largamente, no obstante la independencia de ambos. El amenaza con un suicidio poco antes de la boda. Rée se suicidará en 1901. Otro de sus amores, Víctor Tausk, también se suicidará. Y Rilke escribirá poemas de amor de despedazamiento corporal cercanos al suicidio. Ella es una madre, pero terrible, ese fondo de nada y disolución que hay en todos nosotros, criaturas mortales.

Los hombres célebres no sólo alternan con la muchacha prodigiosa, la niña en el templo de los sabios. También se enamoran de ella y la retratan. Gerhardt Hauptmann y Franz Wedekind, que la traslada a *La caja de Pandora*, haciendo de Lou, Lulú y Sawely, con quien hace vida salvaje en la rousseauniana Suiza en 1894. Y el médico Pineles, en 1895, en la sofisticada Viena. Allí todos quieren ser personajes de Schnitzler, como en Berlín todos quieren serlo de Strindberg.

En 1897 se conocen con Rilke. Viajan a Rusia, se entrevistan con el viejo patriarca León Tolstoi. Lou toma distancia. Le interesan muy poco los milenarismos rusos, entre los cuales incluirá al leninismo de 1917. Huye de ese mundo místico que pretende regenerar el Mundo a partir de un nuevo Paraíso. Huye hacia la complicación intelectual de Occidente, donde la historia sigue y se mejora a sí misma, o aquí no se salva nadie (porque no hay por qué salvar nada).

Rilke es su amor más profuso. Ella lo recuerda como mediador ante el dios perdido de su infancia, pues se atribuyen al amado las cualidades divinas. O se descubre lo divino en el amado, que es igual, según nos lo explican Francesca da Rimini y Santa Teresa. Tiene algo de regio, de coronado, ese hombre "que posee el poder de hacernos amar y creer".

Lou descubre en Rilke la poesía, eso que los alemanes llaman *Dichtung*, algo así como condensación, hinchazón, exceso, espesura de la vida misma, de la vida común a todos los hombres. El poeta es un congestionador de la vida, es capaz de hacer con el lenguaje esa suerte de atoramiento explosivo que podemos llamar orgasmo. La vida, que es mero devenir, *werden*, se intensifica en *dichten*. Como el sexo al que conduce Eros: el lugar común donde se reconoce la comunidad del ser. El amor es capacidad de intervenir en la vida del otro. Intervención mutua, fraternal, no acechanza de la encantadora que sorprende al caballero en un recodo del camino.

Rilke no es el niño mimado y enfermizo, algo mujeril, del lugar común. Lou le reconoce una particular capacidad viril de dominar, de señorear. Pero también los niños mimados señorean. Rilke, en cualquier caso, ve en la amada la mediación para recuperar la infancia, donde el lenguaje vuelve a estar en estado naciente y es factible su poetización.

Haz que el niño reconozca su infancia,
infinito círculo de sagas, opulento de tiniebla.
Creo en todo lo aún no dicho.

Y Lou ve en Rilke la manera de repoblar la ausencia de Dios pues, para el poeta, el objeto del arte es Dios mismo, en tanto contenido abismal (infinito) del hombre, ese anonimato que yace más allá de las fronteras del yo. En dios, en ese país, sin aduanas, se encuentran los amantes y se reconocen. Anónimos, claro está, como para rebautizarse. Lo trágico de la condición humana es, precisamente, pertenecer a una creación con un solo Dios y sin objeto. Dios es el abismo tenebroso en el que se precipita Lucifer, el ángel caído. Esto es lo angelical de Rilke, un ángel demoníaco.

Desde esa tiniebla donde desaparecemos surge la creatividad poética, que es creatividad de la muerte. Por eso Rilke la implora a Dios: "Oh, Señor, da a cada uno su propia muerte". La vida necesita de la obra de arte, porque es reconocimiento de la muerte y porque morimos, escribimos. La escritura es innecesaria a la eternidad.

El hombre, hijo de la nada, tiene una hondura con la que se identifica, que es femenina. Todos somos mujer, en ese fondo sin fondo que nos atrae como nuestra esencia y nos aniquila en ella. "El primordial y eterno regazo maternal de la nada". En Lou, Rilke la reconoce y grita ¡Dios! Es un ente amorfo que busca la forma y la encuentra en el poema. Es el hombre finito que reconoce lo único desmesurado

109

que hay en las cosas: su ausencia. Escribe la sola escritura posible: un himno, una plegaria.

Así como Rilke es la recuperación del dios perdido en el poema y en la experiencia anonadante del amor, Freud es la recuperación de ese mismo dios en el cuerpo como parodia de la totalidad. Fechas: 1911, Congreso Psicoanalítico de Weimar. Paul Bjerre, alumno sueco de Freud, se enamora de Lou y la presenta a Freud. Enseguida aparece Víctor Tausk y se arma el nuevo triángulo. Lou se inicia en el freudismo (donde hay tan pocas mujeres) y desde 1921 es internista en una clínica de Königsberg. A los padres, Freud y Nietzsche, Lou dedicará sendos textos. No es la salonera que escucha, no es la seductora que colecciona celebridades en su almohada y en sus memorias, es la hija que crece y disputa con el padre. El también tiene un dios perdido, esta vez mítico, el nunca poseído antes.

Lou no se desexualiza al escribir. Escribe desde su cuerpo, que es femenino, haciendo de su mirada algo mujeril y conceptual, a la vez. El psicoanálisis le parece un intento de armonizar lo primitivo y lo cultural en el hombre, no desplazando aquello por esto, sino montando la cultura sobre lo primario y salvaje, ineliminable. Esto es lo que llamamos progreso y la fórmula es el autoconocimiento humano que Freud propone, a partir de quebrar toda ilusión acerca de los alcances de la cultura misma. Síntesis, no triunfo. De nuevo, el ángel rilkeano de la luz busca a Dios en la sombra.

Esta mujer tan amatoria, tan amante y tan amada, era, sin embargo, según confiesa, asexuada en el trato con los amigos. El amor ponía una frontera al sexo y la amistad se convertía en la experiencia del individuo puro de que habla Hegel. De Lou en adelante, la mujer está en condiciones de dar un salto cualitativo hacia la fortaleza, ahora jardín freudiano, de la escritura.

Con este rápido retrato acaba la galería. Es casi inútil decir que Lou es mi preferida entre todas las retratadas. Volvamos a Victoria.

ESPEJOS VICTORIALES

ORTEGA Y GASSET

En 1916, con motivo del Centenario de la Independencia, Ortega estuvo por primera vez en la Argentina, acompañando a su padre, José Ortega Munilla. Dio conferencias en la Asociación Cultural Española, el diario *La Prensa* y en la Facultad de Filosofía y Letras. Viajó al interior y en una reunión de señoras interesadas por la cultura (Julia del Carril, Elena Sansinena) se conocieron con Victoria. Ortega pareció fascinado por la mujer que luego sería la Gioconda austral y la giganta criolla. Victoria vivía, entonces, los primeros años de su relación con Julián Martínez y ciertos comentarios del filósofo a la del Carril acerca de la inferioridad de Julián ante Victoria, molestaron a ésta y las relaciones se interrumpieron.

En 1917, Ortega le envió una carta donde confesaba cierta inquietud febril que le provocaba la mujer y que ella no advertía. Según refiere Victoria, el vínculo se mantuvo en un plano distante, donde la amistad suplía al amor y el maestro español era la imagen del padre complaciente, que la hacía publicar en la *Revista de Occidente* y daba a conocer su primer libro.

En 1928, Ortega vuelve a Buenos Aires y pronuncia las conferencias que reelaborará como *La rebelión de las masas*. Victoria lo asedia con cartas y billetes, entrando en competencia con las *précieuses* de Amigos del Arte que son anfitriones del escritor: no lo puede compartir, lo que ama en Ortega no es lo que las otras requieren.

Victoria lo llama en sus cartas (escritas en francés) "mi querido y temible dialéctico". Atraviesa una crisis muy honda, que tal vez no se resuelva hasta la fundación de *Sur*. Se siente como un vestido viejo,

111

olvidado en un armario, desechado por inútil. La perfección pétrea de Ortega la hace verse como imbécil. Pero el espectáculo de su inteligencia es para ella un paraíso terrestre. Un paraíso en que destaca su torpeza, la falta de habilidad que tenía en 1916.

Las señoras de Amigos del Arte son la esposa legítima y ella se observa tratada como una concubina. Quiere arrancarlo a los brazos de esas sirenas y servirle carne de sirena en las comidas hasta hartarlo. Ahora, la dinámica de la seducción se ha invertido: ella es la seducida y él, quien desdeña. Victoria razona que se trata de su gusto por lo opuesto: preferir contra sí misma, con tal de no elegir lo insuficiente.

"Virgen" en materia filosófica, enrostra a Ortega su frivolidad, su preferencia por las *beautés de vignette* y las ninfas. Para entender mejor a los filósofos, estudia alemán y envía al maestro sus ejercicios. Luego le pide cariño en su convalecencia (siempre en 1928) y le confiesa que la ahoga la aldea (Buenos Aires). Las respuestas de Ortega son escasas, pero siempre giran en torno a lo gigantesco de Victoria, a la deuda que tiene con la Argentina y a que esa deuda es ella misma. La imagen de Victoria en Ortega es la de una gran solitaria en un desierto, muy por encima del nivel común, que debe cumplir una misión encargada por el maestro de ultramar. Buenos Aires le parece una ciudad absurda y, por eso mismo, la quiere cada vez más.

Victoria le confía sus dificultades con Drieu y su alejamiento de Keyserling. Para Ortega, esta preferencia por el alemán era una suerte de traición amorosa, por esto celebra la ruptura. Se advierte, siempre, una especie de amor posesivo y competitivo, que exige la exclusividad como prenda de lo auténtico.

Ella, desde Buenos Aires, lo halaga, contándole chistes sobre Keyserling. Uno dice que se ha puesto de novio con Josephine Baker, quien lo ha proclamado su Dios y le ha regalado un reloj. Keyserling ha prometido meditar acerca de su nueva misión: ser el Dios de Josephine. Otro: un compadre ve pasar a K. por la calle y le dice a un amigo: "Reíte, che, que ahí viene ese alemán que dice que somos tristes". Victoria abunda luego en detalles sobre las groserías de

K. en la mesa y el exceso de publicidad que le hacen los carteles adversos puestos por los católicos en la calle y los artículos contrarios de monseñor Franceschi en el diario *Pueblo*.

En febrero de 1930, ella está de nuevo en París y le da cuenta de sus contactos con los medios culturales: conciertos de Stravinski, entrevistas con los músicos Sauguet, Honnegger y Poulenc, con el arquitecto Le Corbusier, con el joven psiquiatra Jacques Lacan. Se estrenan escandalosamente, *La voix humaine* de Cocteau, Eluard grita *obsceno* y se denuncia que Cocteau es amante de Jean Desbordes. Desfilan Ramón, el propio Cocteau, Marie-Louse Bouquet. Victoria recuerda la Argentina: "Mi país está en desorden, es torpe, pero está lleno de olores".

Ortega le responde con páginas magistrales en que discurre sobre el yo y el mundo. Le recomienda no resbalar sobre las cosas, sino hincarse en ellas, preocupándose por los problemas de la hora. Predice, en cinco años, un cambio radical en el mundo, que se transformará en filosófico. No conviene quedarse al final de una época, sino en la mañana de la nueva, sin ninguna complacencia crepuscular y decadente sobre el pasado.

Es entonces (2 de febrero de 1930) cuando aparece la primera mención a una "revista panamericana", inspirada por Waldo Frank. El norteamericano descubre a Victoria su propio continente, citando las palabras de Pascal: he allí, en germen "la alegría, la reconciliación total y la danza". He allí, diríamos, los dos polos del magisterio ante Victoria: Ortega, que sigue hablando de la supremacía europea, y Frank, que no ve en América el eco de Europa, sino el comienzo de la nueva era a la que alude el español. Las palabras orteguianas son precisas y abstractas, demasiado, tal vez, para la hora: la filosofía como autoctonía, como pie en la tierra, como tarea vital, no hacer lo que nos da la gana, como el hombre actual, sino aceptar las presiones del universo y responder a ellas activamente.

Victoria comenta lo que Ortega denomina "la enfermedad americana" con estas palabras (2 de febrero de 1930):

113

Pero ¿no crees que es una crisis de adolescencia, diría casi de pubertad? ¿No crees que estamos en esa etapa en que los muchachos prefieren ser groseros y desagradables para disimular lo que son todavía: torpes y desdichados? La timidez y la desmaña de unos seres que perecen de orgullo y susceptibilidad...

En esos días, Victoria atraviesa una crisis que llamaríamos de confianza. De fe en cosas y gentes que ha tenido por importantes. Valéry le parece una salsa sin alimento. Las casas llenas de obras de arte (los palacios de Stoclet en Bruselas o de Rotschild en París) la fastidian y no los cambia por un confortable y flamante cuarto de baño. Detesta a los surrealistas, que han trocado las historias de cama del teatro *boulevardier* por historias de meaderos, creyéndose demoníacos por tan poca cosa. Y detesta a los homosexuales, que llenan el teatro para ver la obra de Cocteau, un surrealista para criadas. Y los franceses: "Cada vez los entiendo menos. Me divierten y me exasperan por momentos, no me conmueven *nunca*" (16 de febrero de 1930).

De vuelta de Europa, Victoria va a Estados Unidos, donde tiene su entrevista definitiva con Frank a propósito de *Sur*, y recorre América por el Pacífico. Su crisis de extrañeza sigue adelante. Desde Lima le escribe a Ortega (junio 16):

De un lado, los yanquis brutales, vulgares, terriblemente eficaces, terriblemente limitados; pero preparados, aptos para transformarlo todo y para hacer posible la vida en los confines más olvidados. Del otro, panameños y peruanos sórdidos, miserables, torpes, sin nervio... Digo mierda por el color local. Es basura. Me gustan ciertas viejas iglesias, ciertas viejas casas, pero pegaría fuego al resto. Sufro por todo lo que veo.

El doloroso encuentro con América, con ese continente al que *Sur* querrá dar voz, se convierte en confidencia al padre. Victoria, aceptando la mirada de Ortega, se compara con el Colón de Paul Claudel, extraña en toda tierra, salvo en la tierra de Dios: nunca está instalada en un lugar (el viejo tema de la mujer intelectual, siempre un poco fuera de lugar). Colón, en cualquier caso, es una metáfora: Victoria se vive como descubridora de América, como la mirada poderosa del europeo que da ser a tierras inertes, a gentes sin alma.

Una escena es notable: ahogada por cordilleras y desiertos, en Chile, se encierra en una cabina a escuchar discos de Debussy. Respira. Y se produce un agobio contrario y simétrico: el advertir la diferencia de cualidad entre Europa y América. Bolívar, un jefe de bandidos, no habría llegado a oficial en Prusia y en América es el Libertador. Ortega es Miranda, que conoce las revoluciones europeas y se ríe de Bolívar. Victoria ¿es Bolívar? ¿Y los del norte, cómo son?

> Los yanquis me revientan en masa y me siento mucho más latino-hispano-americana desde que los he olfateado. (Desde Buenos Aires, 19 de julio de 1930).

La revista sigue en proyecto. Si Ortega no le da su aprobación, no saldrá y Victoria se suicidará moralmente. El plan es muy concreto: un trimestrario que se ocupe de temas americanos, escrito por americanos "que tengan algo en el vientre" y europeos que se interesen por América. Empezaría por un texto orteguiano sobre los guarangos.

No obstante su confesión de latinidad, Victoria no es complaciente con los españoles, que mandaron a América a Cortés y a Pizarro "que sólo dejaban de matar indios para rezar", luego a los hijos desheredados, los bandidos, los vagos y la basura (*sic*, tal vez, entre ellos, los antepasados de Victoria). No se tienen respuestas de Ortega, pero no es pensable que esto le cayera demasiado bien.

> Esperando que América del Norte nos devore, Europa nos ignora de modo regocijante... (desde Buenos Aires, 28 de octubre de 1930).

115

Enseguida, aparece *Sur*, bautizada por Ortega, por teléfono, desde Madrid. Es de padres dar el nombre a los hijos y el filósofo habla desde el norte y es el norte (la guía, la orientación). Figurará por años en el comité extranjero, pero sólo colaborará una vez, ocasionalmente, negándose siempre con su silencio a participar en una revista que, finalmente, no es suya. Su actitud después de la guerra española, de contemporizar con el gobierno de Franco, lo hace desaparecer del comité austral.

Las cartas se espacian. En 1934, Victoria está en París, mientras *Sur* suspende sus salidas por un año. Se ve nuevamente con Valéry (¿le sigue dando rabia ese placer que siente por una salsa agradable que no alimenta?), asiste a un recital Pirandello de Jacques Copeau. Malraux la quiere llevar a Moscú. Ella rehúsa, en ese tiempo en que es invitada por el gobierno italiano, se verá con Mussolini y ha conocido Berlín con Drieu. Es la frontera mental de la época: a pocos pasos, el comunismo, el fascismo o el ya inane pacifismo de la Liga de las Naciones, junto al lago de Ginebra. Victoria no teme al qué dirán si es que se la ve con Malraux, pues no le interesa sexualmente. Sobre el mismo Malraux le ha comentado a Ortega en 1931:

> ¿Qué piensas de Malraux? ¿No te parece que ha cambiado de pose? Es un hombre que, inconscientemente, hace literatura con lo vivido para poder escribir como si viviera. O sea que se organiza literariamente la vida.

Keyserling ha sido definitivamente liquidado en esas fechas: es un desequilibrado, a pesar de ciertas observaciones correctas sobre los argentinos. Piensa como un borracho. "Su elegancia es la de un elefante travieso."

Victoria confía a Ortega el recibimiento frío y venenoso (*sic*) de *Sur* por el ambiente argentino. Se trata, simplemente, de una señora rica que puede pagar lo que le da la gana y nadie rehúsa a colaborar por un buen dinero. Manuel Gálvez ha llegado a declarar que Victoria ignora la gramática.

En 1939, Ortega llega a la Argentina de nuevo, tras haber salido en 1936 hacia París y pasado por una playa portuguesa. Trastornos de salud y la situación caótica del mundo lo deprimen y le evitan gozar continuamente del retiro porteño y las conferencias en ADA y por la radio. Intrigas de ciertos profesores de filosofía impiden que se le dé una cátedra, aún en universidades de provincias, como en el caso de García Morente, Sánchez Albornoz y Francisco Ayala. En 1942 volverá a irse. En tanto Victoria le ofrece su casa de Mar del Plata para él y su familia, y gestiona ante la Municipalidad de Buenos Aires que se le encargue un libro. Anteriores viajes se han frustrado (en 1935 para ADA y en 1936, para el PEN Club, que hace su reunión en Buenos Aires) y este alejamiento es definitivo.

La correspondencia ralea. Victoria escribe, reprocha al maestro su falta de respuesta, pide en 1951 una colaboración para los 20 años de *Sur* y no la obtiene. "No sé si recuerdas a esta amiga que te recuerda". Tal vez, el viejo maestro recordara a la muchacha azorada de 1916, que se mostró esquiva a pesar de su timidez, a la mujer esplendorosa de 1928 y al fondo vegetal que todos llevamos dentro y que en Victoria alcanzaba "proporciones de selva tropical". Todo esto tiene que ver con la visión que Ortega tenía de América y de la mujer.

Los textos en que Ortega se ocupa de una tipología de lo femenino son: el *Epílogo* para *De Francesca a Beatrice*, de Victoria (1924), *La poesía de Ana de Noailles* (1923), *Estudios sobre el amor* (1927), *Para la cultura del amor* (1917), *Divagación ante el retrato de la marquesa de Santillana* (1918), *Para la historia del amor* (1926), *¿Masculino o femenino?* (1927), *Paisaje con una corza al fondo* (1927), *La percepción del prójimo* (1929) y *Meditación de la criolla* (1939).

A pesar de los años que se anotan en cada caso, la percepción orteguiana de lo femenino permanece inalterable. Se desarrolla analíticamente, pero siempre a partir de unos mismos supuestos, por lo cual conforma un corpus unitario.

Siempre, la escena típica es la misma: la histo-

117

ria es protagonizada por el hombre, principio activo, sujeto, que es estimulado a su hacer por una mujer, ente oculto que el hombre devela en un acto de desfloramiento que sirve para el descubrimiento mutuo. La norma es mujer, descubre Dante, pero el descubridor es el varón. La dama es la cortesana, única hembra de la corte de amor, integrada por varones célibes que la cantan como el principio inaccesible del amor mismo. Laura de Novés para Petrarca, Victoria Ocampo para Ortega: la musa. Muda motivación del logos, premio al poeta triunfador, jueza de los torneos y los concursos de cantores. La "mágica potencia de ilusión" que se desprende de ella es su fuerza en la historia, no la torpe reivindicación de las bachilleras y sufragistas.

La mujer exige del varón, lo excita, lo hace hacer, desde su mero ser o estar. En las diferencias corporales hay una simbología espiritual, que santifica al cuerpo mismo. Ortega cree que el cuerpo femenino es excitante, pero no excitable. Y hay mujeres esenciales cuya misión en la historia es atraer a los hombres selectos y agrupar a las minorías enérgicas. Es la misión de la Gioconda austral en los desiertos del sur: concitar a los jóvenes mejor dotados en torno al maestro de ultramar. Tarea difícil, porque debe chocar con costumbres e inercias de un pueblo reciente, sin elites demasiado estructuradas.

> No pido que se constituya en torno a Victoria Ocampo una especie de beatería que halague su persona con acatamientos y remilgos vanos. Es una criatura cuya existencia necesita absolutamente de la resistencia. Es lo bastante feroz y lo bastante puma para no vivir sin saltos de combate. (*Ictiosaurios y editores clandestinos*, única colaboración de Ortega en *Sur*, n° 38, noviembre de 1937).

Mujer-puma. A veces, la metonimia zoológica se suaviza y "europeiza": mujer-corza. Otras, desciende a la mera botánica: rosal, orquídea, camelia divinamente ciega, como la condesa de Noailles, símbolo de la incapacidad nativa de la mujer para las letras.

Porque escribir (lírica, en el caso) es dar a los demás lo más hondo, impersonal y —por ello— trascendente que tenemos, dación que sólo es natural en los varones. Escribir es mostrar y lo propio de la hembra es ocultar. Se dirige hacia adentro, da su amor a un solo hombre, redacta admirables cartas, textos que circulan en un espacio íntimo y cerrado. Cuando sale de este rol, se sale de lo normal y se convierte en esa abominación llamada "mujer pública". Si cambiamos el género de las palabras, en vez de algo despectivo tenemos un elogio: "hombre público".

En el amor, pues, hay un solo sujeto activo, el varón, ya que la mujer es sólo la amada. Como en el misticismo (cf. Victoria) en el amor hay la atención excluyente hacia el ser que se ama (o Dios), con abstracción de todo lo demás. En ambos casos, hablamos de devoción. Esto explica que la mujer normal no sea sensible ni a la belleza masculina (asunto de hombres solos, ejemplo al caso: las artes visuales) ni al genio. La mujer es bella y el hombre es selectivo. Cuando esta dinámica se invierte, tenemos la prostituta o la virago. Seres que tienen una imaginación anómala y masculina, y son capaces de viriles actos como disociar, y en tanto lo propio de la mujer es conjurar, unir, confundir.

Esta incapacidad femenina para seleccionar hace que sea la enemiga natural de las minorías egregias, del genio y de la excepción, del hombre que emerge por bello o inteligente. La mujer es el rasero de la especie, lo retardatario y conservador de la humanidad, que equilibra la turbulencia activa del varón. En su entusiasmo por la mediocridad hay una oscura sapiencia natural.

Como en un episodio cinegético, la mujer esquiva y huye, tal la presa al cazador, defendida por sus atractivos y sus afeites y vestidos. En realidad, la dirección de la escena es la contraria de lo que parece: hondamente, la mujer es quien termina seleccionando al mejor cazador y entregándose en premio a sus cualidades. Pero éste es el segundo acto de la comedia.

Estamos ante funciones simbólicas, ante conceptos, no ante mujeres y hombres de carne y hueso. Conceptos en que el varón, por privilegio natural, se define por sí mismo y define a la especie ("el hombre"), en tanto la mujer sólo puede definirse en relación al hombre, de ahí su dependencia fatal del otro. Por contra, lo mejor del varón nada tiene que ver con la mujer. En ciertas épocas de la historia (la Grecia clásica) la vida diurna y decisiva de la ciudad ocurre entre varones, en tanto la mujer aparece en las horas inferiores y tenebrosas, para ser meramente deseada. Aspasia o las amazonas, haciendo ciencia o guerra, son hembras masculinizadas, falsas hembras. Por oposición, hay otras épocas, anómalas o femeninas, en que la mujer centra la vida de los hombres (el citado tiempo del amor cortés y las cortes de amor).

Este plexo de caracteres obliga a Ortega, sometido a un rígido normativismo, a concluir que el amor entre el hombre y la mujer pasa por lo irracional, en tanto las relaciones institucionales (con la esposa, la madre, la hija) nada tienen que ver con el amor. En consecuencia, un varón no puede amar a otro, ya que ambos representan entes de razón, ni amar a una mujer inteligente, pues "huele a hombre". Un hombre inteligente podrá ser admirador o amigo de una mujer inteligente, pero no su amante.

Lo mismo pasa en el plano físico. La mujer es más corpórea como identidad, tiene percepciones y cuidados respecto a su cuerpo que el hombre es incapaz de sentir. Por ello, el cuerpo femenino es más espiritual y bello, en tanto el espíritu es la belleza y lo "espiritual" (valga la redundancia) del varón. Huelga decir que en todas estas consideraciones hay mucho de autorretrato y, a cada paso, aparece la silueta de la bella y gigantesca Gioconda porteña. Claves para entender una relación intensa, llena de comunicación y abundante en choques frontales y dolorosos, vividos con la elegancia que corresponde a tales personajes, por supuesto.

La historia, a pesar del chiste que hace la gramática, es masculina, es cosa de hombres. La mujer sólo pasa a la historia cuando comete un grave error o cuando se lo hace cometer al hombre. Entra por las patas, metiéndolas. O de cabeza, cuando hace de travesti y se pone a pensar, a gobernar, a hacer la guerra. Ortega, *hélas*, no conoció a Indira Gandhi, Margaret Thacher ni a Isabel Martínez. Quiero decir, se quedó sin un buen lote de ejemplos para la perplejidad más variada.

Ortega, explorador macho y ultramarino, padre europeo, no tiene otra que ver a América como femenina e infantil (la hija que lo estimula y que puede hacerle cometer cierta imprudencia, la del viejo enamoradizo que pierde la cabeza —o sea el lugar de las coronas y de las ideas— por una Lolita criolla).

> Niña, reciente, coralina y tierna, la tierra del nuevo mundo; débiles sus fieras y sus hombres y sus culturas autóctonas... ese carácter extraño de la fauna y del indígena americanos.

El maestro compara a América con el hegeliano espíritu de la naturaleza en sus textos *Hegel y América* (1928) y *Meditación del pueblo joven* (1939). Espíritu que vive fuera de sí, extrañado, ignorante de sí mismo. Realidad que prepara al espíritu, prehistoria, invención del futuro. Si algo es América, es eso: futuro. Perdido en su mera geografía sin historia, el europeo trasterrado a América recupera su primitivismo, sus perdidos espacios incontables: se regenera en una saludable barbarie, realizado el sueño del buen salvaje. Así han pensado los utopistas acerca de América ya desde el VXI, y éste es el único interés filosófico que tiene el nuevo continente. Trasplantar y fructificar, preñar a la niña y llenarla de vejez y de espíritu, son las tareas del civilizador, del pionero.

Esta naturalización de los roles, como parece evidente, tiene sus trampas. Ya en esos años, Europa iba dejando de ser la única fuente de predación en el mundo, que comenzaba a ser dirigido desde los Estados Unidos, Japón y Rusia. El mismo Ortega lo intuye en *La rebelión de las masas*, según veremos.

Es curioso observar que estos rasgos se parecen a los que Ortega reconoce en los andaluces (*Teoría de Andalucía*, 1927). La diferencia está en la vejez: Andalucía es la cultura más antigua de España y su punto de impregnación mediterránea, o sea a partir del cual la península se europeíza, con la conquista romana. Tan seguros están de su identidad los andaluces, que jamás han planteado reclamos separatistas, como zonas más recientes de España (Portugal, Cataluña, el país vasco). Labradores y ganaderos, los andaluces, femeninamente maliciosos, se dejan penetrar, invadir, y no hacen la guerra. Son narcisistas de su colectividad, exaltan sus rasgos peculiares, conocen hondamente y acentúan su propio yo. Parecen argentinos.

También por una cierta cultura del mínimo esfuerzo y la pereza, del apego a lo cotidiano y la ausencia de idealismo, en una especie de goce paradisíaco de su clima benigno y su tierra feraz. Huerto, jardín es el Paraíso. Andalucía es vegetal, vegetativa, como una mujer, indiferente a la modificación del medio, arraigada, lenta y pasiva. No es América, tal vez sea África. En cualquier caso, no el paradigma viril del europeo nórdico.

De la Argentina se ocupa Ortega en variados textos: *Impresiones de un viajero* (1916), *Carta a un joven argentino que estudia filosofía* (1924), *Intimidades* (1929), *El deber de la nueva generación argentina* (1924) y *Por qué he escrito "El hombre a la defensiva"* (1930). A estas prosas cabe la observación general antes formulada: se trata de impresiones de un filósofo viajero, que comercia con las esencias y cristaliza una imagen invariable del país contemplado, imagen que nada tiene que ver con circunstancias históricas concretas (las que van de 1916 a 1930, exactamente del primer gobierno democrático al primer golpe de Estado militar).

Desde el principio, Ortega observa en los argentinos una gran porosidad social ante la inmigración, lo cual encierra una amenaza de inestabilidad y turbulencia. El Estado cumple una fuerte labor socializadora, pero esto puede ser un síntoma de debilidad de la sociedad civil. La intuición es correcta, como señalarán los hechos posteriores. Es sugestivo que, ya en 1916, Ortega identifique a lo mejor de la Argentina como una mujer presa de noble descontento (sin duda, piensa en Victoria y ve al país como femenino y victorioso):

> No espero nada del hombre satisfecho, que no siente la falta de algo más allá de él. Más bien he nutrido mi esperanza cuando al hablar con alguna mujer argentina he visto desprenderse de su alma, como vaho, un sublime, divino descontento.

Fuerte e indisciplinada, la juventud argentina le inspira más esperanza que confianza. Es curiosa pero carece de rigor mental. Lo reemplaza con énfasis e imprecisión. El sudamericano no va a las cosas, se mira en ellas, coqueta y narcisamente, como en un espejo de escaparate: es la *parada*, la *pura parada*. También esto es falta de virilidad (de virilidad europea). El hombre penetra en las cosas, las perfora. La mujer, exhibicionista, busca su relumbrón para admirar en él su belleza conspicua. Por esto, América sigue dependiendo de Europa, sigue definiéndose con respecto a Europa, exactamente como la hembra ante el macho. Como la periferia, que es toda percepción, ante el centro, que es todo control. La juventud es un "sublime deporte cósmico", pero abusa de su afán de reforma, quedándose en los cambios externos y descuidando reformar la intimidad profunda. Este juvenilismo es saludable, pues permite enfrentar los problemas decisivos con lúdica alegría y sin fúnebre gravedad. La vieja Europa ha salido malherida de la guerra y convalece. Un roce juvenil no le viene mal.

La vida argentina tiene algo de esa fiesta continua que está, a su vez, llena de vísperas, de promesas de fiesta. La vida argentina se instala en el lugar de la promesa, por aquello de que la Argentina es una tierra prometida, de promisión. Demasiado *después* y poco *ahora*. La vida se va sin pasar, se evapora sin advertirse. Se aspira a un gran destino, se tiene un alto concepto de sí mismo, se cree en el aspecto europeo de la raza argentina.

Pero todo ello es más gestual y aparencial que real. Los argentinos tienen reales dificultades para comunicarse con los europeos (de nuevo, Victoria y sus

cartas) y se repliegan en una actitud defensiva de
enmascaramiento y falta de espontaneidad. El discurso defiende a la persona, como el exceso de vestimenta y arreglo, a la mujer. Roles sociales poco arraiga-
dos, instituciones débiles, son el resultado de esta
actitud vital. Tiene un nombre: la actitud del *flo-
jo*, la no entrega, la no inmersión en lo distinto.

Susceptible, dependiente del qué dirán, hambriento de que lo vean admirable, superlativo, único, ade-
lantado a su triunfo: *guarango*. A Ortega le encanta
la intraducible persuasión semántica de esta palabra,
sólo comparable al *cursi* español, ese sentimiento de
un pueblo pobre y atrasado, sumergido en una Europa progresista y pujante, carente(s), las dos (España
y Argentina) de una burguesía fuerte y decidida, contenido de esa vaga minoría egregia y/o enérgica por
la que clama el insistente Ortega.

La fórmula magistral es sencilla: hay que formar
esa minoría, a fuerza de disciplina interior y desdén
por el "vulgo sitiador". Conformar una nobleza sobre
el lema de *noblesse oblige*: el noble tiene más duras
obligaciones que la plebe. Los argentinos son demasiado peleadores y, por lo mismo, malos guerreros.
Quien polemiza en demasía tiene poco que decir por
su cuenta. Es hora de ser adultos, de romper el con-
ducto alimentario con Europa y vivir de lo que se
produzca en el país. Ortega intuye que se agota la
etapa dependiente de la argentina y que cabe plan-
tearse el deber de unos tiempos nuevos. Si bien no
describe concretamente el proceso de unos y otros,
se siente el habitante de una frontera histórica. Y
mientras él retorna al norte, deja a Victoria en el
sur.

PAUL VALERY

Victoria conoce a Valéry a fines de los veinte, cuando su entrada en el mundo intelectual de París y en
las inmediatas vísperas de *Sur*. Personaje inevitable
en los grandes salones con galas literarias, Valéry
era una suerte de vampiro que se recogía muy pronto y se levantaba antes del alba, a escribir los cua-

dernos que se publicaron póstumos y que cubrieron 257 volúmenes. Es la mitad de su obra total y, por decisión del autor, obra inactual, de un escritor muerto que los lectores no pueden encontrar por la calle. En la penumbra de la ciudad dormida, cuando todo está borrado por el sueño, todo menos el sueño dirigido de la escritura, sorbiendo el café negro que él mismo se preparaba, producía esa literatura de vigilia que era el lugar del poeta, según había explicado tantas veces su maestro Mallarmé: escritura de nadie a nadie, impersonal epifanía del espíritu, libre ronda de palabras que se buscan, se ligan, se oponen y se acurrucan en medio de un infinito pascaliano, vertiginoso y sin luz.

Europea imperfecta, rústica y torpe, Victoria calla ante Valéry, ante su francés apresurado y poco inteligible. Es la tierra que calla ante el logos celestial, la hembra muda ante el varón locuaz, América en forma de bosque de árboles que el maestro desconoce, a pesar de sus nombres armoniosos, ante la Francia de los alejandrinos impecable, ruinosa de obuses alemanes. Ofrendas e injurias señalan al ídolo, sobre todo cuando la mudez de la muerte transmite la palabra a la devota sobreviviente.

Valéry es decisivo en la primera época de *Sur*. No sólo porque aparece en sus páginas, porque se lo traduce y comenta, sino porque su neoclasicismo, el apacible balance final de la turbulencia simbolista, enseña a los hombres la lucidez en una era bajamente romántica (cf. Borges en 1945). Y por su meditación acerca del intelectual en una sociedad industrializada, a la que luego me referiré.

A su muerte, sobre el fin de la guerra, Victoria exhumó en la revista algunas de sus cartas. Imaginamos a Valéry al lado de aquella mujer envuelta en todas las suntuosidades, visibles e invisibles: el porte criollo, los modelos de Chanel, el nítido francés de Marguerite Moreno, la interrogación discipular, un fondo de jardines dieciochescos y restaurantes elegantes, todo lo que más podía halagar a la mirada melancólica del señorial poeta, lo imaginamos leyéndole las primicias de su *Narcysse*, diciéndole, lapidario, que ciertas verdades son injurias, dedicándole su

125

Poésie brute. Sometiéndola y, a través de ella, a toda la lujuria muda de América. Y la vemos a ella, ante el cadáver tibio, releyendo las cartas de un viejo europeo cercado por las miserias de la guerra, pidiéndole un par de zapatos, un pote de café, unas cajetillas de tabaco, rogándole que encuentre compradores para los Manet de su familia (su mujer, Jeannine Gobillard, bailarina y modelo, era parienta de Berthe Morisot y tenía tesoros impresionistas como joyas domésticas). La última carta de Valéry a su "Providencia" (así llamaba a Victoria) es un reclamo de café. Publicarla en *Sur* no fue un ejemplo de humildad, tal vez, sobre todo si se la hizo seguir por el discurso de Gide en la Biblioteca Doucet, en el mismo tono, llamando a Victoria "El Cuerno de la Abundancia" y "El Mito argentino". Evita, de nuevo en paralelo, también vengaría al orgullo sudamericano con barcos de trigo, en la hambrienta España de Franco.

Inevitable y final: he allí a Valéry asistiendo a los últimos banquetes de la preguerra. Extremo de la inteligencia laica, funámbulo del análisis capaz de aniquilar el objeto que piensa a fuerza de desmontajes sutiles, le toca habitar la frontera entre las ruinas de la primera guerra y la amenaza de la aplanadora bolchevique. Pero, según asegura, el espíritu busca el orden en medio del caos, del mismo modo que caotiza el orden establecido y heredado. Esta necesidad pendular, ese temor, ese nihilismo del intelecto que clama por nueva fe y un entusiasmo inédito, explican sus vaivenes políticos. En 1924 y 1933 hizo viajes de conferencias por Italia y se entrevistó con Mussolini y con d'Annunzio. En 1935 estuvo en el Portugal salazarista y recibió el doctorado honoris causa de Coimbra en 1937. El mariscal Petain fue recibido por él en la Academia, en 1931: el viejo soldado y posterior vicario nazi le dio su corbata de la Legión de Honor. Francia era tanto sus armas como sus letras, mezcladas y perplejas ante los rugidos del vecino alemán.

En 1941, cuando la muerte de Bergson, su discurso de homenaje se convirtió en una pieza de la Resistencia y salió clandestinamente al extranjero para engrosar el periodismo del maquis. El gobierno de Vichy lo destituyó de sus empleos y el ocupante alemán vetó alguno de sus libros. Vivió apenas lo suficiente para ver la victoria aliada y De Gaulle le hizo rendir honores militares.

Casi toda la obra valeryana es fragmentaria: poemas, ensayos breves, incontables parágrafos, cartas, trozos que llenarían un centenar y medio de tomos, una cordillera de fragmentos, lo que resta de una cultura sistemática cuando el incendio de Alejandría siembra la noche de pajaritas cenicientas. Apócrifos, dobles versiones de un mismo texto, correcciones, mancha de tinta: un paradigma de lo que podríamos llamar "escritura flotante". Valéry era una suerte de Narciso de la razón, que se encontraba bello en el espejo de un infinito autocuestionamiento. *Je suis là. Là? Suis? Je?* ¿Soy o sigo? ¿Dónde estoy yo? ¿Dónde está yo?

Algunas veces, con ironía tan severa como la suya, fue llamado "El mandarín Sideros": un ser humano nativo de la Luna que se creía Príncipe de los Lugares Helados, un autófago (que se devora a sí mismo), un ángel que se reseca y asfixia en el desierto de su propio rigor. Una serpiente Ouroboros que se muerde la cola y se alegoriza como el saber terreno y profano, adquiriendo, con un cuerpo finito, una infinitud de poses que son como el retorno eterno de lo diferente.

Valéry encarna el esfuerzo del mandarín occidental por salvar el rol específico de su estamento en una sociedad que tiende a la nivelación y a la indistinción. El intelectual debe constituirse en el partido de la oposición a la realidad, el partido de la negatividad: cuando el orden es real, el espíritu exalta el desorden; cuando la realidad es caótica, el espíritu es ordenador. De ahí cierta desconfianza de mentalidades más robustamente conservadoras ante este delicado anarquista de manos pálidas. Por ejemplo, su paralelo de las islas, T.S. Eliot, que compartió con él tantas páginas de *Sur*: "La inteligencia en su grado más alto, y ese tipo de inteligencia que excluye la posibilidad de la fe, implica una honda melancolía. Su espíritu era profundamente destructor y, más aun, nihilista."

Para Valéry, el laicismo de la razón analítica lleva a una incertidumbre sistemática que diluye todo sistema, a un ejercicio desesperante y sereno: la literatura. Hay una totalidad, pero nunca es sintética, pues la anima un deseo insaciable de totalidad. El sistema, que resuelve todas las instancias problemáticas recurriendo a los principios e instalándolos en un inmarcesible Reino de los Fines (el Absoluto hegeliano, siempre que no se lo confunda con el Estado de Prusia-Brandeburgo) entra en quiebra. Valéry compra por pocas monedas el detalle de su inventario. El discurso conforma problemas, debe huir de toda resolución. Válery es coetáneo del relativista Einstein, del perspectivista Ortega, del indeterminista Heysenberg, de las dos primeras leyes de la termodinámica, que proponen producir para consumir y no para atesorar. Eros es Tánatos, dice su ignorado compañero Freud, y él comenta, sin saberlo: Eros es Noûs. Coetáneo de los futuristas, él es un futurista sin entusiasmo que propone como póstuma una Gran Obra Secreta hecha de aleluyas, de mariposas de papel, de fragmentos que vuelan en el aire de la inteligencia como un fin de fiesta. *Je travaille pour quelqu' un qui viendra après.* El lector ideal, el retrato velado del propio Paul Valéry, que somos todos, que somos nadie, que es —por decirlo de algún modo en cierto modo grosero— el Espíritu sin apellido, sin apelativo, inapelable. *Veni Creator Spiritus*, dice Croce, pero es el clamor en el desierto, porque no nos contestará y en el desierto no hay eco.

Hoy sabemos que trabajaba por eso que se llama posmodernidad, pero en serio y sin pasar por el gabinete de modas de la Sorbona. Posmoderno es el pensamiento de lo discontinuo, el logos del intervalo, el pensar "tal cual" sólo los eventos (que lo horrorizaban): el fragmento como nostalgia de una perdida y *Magna Moralia*, Judith Robinson habla de su "incoherencia armónica", que puede ser una definición de la belleza titubeante de este siglo, tal vez la música sin tonalidad de la Escuela de Viena. Wittgenstein, en otro plano, insiste en una "interrogación constante y discontinua".

¿Cuánto mide un árbol? Manejar palabras es un ejercicio de espejos relativos, en los que vemos figuras que nos entregan otros espejos. Los referentes no tienen magnitudes precisas y reclaman, por consecuencia, una lógica exacta de lo impreciso. Hay la tentación geométrica de formas definitivas, pero es una tentación que el lenguaje rechaza con espanto. Nada fijo puede pensarse y una idea que se estaciona deja de serlo. Es el dilema que hace temblar a los mandarines de Occidente (tan atraídos por la China de los mandarines) desde mediados del XVII, cuando Pascal y Leibniz y Newton descubren que las explicaciones verbales pierden pie en ese otro mundo que se aleja, cargado de signos matemáticos *que no son palabras*. La otra tentación es Mallarmé y es Rilke: una poética del silencio, de la oscuridad subterránea, de la noche perpetua, del blanco en medio de la página escrita, reverso de la escritura en la página en blanco.

He allí la agudeza de Valéry: reclamarse de neoclásico en un mundo que se piensa como relativo e indeterminado. Llamar a los dioses griegos y a los héroes de la mitología intemporal por sus nombres eternos que han perdido su íntima eternidad. Emile Cioran, intentando arremeter contra el maestro, ha descrito analíticamente su estética con una precisión que no puede ser llamada sino valeryana: un desmantelamiento del delirio, una lucha constante contra la espontaneidad, una búsqueda de la seguridad exhibiendo "la buena forma". La versificación antes que el poema, la poética antes que la poesía. El virtuosismo (la virtud es política, repite Maquiavelo). Ponerse fuera de lo hecho, construir una fuga ante el vértigo. Dificultades que enmascaran la impotencia y desembocan en procedimientos y rasgos de oficio que ocultan el don. Para conjurar el destino, nada mejor que la invención y el buen hacer. No darse: ejercerse.

En la problemática fundacional de *Sur* está el Valéry de los "ensayos cuasi políticos": *Une conquête allemande* (1897), rehecha como *Une conquête Mé-*

thodique (1915), *La crise de l'esprit* (1919), *La crise de l'intelligence* (1925), *La politique de l'esprit* (1932), *Le bilan de l'intelligence* (1934).

Valéry advierte el nuevo modelo antropológico que propone la ciencia alemana, una industria montada sobre la inteligencia universitaria y al servicio de un ejército riguroso como un teorema:

> Este hombre hará lo necesario. Reflexionará sin pasión, hará unos desmenuzamientos tan íntegros y unas revistas tan generales que todos los objetos y todos los hechos podrán servirle, y acabarán por entrar en su cálculo personal.

La inteligencia disciplinada e instrumental se opone al viejo ideal del mandarinato, la inteligencia insumisa y autónoma, para la cual el mundo es instrumento de su propio saber, y no viceversa. El azar es derrotado por la estadística, pero al precio de exaltar la mediocridad, el término medio, la medianía. Ya en 1915, Valéry intuye el Eje fascista de 1939: Alemania, Italia y Japón son naciones nuevas, organizadas conforme a un principio científico, que lleva a la pérdida de la libertad y a la desaparición de lo extraordinario.

Hay una melancolía liberal, impotente ante los hechos de la historia que ha construido, en su célebre elegía de 1919: *Las civilizaciones sabemos que somos mortales*. Una cultura basada en la libre coexistencia de puntos de vista disímiles y principios de vida opuestos, pasa a un mundo terso y unidimensional, donde la oposición desaparece en una organización totalitaria: no existe lo innecesario, materia de la inteligencia. En 1914 acaba la modernidad y entramos en lo posmoderno, el universo de lo uniforme. Y de los uniformes.

Un trasfondo pesimista hace notoria la hostilidad que actúa en el hombre como esencial: creativa en la paz y destructiva en la guerra. La precisión fatal se denomina progreso. Europa es el sujeto y, a la vez, el dolorido escenario de esta tragedia: el colmo del desarrollo de sus principios de modernidad liquida al mundo moderno. Todo ha sido absorbido por

Europa, todo ha partido de Europa para absorber al mundo. Ahora, el poderoso continente vuelve a sus principios: es una península asiática, pronto la administrará una comisión americana.

Es cierto: la historia eurocéntrica ha sido la organización de la desigualdad, a partir de Europa como cabeza. La derogación de este sistema lleva al mundo al degüello. ¿Está dispuesto el mundo de 1919 a perder la cabeza? Sí, dirá la historia, en las trincheras de 1939. La cantidad ha decapitado a la calidad. Si antes, Europa fue una síntesis gloriosa de audacia loca y razón estricta, si la construcción de la geometría y la conquista del planeta iban de la mano, ahora la cultura, diseminada por el orbe, se descalifica como el vino disuelto en el agua.

La mortalidad alcanza al espíritu, sesgo europeo, minoritaria en extensión y en población, Europa ha cumplido la mayor parte de las tareas que definen al hombre: realizar los sueños, querer ser lo que no se es, desarrollar la dinámica de la realidad por medio de una lógica de la contradicción, dialectizarlo todo. Ante lo inmóvil, la marcha: el progreso. La edificación del universo por mediación de un imperio y una religión universales, ya que Europa ha sido, en la historia, el único conjunto humano que se ha concebido como universal. De este modo, el hombre se convirtió en la medida de todas las cosas y el europeo, en la medida de todo lo humano. Europeísmo fue sinónimo de humanismo. La vida se maximizó en una suma armoniosa de ciencia griega, imperio romano y cristianismo.

Estamos ciegos e impotentes, armados de conocimientos y cargados de poderes, en un mundo que hemos equipado y organizado, y del que tenemos, actualmente, su complejidad inextricable.

Las dos actitudes del espíritu ante la crisis son la conservación o la revolución: o atesorar la herencia, o hacer tabla rasa y empezar de nuevo. La crisis tiene una fórmula: faltan una política y una moral acordes con el modo de vida moderno (hoy diríamos posmoderno) y al imperialismo del espíritu científico. Ante el desorden y el caos, el espíritu (léase el mandarinato) no puede afirmar ni negar ni sufrir pasivamente; el espíritu es el poder de transformar y siempre se divide contra sí mismo. Vive en el pasado o en el futuro, nunca absolutiza el presente. En esto se desmarca del animal, que vive en un presente a la vez instantáneo y absoluto. *Le falta infinitamente lo que no existe.* Es una gimnasia de lo posible hecha por un atleta fóbico a las repeticiones, un robusto improvisador que quiere perpetuar sus ocurrencias.

El rol del mandarinato es, precisamente, bucear en los hondones del espíritu y transformar en principios lo amorfo de sus sugerencias: creencias, confianzas, mitos. La gente los cree sin conocerlos, tomándolos por hechos naturales, pero hay una profesión del invento que sí sabe el truco. Y así se estructura el poder, a partir de la fuerza que se le acuerda, de la creencia en su potencia. Como en los Bancos, se supone que todos los clientes no reclamarán su dinero a la vez, so peligro de quiebra generalizada. La sociedad existe porque los hombres son varios y desiguales, pero también porque estas divergencias se unifican en unidades de valor homogéneas, como el dinero. Cuando los valores heredados dejan de ser creídos y no aparecen los nuevos, hay crisis. Sale de circulación el dinero obsoleto y el oro no aparece por ninguna parte.

Valéry propone una descripción crepuscular de su mundo a partir de la decadencia de los valores artesanales y el alza de los valores industriales. Ya no se cree en el placer de madurar, de esforzarse, de hacer lenta y minuciosamente una obra común, enorme y delicada como una catedral gótica. Para la industria todo es rápido, fácil e indoloro, pues la máquina nunca se queja, ni se fatiga, a pesar de su impaciencia fabril. Desaparece, de a poco, "la clase de la inteligencia", compuesta de individuos que siempre estaban fuera de lugar, en el exterior del rol, haciendo cosas innecesarias. Los instrumentos de comunicación son sofisticados y el contenido de los mensajes, trivial, como una conversación telefónica.

Los acontecimientos se tornan imperceptibles, sólo se ve la novedad periodística.

Frente a un hombre actual (radicalmente efímero) que se esclaviza a sus propios logros industriales, Valéry propone un retorno al monacato, al pensador ensimismado y aislado que busca en la soledad la voz de las cosas. He allí el cemento fundacional de *Sur*: el mito de una Europa tersa y homogénea (a partir de valores mediterráneos que Valéry, por un momento, creerá repristinados por los fascismos meridionales), la necesidad de refundar la religión de la inteligencia, la defensa liberal del individuo superior que no puede ser encuadrado por la voluntad general, la administración de una calidad que sólo puede ser entendida desde el interior del mandarinato mismo, como un colectivo encargado de producirla y administrarla. Bien, pero ¿cómo articular políticamente todo esto? Valéry carecía de respuestas y el pleito no era de ideas, sino de sistemas de poder. Finalmente, sobre una Europa en ruinas, el mundo reestructuró sus centros poderosos entre discursos parcos (Estados Unidos, Japón) o con milenarismos ajenos al humanismo clásico (Rusia).

HERMANN VON KEYSERLING

En 1927, Victoria lee *Dario de viaje de un filósofo* y vuelve a experimentar un fenómeno que, intermitente, como el corazón proustiano, la define como una esencia (una esencia viva como un cuerpo, sensible a sus propios latidos): su cuerpo mudo de hembra americana gana elocuencia porque lo penetra el logos de un sabio varón europeo. Inmediatamente, le escribe a Keyserling, a su brumoso extremo báltico, allí donde la sutil Europa, siempre tan preocupada por sus límites, se desmarca, prudente y filosa, ante la estepa oriental:

Me parece que estoy tan plena de lo que es usted, que el menor movimiento me llevaría a despedir algún precioso aroma... *Mi* significa simplemente la suma total de todo lo que es suyo, de todo eso que, en mi ser, lleva su nombre... aunque siendo, por esencia, yo misma. (V.O. a Keyserling, 10 de noviembre de 1927.)

Luego, la serie acostumbrada: promesa de un encuentro en un lugar lujoso (el Hotel des Réservoirs de Versalles), ayuda económica a Ortega para publicar a Keyserling en España, invitaciones a conferencias bien pagadas en Buenos Aires. Actitudes y palabras no pueden ser más amorosas. El pantagruélico conde se dispone a la conquista de América, que es Victoria, a la victoria del europeo en América. La hembra suntuosa lo atrae, lejana y latente como una estrella, solitaria en las nieblas oceánicas, como una fogata tropical.

Las esperanzas parecían tener fundamento. El texto de Victoria es la carta de una enamorada, hasta de una esposa que renuncia a su nombre en favor del nombre del marido. El encuentro no tuvo nada de armonioso. El conde quiso "llevar al huerto" a su discípula, y ésta le señaló, tajante, los límites del Eros pedagógico. En general, no se excitaba con los hombres que admiraba intelectualmente, con los que tenía (según la fraseología orteguiana) una relación de igual a igual, de hombre a hombre. El conde insistió, en Europa, en América, y luego tuvo el mal gusto de contar que las cosas sí habían ocurrido. Victoria, indignada, cortó la comunicación con el filósofo, arrancó las dedicatorias de sus libros, se burló del sanguíneo señor en cartas privadas. Si, vista a cierta distancia, su actitud hechiceril tiene algo de histérico (no olvidemos su frustrada vocación de actriz), de atracción-defraudación, de seducción y abandono en el momento crítico, también podemos pensar en el atolondramiento sexual de Keyserling, que se ufanaba de sus ancestros tártaros. Por fin, a Victoria, fascinada con la elocuencia europea desde su parquedad americana, la fastidiaba bastante que la trataran como a una india apetitosa que se entrega por un espejito o un collar de abalorios. Así de simple.

Leyendo ahora a Keyserling, como a Ortega, estas peloteras con los maestros y los esquives de la inteligente hechicera de las pampas, parecen previsibles. En ambos autores, la identificación sexual de América y Europa se muestra clara, lo mismo que una tipología muy estratificada de lo masculino/femenino.

Ejemplo al caso: ¿no parecen estas líneas un duro retrato de Victoria?

> Donde menos lo esperaba, en el último rincón del mundo, encontré los últimos ejemplares de las *femmes savantes* de Molière, patéticas en su prístina autenticidad, mujeres para las cuales el espíritu y la actividad espiritual eran aún algo anormal y que, por cultivar tal excentricidad, habían perdido totalmente el gusto y el tacto, la intuición femenina y el sentido de la realidad.

Frente a estas preciosas, el conde, que recibía de buen grado sus pesos y sus convites a manteles, se consideraba el último hombre vivo del planeta (apenas esto, digamos) y, al advertirlo, lanzaba una divina y homérica carcajada. Este magisterio solitario era la percepción interior del filósofo viajero, un turista de lujo que sancionaba con su mirada santificante el mundo de la naturaleza, convirtiéndolo en mundo del espíritu, organizándolo como tal mundo. Escritor viajero, que no pertenece a ninguna parte, que habita en hoteles, que se pasa la vida despidiéndose y partiendo, devoto de los muelles y los equipajes, a la manera como Paul Morand o Saint-Exupéry miraban el mundo de los hombres. Y, de vuelta, despedida de un mundo que se resquebraja: el mundo eurocéntrico, en el cual la mirada seminal de un alemán podía poner orden en el caos y hacer caer de rodillas a las elegantes preciosas porteñas.

Keyserling identifica al hombre con el padre, en el sentido de padre espiritual, iniciador o *gurú*, vínculo del hijo con el espíritu, en tanto la madre es el alma, o sea lo que sujeta al espíritu a la tierra por medio de la vida empírica. El alma se basa en el cuerpo y es el centro de la vida. Con ella se relaciona el mundo de lo tradicional, de todo lo que se hereda por el cuerpo y se anima en él. La pertenencia del sujeto a las instituciones establecidas forma parte del plexo materno: la iglesia, la clase social, la universidad, la raza, el lenguaje, la patria (en el sentido de *Heimat* y no de *Vaterland*, tierra del padre: la *matria*). Los patriotismos y los nacionalismos son maternos, por ejemplo.

Desde este centro de la vida, la madre tiende a ser soberana, a ser la "buena dueña de casa" que reina sobre los demás. El rey viene después, es su traducción masculina. Aún en el acto de fecundación, es la madre la que atrae al padre, el sujeto activo del deseo o, por mejor decir, la encarnación de un impulso impersonal que "empuja" dentro de la hembra (*die Treibung*). El logos es espermático pero lo mueve el impulso femenino.

Por tanto, en términos generales y simbólicos, es madre cualquier personaje que actúa como "estímulo fecundo y procreador". Los padres son inciertos, lo único cierto es la relación materno-filial. Por ello, los magisterios y las pedagogías son maternos.

Por oposición, es paterno todo lo que tiende a elevarse, como el falo, a alejarse de la tierra, a desujetarse y viajar (como Keyserling. El padre se desplaza por el mundo, lo habita, reconoce el planeta como su patria, por encima de las "patrias chicas" y los campanarios de aldea. El viaje, la libertad y el universo son paternos: lo desasido, lo elevado, lo que se levanta sobre las fuerzas primarias y elementales.

Esta tipología sirve para encuadrar "sexualmente" (o sea, simbólicamente) la imagen que Keyserling se forma de los sudamericanos.

La definición es muy conocida: Sudamérica es el continente del tercer día de la creación. La prueba de ello es que el señor Keyserling siente que su propio estrato terciario entra en simpatía con Sudamérica cuando llega a ella. La materia ha salido de su estado primario (*Proté Hylé*) y yace en una situación de ligazón absoluta. Lo psíquico está regido por normas de gravedad material. La vivencia primordial es la telúrica (la tierra, la madre, la mujer). O sea: Sudamérica es un continente femenino. Hasta el viajero sufre la atracción del suelo y se inclina (nunca mejor dicho) hacia él. Esta es su tierra y no el lugar donde nació y del cual pudo desprenderse gracias a la libertad espiritual (paterna).

Mineraloide, en contacto constante con la tierra, donde yacen los muertos, el sudamericano (sobre todo el puneño) vive en casas que parecen tumbas. Mudos como difuntos, su materia prima es la carne, así como para el europeo es el Verbo. El medio maternal dominante es, como el vientre femenino, la raíz que liga al sujeto con la tierra y, además, "descomposición, corrupción, putrefacción, basura, hedor, deformidad, fealdad horrorosa y perpetuo asesinato". Su emblema es la selva virgen, gran homicida que devora a quien la atraviesa.

La relación mujer-impureza, de origen bíblico, tiene su morfología: la Madre Tierra es lo oscuro, amorfo e infernal del mundo, tenerla cerca es participar constantemente del horror que inspira, a la vez fetal y mortífero, pues volvemos a su seno en el acto de morir.

Los sudamericanos, como animales, están regidos por un temperamento de sangre fría, propia de bestias primordiales. Son taciturnos, pasivos, impasibles, "de expresión impenetrable, sorda y ciega, pero al mismo tiempo acechante y preñada de amenazas..." Sus apetitos sexuales son primitivos y sobreestiman la potencia viril (sobre todo los argentinos).

La mujer sudamericana es pasiva e irresponsable y su fantasía constante es ser violada (¿Victoria en Versalles?). En cualquier caso, más allá de que Keyserling haya conocido más o menos mujeres sudamericanas temerosas de la violación, su imagen corresponde a la fantasía del conquistador europeo ante la india, de modo que es difícil distinguir lo que hay de percepción y de proyección en sus juicios. En general se trata de una sexualidad de reptil (animal terciario, el mamífero lo es cuaternario), frenética y que conduce a una profunda melancolía. La serpiente, recordemos, es el animal bíblico ligado a la tentadora, o sea muy cercano a la tierra (avanza reptando) y a la mujer.

En el fondo y en el comienzo, la identidad humana es mujer, ya que somos uno y lo mismo con la madre, hasta el parto. Por esto, lo primario es también

femenino y así tenemos que en Sudamérica dominan
los sentimientos hembriles como la amoralidad (lo
natural), el disimulo y la mentira. Las religiones espirituales (de dominante paterna) identifican a la
mujer con el mal. Tangos de la época keyserlin-
guiana decían lo mismo con menos doctrina y conta-
das palabras. Por ejemplo:

No te olvides, corazón, que es mujer y que, al
                                            [nacer
supo mentir.
Miente al reír, miente al llorar,
miente al sufrir y al amar,
miente al fingir loca pasión,
no te engañes, corazón.

Al revés que en el varón, en la mujer (y en el sudamericano) importan la apariencia, el atractivo y la
belleza. Hay una dicotomía entre fondo y forma cuya
expresión es el rastacuero que tira manteca al techo
en los cabarets de París.

Su elegancia exagerada y falsa, su profusión de
joyas y su ruidosa exhibición de una riqueza inexistente casi siempre y nada sólida, no son en él
los signos distintivos del impostor propiamente dicho, sino más bien de la incongruencia entre el
fondo y la forma. El rastacuero aspira a ser lo que
sólo puede parecer. Mas, por ello mismo, su des-
cendencia lo será realmente un día.

Este medallón, si bien se mira, coincide con el
identikit del guarango hecho por Ortega. Ahora
bien: como amoral, la mujer sudamericana es mala
pero inocente, ajena y exterior a toda consideración
ética. Malévolas entre sí, tiránicas con el marido, son
como arañas cazadoras en materia de hombres in-
fieles.

Lo mismo ocurre en el orden social. El fatalismo
es lo dominante y los ricos, puesto que lo son por
motivos de fatalidad, siempre tienen razón. La propiedad privada es elemental y natural: nadie la cuestiona. El propio gaucho, degollador inocente de ani-

males, mata sin asociar la muerte con el mal (esto lo repetirá Borges al inventar la "dura y ciega religión del coraje"). Por lo mismo, es legal y normal la guerra, al revés de lo que ocurre en el mundo espiritual, donde se la considera excepcional explosión de instintos primarios. Keyserling llega a tener la visión de las pampas con fluyentes ríos de sangre (nada menos que en la estancia de los civilizados y afrancesados señores Güiraldes).

Esta primacía de la sangre (en esos tiempos, también exaltada por Victoria en una conferencia dada en Italia) hace que los vínculos sanguíneos sean los más fuertes y las familias patricias vivan encerradas en su endogamia. Para contrarrestarla, Keyserling exalta el mestizaje (como también lo hacen Gilberto Freyre y José Vasconcelos, a efectos de que América produzca la "raza cósmica" o el "hombre integral" que propugna Waldo Frank).

No todo es desazonante para el viajero en este continente terciario. Como hombre proveniente de una civilización inmemorial y refinada, lo fascina el primitivismo. El amor al terruño, esa pasión española por la "tierra nueva", la fortaleza sudamericana que liga al hombre con la tierra (frente al modelo norteamericano: pérdida del alma, desvitalización), la conservación raigal de herencias y tradiciones, son valores sudamericanos que Keyserling rescata como positivos para el mundo industrial. Una Europa anémica y bizantina espera al regenerador primaveral y el tesoro de virtudes primarias reside en América.

En cuanto a la Argentina, el conde hace algunas matizaciones importantes. Describe a los argentinos (como a los brasileños) magnánimos, conscientes de pertenecer a países grandes y llenos de futuro, en tanto los uruguayos y los chilenos son a manera de suizos: realistas, recelosos, ahorrativos, laboriosos e inteligentes, pero estrechos y desconfiados como buenos provincianos, cuyo marco de referencia es pequeño.

El argentino es arrogante, pues cree ya vivir en el futuro que, según sus creencias, alcanzará (de nuevo la guaranguería orteguiana), lo cual lo hace más ambicioso y progresista que los demás sudamericanos.

No es orgulloso a la española, con su meollo de modestia, sino esquinado al rastacuerismo. Inseguro, exagera la pose, la *parada*, o la distancia, su equivalente. Tiene la altanería de un pueblo de jinetes, como los tártaros y los magyares. Provocativo y nervioso, sale de golpe de su pasividad y se lanza con impulso. El retrato de la mujer argentina merece ser copiado, por cuanto hace a Victoria:

> ...domina en ellas algo que sólo en hombres de supremas dotes resalta: una dulce pesadez o una pesada dulzura. Su alma es hija auténtica de la monotonía de la pampa y de la anchurosidad del Plata. Cuando integra vitalidad y fuerza es rica como el suelo ubérrimo, caliginosa como el ardor del mediodía en la estepa, melancólica como los horizontes vesperales y preñada de tormentas como la atmósfera cargada de electricidad, bastarda del sol subtropical y de las heladas corrientes venidas del Polo Sur.

Pero hay mucho por hacer en este país. Por ahora, la vida primordial domina con su existencia hermética y ciega. La indiferencia lleva a la ironía y la cercanía de la tierra hace admitir la muerte como realidad inmediata: la pampa sugiere el descanso horizontal. Es una existencia inacabada, abisal, ciega, superficial, en que lo indígena manda y absorbe al inmigrante europeo. Su voluntad carece del sentido de la medida y del fin: es mera gana.

Todo esto, de nuevo, implica una promesa de futuro y un tesoro de virtudes que el mundo pierde y América conserva. La pasividad y la falta de intelecto suponen una reserva de emoción y de personalismo que servirán para contrarrestar el pragmatismo inhumano de los Estados Unidos y el asiatismo bárbaro de Rusia. La promesa de América al mundo es producir una cultura centrada en la belleza. Antirreligioso y antimetafísico, reacio ante el intelectual que considera como a un loco, el sudamericano ve en la religión un mero rito mágico. Es triste y autoritario, como son las mujeres dominantes. Y, como ellas, se impone por lo bello de su exterior, hueco de contenido.

Leídas a la distancia del tiempo y del espacio, las peroraciones de Keyserling pueden resultar divertidas y tan infundadas como los defectos que denuncian. Pero su huella fue honda en una suerte de literatura semisociológica que pululó en Argentina durante los años treinta y hasta los cincuenta. La descripción de un ser nacional, siempre igual a sí mismo y diverso de los otros, de una esencia invariable de la comunidad que tiene su raíz en el paisaje, domina buena parte de la propia autopercepción de los intelectuales argentinos. Y domina en *Sur* cuando se trata de problemas nacionales. Es un punto de vista conservador, pues propende a mostrar que ciertas invariantes están más allá de la historia y no pueden ser modificadas por ésta. Ello hace, además, inatacable el punto de vista privilegiado del observador ilustre pues, mientras la realidad profunda no cambie, tampoco cambiará la validez de su discurso, que será perennemente un discurso de autoridad.

WALDO FRANK

Victoria y Waldo se conocen en Buenos Aires, en 1929, durante una conferencia que el escritor da sobre Chaplin. El encuentro es simbólico, pues sirve para contactar a Victoria con el mundo norteamericano, ampliando su visión del espacio exterior argentino, a la vez que la sitúa ante un arte industrial y de masas: el cine. El mundo europeísta, mandarinal, artesanal, de su formación primera, gana nuevos horizontes al enfrentarse con la mirada mesiánica de este judío norteamericano que se inclina hacia España y la América Latina con ánimo simpático, ilusionado, como un buscador de tesoros.

Frank está entonces recogiendo los materiales que compondrán su *América hispana*, publicada en traducción española en 1932 y algunos de cuyos capítulos adelanta *Sur*. El libro será dedicado a José Carlos Mariátegui (1895-1930), el filósofo marxista peruano que intenta encajar en los marcos teóricos del materialismo histórico la desconcertante realidad latinoamericana.

Los contactos de Frank en la Argentina son muy variopintos: desde don Hipólito Yrigoyen, presidente por segunda vez, que le consigue un avión para desplazarse por el país, hasta Samuel Glusberg, el inmigrante judío a quien Frank intenta reunir con Victoria en una revista panamericana y bilingüe que prolongue los trabajos de Glusberg al frente de *La vida literaria* y la editorial Babel. El encuentro fracasa, Frank lo recordará como una frustración que empuja a *Sur* fuera de sus proyectos, y Victoria, leyendo en su vejez las memorias de Frank, rememora el olvidado episodio no precisamente con su mejor humor.

Frank recorre todo el escenario intelectual argentino: *Nosotros, Criterio, Síntesis*, el filósofo Coriolano Alberini, el Instituto Norteamericano donde actúan Alfredo Colmo y Enrique Gil, las obras de Mitre que lee con fervor, un joven traductor que en ese tiempo conoce también a Victoria: Eduardo Mallea. Con Victoria comparten otros contactos: Ortega y su círculo madrileño, el París de la posguerra que ignora vivir la entreguerra.

He aquí su retrato por Victoria:

> En 1929, Waldo tenía cuarenta años, la cara redonda, la nariz, la boca, los ojos más bien chicos. De estatura mediana y movimientos deliberadamente lentos, susceptible como un argentino, egoísta y generoso, envuelto en una mezcla de misticismo y de sensualidad, soñaba con una América unida, desde un extremo a otro del continente... Estaba enamorado de América, del comunismo y de las mujeres en general.

Frank era ambicioso y confuso. Para Victoria representó el costado americanista de una personalidad también ambivalente, una suerte de maestro de las profundidades que intentaba hacer surgir lo americano de la mujer mítica, alta como los Andes, para que terminara prevaleciendo sobre su vieja fascinación europeísta (por mejor decir: francoinglesa).

142

Frank intentaba ser, a la vez, un profeta hebreo apocalíptico, para el cual los años del fascismo eran el Reino de las Sombras, el Tiempo de la Violencia y una manifestación de la ira divina contra un mundo pecador, y un pensador marxista que buscaba cierta racionalidad legal en la historia misma.

Los proyectos de revista de ambos terminaron por ser divergentes. Frank quería crear (*sic*) Argentina y América a partir de una minoría lúcida y entusiasta. Para ello imaginaba a *Sur* como un punto de reunión de las elites latinoamericanas relacionadas con los Estados Unidos del progresismo, el antifascismo y un proyecto de vida regenerador y autóctono para el mundo. Esto exigía de Victoria que peregrinase continuamente por el continente concitando a los mejores. Para victoria *Sur* terminó siendo su propiedad privada, con una estructura familiar de amigos ilustres, en su mayoría europeos y porteños, a la cual se acercaban algunas personalidades americanas peregrinas como Reyes y Henríquez Ureña, vinculadas con Buenos Aires, más los contactos norteamericanos de Frank.

Hubo en *Sur*, sobre todo en sus primeros años, colaboradores comunistas, según veremos. Esto sirvió para despertar la hostilidad de los fascismos y escorar la revista hacia un frente aliadófilo. No obstante, nunca tuvo nada que ver con el marxismo teórico y apenas se ocupó del rol de los rusos y los chinos en la guerra. En cambio, por momentos intuyó que la Argentina, como país semidesarrollado y dependiente, o se enganchaba en el área de influencia norteamericana o se descolgaba de la historia, sobre todo si permanecía encerrada en la alucinación de ser lo europeo del subcontinente.

Frente a una europa exquisita y exangüe, cuyo emblema era Valéry, Frank proponía una América juvenil y pujante que anunciase la primavera de los pueblos. En esta constelación, la Argentina debía romper su aislamiento y acceder al conjunto americano como no lo había hecho (ni lo haría). Un conjunto en que los Estados Unidos debían aportar los principios democráticos frente al desangrado y exhausto liberalismo europeo y la barbarie nazi.

El americanismo de Frank era más mítico que histórico. De ahí su dificultad para entender los procesos históricos concretos de América, dificultad que fue desde considerar el putsch de Uriburu como un simple cambio de partidos hasta apoyar abiertamente la revolución cubana (de esto Victoria nunca hizo mención concreta). Ello no le impidió inclinarse con enorme interés sobre la historia y, en este sentido, abre en *Sur* un espacio estrecho, en el que se ubicarán, luego, otros colaboradores de la revista, tan heterogéneos como Sábato, Murena, Halperín Donghi o Luis de Elizalde, sin excluir el pasaje de Juan José Sebreli en sus años de educación sentimental. En Frank, el amor a la historia del marxista era tan fuerte como la repugnancia apocalíptica, que pedía un ajuste de cuentas con Dios, a fuego y cenizas. Allí América refundaría el mundo, lavado de sus pecados históricos, por medio de una síntesis de patricios como Victoria y pobres inmigrantes como Glusberg. "Tú" eres en efecto americana —le escribe en 1931— más de lo que Victoria Ocampo conscientemente sabe. Yo lo sé."

Los fascistas intentaron matar a Frank en Chile y en Argentina. Victoria, a pesar de los repeluces que le producía su comunismo, salió en su defensa. Es sabido que la cancillería hitleriana tenía planes de desestabilización y conquista para América Latina y que el judío marxista le venía al pelo como chivo expiatorio. Pero *Sur*, a pesar de sus esfuerzos, se convirtió en una revista victorial, porteña y, por extensión, argentina, sin llegar a ser el órgano expresivo de un continente mudo que debía emprender la repristinación del orbe.

Una revista en cuyo comité figuraban los comunistas Frank, Oliver y Supervielle al lado de un liberal conservador como Ortega y un fascista como Drieu, forzosamente debía ser atravesada por voces heterogéneas. Pero esta variedad no era gratuita: representaba cierta frontera desconcertante en que tambaleaba el mandarinato occidental sometido a la dura prueba de contemplar un mundo en que el cumplimiento extremo de los principios de la civilización capitalista llevaba a su conculcación radical. Había que salir hacia Berlín o hacia Moscú, y la frontera era tan sutil que podía fácilmente errar los senderos. La conciencia cierta de que se transitaba por un trauma revolucionario se mezclaba con la confusa intuición de cuál era el contenido del evento. Una síntesis provisoria llevaba al escepticismo borgiano ante la historia y el refugio en los laberintos del lenguaje, repliegue que intentaba salvar una religión privada y modesta, de altares portátiles, como refugio ante los horrores de la calle.

La filosofía de la historia de Frank entiende el proceso del tiempo como una lucha que, en el fondo, no es de factores históricos sino religiosos. En el mundo atlántico, por ejemplo, se enfrentan la religión de la salvación individual, que lleva a la indiferencia por el otro y la tolerancia (el maquinismo norteamericano): la democracia protestante; y la religión de la salvación universal, el autoritarismo católico que reina en América Hispana, el sometimiento del otro a la verdad revelada y la intolerancia: la civilización del oro que busca el conquistador español con obsesión mítica, ya que el oro es el metal del saber pues, como la verdad, es la medida universal de todas las cosas.

Frank es el primero en escribir en *Sur* sobre el fascismo, tomando posición contra él y compulsando a hacerlo a toda la revista, lo cual lleva a una primera depuración de colaboradores y aún de consejeros. Acusa a la intelectualidad europea de preparar el campo al fascismo por haber divinizado la palabra pura, sin ningún contenido previo, prerracional, orgánico. Las grandes palabras (justicia, libertad, razón, democracia) se convirtieron en fórmulas sin contenido y esta enfermedad de la cultura tuvo su síndrome en el fascismo. El racionalismo empírico de la Ilustración borró la posibilidad de la libertad humana. Como se ve, la crítica de Frank al racionalismo burgués se parece mucho a la fascista: falta entusiasmo irracional en nuestro tiempo, sólo que la manera de restaurarlo difiere de la propuesta fascista.

Ya en 1940 advierte el peligro de la neutralidad norteamericana e incita a los Estados Unidos a par-

145

ticipar de la guerra como aliado no beligerante y evitar que la sangre europea los ahogue. En ese momento, los republicanos especulan con un armisticio entre Hitler y los ingleses, que obligará a los EE.UU. a vivir en un mundo fascistizado en el cual deberán someterse a Alemania o encabezar un bloque contrario. Los demócratas se arman para hacer la guerra en defensa del capitalismo americano, que cercará a América Latina, contra el capitalismo germano-japonés. América Latina debe reunirse en torno a un proyecto bolivariano, proponiendo al mundo una revolución democrática hacia arriba que enfrenta a la revolución autoritaria hacia abajo. La guerra es por o contra el hombre y la democracia se muestra como la única manera de rescatar la perdida santidad humana.

Para Frank, Europa era el emblema de una historia que se había equivocado. Su crítica es, pues, antihistórica y sólo una nueva religión (problema axial de *Sur* y de todo el mandarinato occidental) puede abrir un espacio de reparación. Esta es la verdadera luz en la sombra, una fe en la justicia social que es el destino esencial del hombre y permita regenerar la democracia.

En la misma línea se sitúa su examen de la guerra española. La República fue asfixiada por la indiferencia de las democracias, hijas del formalismo sin contenido del XVIII, y el pueblo español, sacrificado cruelmente en el altar de la historia moderna, es la prueba que acusa al mundo ante el cielo como "un metal flamante".

En 1946, su balance de la posguerra advierte sobre el peligro de un equilibrio armado entre EE.UU. y Rusia, equilibrio del temor que enmascare el problema de fondo, que sigue siendo para él una abstracción humanista, "el problema del hombre como tal". Los norteamericanos siguen encerrados en su egoísmo democrático, protegiendo a su capitalismo rapaz, persiguiendo a los negros, sosteniendo a Franco, cuidando de los decadentes imperios coloniales, fabricando bombas atómicas: cumpliendo un programa autoritario. Hay que restaurar al hombre íntegro, que entiende la relación con los demás como una re-

lación con el Todo (Dios). La guerra no fue contra
el Mal (Hitler era sólo uno de sus síntomas) y los
EE.UU. rehúyen el rol protagónico que les señala la
historia. En 1941 ya advertía sobre la naturaleza del
problema en *Sur (El judío en el futuro de América)*:

> ¿Por qué es débil la democracia? Porque se ha
> alejado progresivamente de sus propias raíces re-
> ligiosas. Estas raíces son judías. ¿Quién mejor que
> el judío, si torna a ser sincero consigo mismo,
> para hacer revivir estas raíces donadoras de vida,
> a fin de que el Árbol pueda florecer?

Hay una coincidencia de fondo entre los varios padres que adopta Victoria y en los cuales se mira, en
cuanto a la misión de América como regeneradora
primaveral de una historia agotada (la europea, que
le ha dado origen), en cuanto a su carácter primario e inexpresivo y también en el rol protagónico de
la minoría egregia en el proceso. Para Frank los artistas deben preceder a los políticos y a los críticos
en la creación de América y, por consiguiente, en la
recreación del mundo. Véase esta propuesta en paralelo a las de Ortega y Keyserling.

Una vuelta a la unidad, una recuperación de lo orgánico, una revalorización del hombre integral como
animal religioso, cuyo modelo es la república cristiana medieval, disgregada por el racionalismo renacen-
tista e ilustrado, diseñan la ambivalencia de Frank
ante la historia: ir es volver, recuperar el origen, o
sea retornar a un espacio no histórico. Utópico, si
se quiere, por lo que América se convierte en el suelo de Utopía según ya la fantasean algunos pensadores del XVI (tema bien trabajado por Alfonso Reyes,
José Antonio Maravall y Edmundo O'Gorman entre
otros).

Precisamente, fue una iluminación mística la que
impulsó a Frank a su misión en el Nuevo Mundo.
Estaba en Europa y sólo se comunicaba, en francés,
con algunos latinoamericanos. Los demás le parecían
extranjeros. Ante la catedral de Chartres intuyó el
unitario y armonioso orden humano de la Edad Media, y decidió retornar a América, pasando antes por

147

España. Al llegar a la Argentina, dijo algo muy parecido a los maestros antes citados:

Vosotros sois un pueblo casi sin movimiento; os retorcéis, os agitáis, estáis esperando nacer. Y la tristeza de vuestros semblantes es vuestra intranquilidad de la espera; es la transportada, la seria contemplación transitoria del rostro de la criatura por nacer. Sois una nación potencial, perdida en la plana vastedad de vuestro país. Vuestra tristeza es eso: *estar perdidos.*

Como se ve, siempre los libros de viajes repiten ciertas fórmulas de viajeros precedentes, están hechos, en buena parte, con citas tomadas de los folletos de turismo y de las conversaciones de a bordo. También Frank propone crecer hacia la raíz, volver la mirada hacia la interioridad, hasta dar con el Dios abismático y reflotar a partir de esa autenticidad filial. Es curioso ver que pensadores que han puesto sus doctrinas al servicio de agresivos autoritarismos (pienso en Carl Gustav Jung y en Víctor Massuh) han dicho lo mismo.

Martínez Estrada y sus seguidores repetirán luego el tópico telurista de que la Argentina es un país cuyo "ser nacional" está dominado por una suerte de espíritu caracterial que fluye de la pampa. Las cosas se desrealizan, el movimiento se hace visible, la metafísica triunfa sobre la historia. La Argentina se precipita desde las alturas andinas hacia los bajíos pampeanos y propende al Atlántico. Mientras Brasil es veraniego, los países del norte sudamericano son invernales y montañosos, Chile representa la primavera y el Río de la Plata es un otoño perpetuo que mira a Europa a través de la bruma oceánica. Y, en esencia sexual, la pampa (dominante de la Argentina) es mujer:

La pampa necesita un intruso viril para hacerla fecunda, y el porteño personifica este anhelo en su inmensa receptividad para las artes y el pensamiento. No actúa porque aún no está listo para la acción. Sus energías se revuelven unas contra otras, y se resuelven, al fin, en imitación y suavidad, o revientan en repentinas tangentes que perezosamente se calman.

Frank ve en Hipólito Yrigoyen (como, curiosamente, lo verá en Victoria Ocampo, y no es casual esta encarnación del Hombre y la Mujer argentinos) la personificación de esta voluntad porteña de aislamiento y profetismo inerte. Yrigoyen tiene una fe profunda, recogida de la imaginación popular, pero carece de instrumentos para realizarla y lo devoran las triquiñuelas de la vieja politiquería caciquil hispano-criolla. La Argentina que se cree ajena a las batallas de los hombres sube y se desploma con la misma rapidez e inconsistencia, junto con su caudillo emblemático, símbolo de "un pueblo lleno de recursos, pero infantil todavía". Como tal niño, necesitado de un padre. Caído el caudillo paternal, queda el recurso a la madre y ella es, para Waldo Frank, la propia Victoria.

DRIEU LA ROCHELLE

No soy más que un rufián. Desearía que una mujer pobre trabajara para mí. Tengo alma de criado malo, como todos los pobres. Siento odio por las mujeres, no puedo acostarme sino con cuerpos, fantasmas, en burdeles. (DRIEU a V.O., 15 junio de 1929.)

En distintas fechas, Victoria escribe sobre Drieu. En 1931, dos años después de conocerlo, de amarse, de viajar por Inglaterra y Alemania, opina en *Sur*:

A Drieu le atrae demasiado el pesimismo. Le gusta instalarse en él cómodamente como en un buen sillón. Incapaz de contentarse con el pasado, incapaz de tener fe en el porvenir, Drieu se queja de las casas viejas de la Ile de Saint-Louis porque están podridas y de las casas modernas porque son de pacotilla. Tan sólo se siente seguro en su desesperación. El pesimismo de Drieu es su fe.

Llamativo retrato de alguien que figura en el comité de *Sur* y estará en él hasta 1937, cuando una polémica con la revista católica *Criterio* obligue a *Sur* a su primer manifiesto democrático, redactado por Mallea. En 1932 Drieu visita y recorre la Argentina, da conferencias sobre la democracia en crisis y Victoria lo presenta al medio local. En 1950 la revista da fragmentos de su *Relato secreto*, póstumo, y Victoria, en *Soledad sonora*, evoca sus primeros encuentros en el París de 1929, en la casa de Isabel Dato, la hija de Eduardo Dato, político español asesinado por los anarquistas. Ella recuerda cómo era el lugar, pero olvida las opiniones de Drieu sobre los últimos chismes políticos. Victoria vuelve a referirse a él como a un componente de su vida que quiere despegar por negativo, sin acabar de hacerlo. Se confiesa admiradora de sus ensayos, pero no de sus novelas ni de su ideología y recuerda que Mauriac lo veía como una personalidad femenina, enamorada de los alemanes, personalidades viriles contra las que había luchado en la guerra mundial y a las que terminó entregado (a) durante la ocupación. "Escupe lo que ama" concluye entonces Victoria, recordando quizá, haber sido amada por el escritor. Y recordando también este apotegma fascista tan expresivo del amor por la muerte que define a su mentalidad: "La destrucción, diosa tentadora y sin rostro visible, es la única energía de que puede nutrirse nuestra época".

En 1977 vuelve sobre el asunto de las relaciones entre Drieu y lo femenino. El no soportaba la compañía de una mujer inteligente, que estuviera a su altura, pues se sentía inferior. La agredía y se comportaba como un gigoló. En compensación, era dulce con las prostitutas. Lo compara con Malraux, otro misógino, cuya infancia transcurrió entre fuertes personalidades femeninas. Malraux sublima su misoginia exaltando la camaradería viril, el culto a los héroes varones, la guerra y la dirigencia (tareas tradicionalmente varoniles). En sus novelas hay apenas mujeres y en esto se advierte la superioridad de los ne, relaciones de compañerismo entre individuos de anglosajones, capaces de narrar, como Graham Gree-distinto sexo.

Hay en esta conflictiva relación algo de circunstancial y algo de recurrente en la vida de Victoria. Lo circunstancial es la necesidad, hacia 1929, de mantener vínculos competitivos con los hombres, en vísperas de su instalación duradera al frente de una institución, rol masculino. Ya hemos visto los dimes y diretes con Ortega y Keyserling. También puede considerarse una circunstancia el fin de su larga relación con Julián, de la que sale con cierto sentimiento de culpa que expía haciéndose "azotar" por un gigoló agresivo.

Lo recurrente es un fuerte componente puritano que rige sus relaciones con sus amantes. Este puritanismo consiste en que lo sexual debe quedar puro en su carácter de acceso a lo sagrado, y lo demás que puede haber en un vínculo con el varón debe quedar puro de todo componente sexual. El puritanismo es siempre disociador y maniqueo, como si el alma y el cuerpo tuvieran dioses distintos e incompatibles. La inteligencia y los sentidos no van juntos a la cama. La inteligencia queda en la puerta de la alcoba. En el caso de Drieu se repite otra escena: la mujer rica frente al varón pobre, la americana que, al fin, se siente por encima del europeo, al cual puede alquilar sus favores, llevarlo de aquí para allá, ponerlo contra un fondo de hoteles lujosos, paquebotes de rumbo, restaurantes exclusivos, como un bello animal que se muestra a un público que sabe apreciar la calidad.

A Keyserling le describe su relación con Drieu, ya en 1929, como un combate entre fieras que se atraen y se odian, respectivamente, en el mundo de la simpatía y en el de la reflexión. Con el agregado de que Drieu es un animal carroñero (¿la siente a Victoria como un cadáver? ¿a tanto llegan el tanatismo y la necrofilia fascistas?). Tanatismo: culto a Tánatos.

(Digresión: en estas cartas, el domicilio de la Ocampo es en la calle Elizalde y el de la Elizalde es en la calle Ocampo. ¿Vive cada una de las preciosas porteñas en la casa de la otra, inspeccionando el salón rival?)

El episodio Drieu de la autobiografía tiene este tono de freudismo sombrío que, a pesar de sus fobias, Victoria aplica con rigor interesante. Recuerda a Drieu como un macho agresivo, que se dirige a la hembra con piropos denigrantes, como "vaca" y "bestia". La encoleriza para embellecerla. Su vida sentimental es indigente y la imagen de la mujer en sus novelas la inclina a la venganza. Su ternura hacia él es idiota (vista a la distancia, por lo menos).

Drieu es un niño abandonado, cuya testarudez la moviliza como madre (madre rica e hijo pobre, digamos de paso: relación claramente alimentaria que genera agresividad en el alimentado). Y, en la vuelta siguiente hacia la profundidad, una identificación de Drieu con la madre: el soldado da a luz porque da su vida, como una madre. Reencuentro de Victoria con la figura materna en la trastienda de un varón, como Lou con Rilke. Temor a la relación en espejo con su propio sexo y retroceso hacia una actitud defensiva, pose de combate.

Es significativo que Victoria detalle, en cada escena con Drieu, lo bien vestida que está. Es como si se arreglara para una fiesta que termina en pelea y orgía, o como si quisiera marcar su rango de poder ante el implorante mantenido. También subraya el gusto femenino de Drieu por las tiendas de lujo y su alegría al recibir regalos en forma de trajes y alhajas.

En este desnivel hay también la necesidad de Drieu de humillarse en público. Una necesidad que lleva fácilmente a un credo autoritario, ya que el dictador humilla tanto a sus enemigos como a sus seguidores. Humillación que lo impulsa a despreciar sus libros en sus cartas y a confesarse impotente. Y, en su última carta a Victoria, poco antes del suicidio, a verse bello como muerto y a anhelar el triunfo de los comunistas, sus posibles verdugos. Si toda relación amorosa pone en el ser amado lo que es nuestro modelo irreconocible en nuestro interior, parece conveniente ver que Victoria catartiza en una personalidad como Drieu su propia tendencia al castigo y a la aniquilación, su propia fascinación, aunque pasajera, por el fascismo italiano.

Drieu, según confesiones de su diario, temió y odió a su padre, pero no pudo compensar este nor-

mal punto de partida ante la figura paterna, con el
amor de la madre, a quien siempre vio como la cóm-
plice de su marido. Por el lado de los ascendientes,
hay unos cuantos militares, profesión amenazante.
La única isla de ternura es la abuela Lefebvre, primer y solo gran amor de su vida. Hay en Drieu una
suerte de homosexualismo que no pasa por la genita-
lidad, la imposibilidad de tratar a la mujer de igual
a igual y el privilegio de los sentimientos sublimes
hacia los hombres: el jefe militar que se pone en
éxtasis durante la batalla de Charleroi, los camaradas de la literatura y la política.

Este origen tal vez explique sus relaciones disper-
sas e inconstantes con las mujeres, la sensación de
estar "cubierto" de hembras, como los machos las
cubren, el no asumir sino de modo efímero el rol de
esposo y el negarse o no poder encarar la paterni-
dad, más allá de averiguaciones fisiológicas que carecen de documentación.

La lista es larga y parece el catálogo que Leporello
hace de las amantes de Don Juan, porque siempre
las que aman son ellas o porque el criado cree o
quiere hacer creer a los demás una vida erótica muy
agitada en su amo que la escena no registra: matrimonio con Colette Jeramec (a los 24 años, en 1917),
hermana de un amigo muerto en la guerra (fácil
identificación con el otro, si cabe), de la cual se divorcia en 1921; amores con Marcelle Laby y Emma
Besnard (ésta muere en 1923), amores con Constan-
ce Wash, con la condesa italiana Cora Caetani, con
Liliane Roditi, con Diane Cohen, matrimonio con
Alexandra Minkiewicz (1927), amores con Victoria
(1929), con Angélica Ocampo (1932), e Ibiza con
Nicole Bordeaux, con Christiane Renault (1935) hasta su suicidio (1945).

Drieu, que había sido muy religioso en su adolescencia, rompió con el catolicismo y reemplazó a
Dios por Nietzsche de por vida. Otras influencias
filosóficas son de la época: los libros de Schopenhauer (su misoginia incluida) y las lecciones de Bergson, a las cuales acudían las damas más elegantes de
París.

Políticamente, Drieu se forma en la crisis del liberalismo que pone a los jóvenes de la burguesía intelectual en oposición agresiva contra su clase. Todo, menos ser burgués. Las solicitaciones son el fascismo o el comunismo. Sus amistades y rupturas con compañeros de generación que militan en o cerca del PC (Aragón y Malraux) se instalan en la frontera entre Berlín y Moscú. Conviven para siempre, y así Aragón lo retrata en *Aurélien* y él lo hace con Aragón en el *Galant de Gilles*. Protege a sus amigos y a Jean Paulhan, al que salva la vida durante la ocupación y ellos intentan retribuirle, pero él se niega y se mata.

En su giro político, el viaje a la Argentina (1932) es decisivo. Lo describe en su diario del 8 de noviembre de 1944.

> Puesto que estoy en las vueltas, la segunda es mi viaje a la Argentina en 1932. No se trata ya de amor, pero fue allí, durante mis conferencias sobre *La crisis de la democracia en Europa*, las primeras y las últimas de mi vida, lo espero, donde tomé conciencia, por la reacción de la prensa, de que la vida del mundo occidental iba a salir de su torpeza y que iba a ser desgarrada por el dilema fascismo-comunismo. A partir de aquel momento, avanzo a paso rápido hacia mi caída en un destino político.

¿Qué atractivo común podrían tener estas dos tendencias a un Estado totalitario, a la eliminación física del oponente, a la exaltación mesiánica de la nación, en un joven intelectual educado en la duda metódica, el pluralismo, la camaradería entre mandarines de diversa orientación? Un fuerte motivo es la fantasía de que, en ambos tipos de Estado, el intelectual, convertido en dirigente burocrático (ejemplo: Mussolini) tendría más poder que en una sociedad gobernada por la burguesía. El hijo inútil de la buena familia o el pariente pobre podría, finalmente, sobreponerse al pariente rico o al hermano mayor que dirigía la fábrica del abuelo.

Algo parecía cierto: el sistema de libertades, partidos y parlamentos ya no servía para nada, pesaba como un prejuicio mortífero sobre los jóvenes con inquietudes políticas. Por esto, su primer proyecto fue fundar un Partido Extremista (1934, año del viaje de Victoria a la Italia fascista) de corte antiparlamentario. El resultado es su alejamiento de Moscú y su aproximación a Berlín, cuando empieza a colaborar en *La lutte des jeunes*, diario fascista que dirige Bertrand de Jouvenel. Sería comunista si la izquierda no tuviera el lastre democrático y parlamentarista, que el fascismo ha dejado elocuentemente de lado. Por otra parte, la exaltación de lo joven, lo viril y lo arriesgado, es más clara del lado escogido: la política es un conflicto de amistades entre varones, las mujeres aguardan en la alcoba o en el prostíbulo.

El fascismo es, pues, para Drieu, un modo de política antiburguesa y de recuperación de perdidos fervores religiosos. En 1934 escribe en *Socialisme fasciste*:

> Como en Moscú, en Berlín y en Roma se trata de una reacción mucho más pura... Porque se nos da una pura teocracia en que lo espiritual y lo temporal se confunden finalmente... Y por ello es lo que quiero. La libertad está agotada, el hombre debe remojarse en su fondo negro. Lo digo yo, el intelectual, el eterno libertario.

Enseguida, el joven Paul Nizan (*Vendredi*, 13 diciembre 1935) comprendería el espejismo de Drieu: se ha hecho fascista por caridad hacia los demás, pero realmente no ha tomado partido y morirá solo. Drieu era fascista por paradójico amor a la frescura y a la juventud de los estalinistas, y por fobia a una Francia débil y pálida y a una burguesía cuya fiesta ocurría a puertas cerradas y de la que podía participar entrando por la cocina, con riesgo de ser descubierto y humillado por los dueños de casa. Es un agente doble, traidor a todos y sospechoso ante todas las policías.

Ama en el fascismo su belleza teatral, la ebriedad danzarina de las multitudes ordenadas, el fondo de perspectivas y banderas. En Moscú, teme hacerse comunista tardío, como Gide (carta a Victoria) y, de vuelta, adhiere al Partido Popular Francés de Jac-

ques Doriot, que se ha fascistizado tras diez años en
el PC. Asiste en 1936 a la guerra de España, del lado
franquista (Mérida, Sevilla) recogiendo escenas que
reproducirá en *Gilles*. Enseguida, Doriot lo decepciona: es fascista por estalinista desilusionado, no mantiene sus consignas anticapitalistas. Lo bueno es el
cinismo del Fascio, frente a la hipocresía comunista.
En lo demás, se parecen y son la única opción política real. Las otras, son aparentes (carta a Victoria, 7
octubre 1937).

Al empezar la guerra, Drieu se alistó al servicio de
Francia y pidió, sin lograrlo, a Jean Giraudoux, que
era Ministro de Cultura, que lo enviara en misión a
España. Cuando la ocupación, estuvo al frente de la
Nouvelle Revue Française. Publica *Gilles* (1940) cen-
surado y se define "el profeta cubierto de basura"
que anuncia el fin de Francia. No obstante, se cree
patriota y acusa a Aragon de estar al servicio del extranjero. Viaja por Alemania y sospecha que ésta
puede ser derrotada. Prefiere, en tal caso, el triunfo
ruso al inglés. Se interna en el estudio de las religiones comparadas y el esoterismo.

La renuncia de Mussolini lo desilusiona. El fascismo es la violencia en zapatillas y una defensa de la
burguesía, como dicen los comunistas. Se siente finalmente, comunista, y ansía la victoria rusa. El fascismo, etapa hacia el comunismo, emplazamiento de
la nueva clase mandarinal. Lo que tiene de burgués
lo inhibe y así lo comprende. Tras un intento de
suicidio en 1944, ensaya otro con gardenal y gas y
muere el 16 de marzo de 1945. "Como el capitán
a bordo de la nave que se hunde, el escritor en
su torre de marfil." A sus amigos de la Resistencia les escribe: "Tened vuestro orgullo, como yo
tuve el de la colaboración. Hemos jugado, he perdido. Reclamo la muerte". Y a Victoria, con quien se
escribe hasta el final, su síntesis afectiva: "Soy un
mal amante pero un buen amigo". Moría aquel suicida anticipado en el personaje de *Le feu follet* (1931):
un muchacho encantador, cuyo peor enemigo era él
mismo.

RABINDRANATH TAGORE

En 1914, Victoria atraviesa una crisis religiosa o, por mejor decir, la necesidad de una traducción de sus vivencias religiosas del código hereditario, el catolicismo rioplatense, a otras claves. Es el comienzo de su relación con Julián, y esta serie (amor-religión), como ya se vio, no tiene nada de casual. La culminación de la experiencia amorosa es mística y el modelo disponible no sirve. En 1961 describe el fenómeno con estas palabras:

Yo no creía en Dios, en el Dios vengador, exigente, mezquino, implacable, limitado, que habían tratado de imponerme. Pero la incredulidad ocupaba un lugar inmenso en mi vida. Y ese lugar inmenso era un inmenso vacío, una continua presencia de Dios por ausencia.

Ese año lee el *Gitanjali* de Tagore, en la traducción francesa de Gide. Las carencias cobran sentido. Mejor dicho: se entiende a Dios como una carencia infinita. Una sensación repetida: la vida es pesada y, al levantarla con las propias manos, se la siente hueca. Si se es capaz de entender este hueco como algo inefable, ilimitado, indiscreto (que no admite medidas), unidad inextensa reacia a las unidades menores, entonces se puede aceptar la existencia de Dios. Un Dios que se reclama de Pascal y, tal vez, de los antepasados calvinistas censurados por las tradiciones posteriores. Un Dios que brilla por su ausencia, que dirá su maestro Ortega, un Dios escondido, que se oculta cada vez que se le exigen manifestaciones o se está por identificar alguna de sus huellas. O que, lo cual es lo mismo, tiene manifestaciones equivalentes, y por lo tanto indiferentes, en toda cosa, ya que toda cosa es creación suya.

Un Dios que entiende al hombre pero no puede ser entendido por él, que no necesita de la criatura pero que la ha creado por un acto de infinito amor, que reclama la querencia de los hombres oblicuamente, en cada ser que ama a otro ser, que se enmascara en el príncipe encantador que se lleva el amor de la niña hechizada por su visita nocturna, este Dios es una suerte de sereno y conciliador padre, esa instancia paterna sublime que tan poco tiene que ver con la relación entre Victoria y su propio padre.

Hace falta, como siempre, un padre que desplace al otro, al legal, y absuelva a la niña de las inquietudes que el padre civil no comprende ni acepta. Este padre segundo deberá venir de muy lejos, envuelto en sayales ligeros y sobrios, la barba pluvial y blanca, dócil al viento del mundo, y pasará antes por París. Tagore.

Con los años, la lectura reúne a Tagore con Proust. Los opuestos se buscan y se juntan, porque se necesitan. Tagore es el anti-Proust. Si éste es la travesía del desierto, aquél es el árbol de fresca sombra que atenúa el rigor lúcido pero implacable del sol cartesiano. La casa del amigo tras un día pasado en la ciudad abigarrada de extraños y cuya atmósfera está cargada de miasmas. De la sabiduría fragmentaria y desazonante al saber total, sin resquicios. Occidente y Oriente. La alegría que no cesa con el dolor, como cesa el placer cuando llega la ora de sufrir. Amar a un desconocido siempre induce a la desconfianza. En cambio, amarse en la divinidad es un acto de inconmensurable confianza.

Cuando Victoria advierte que Tagore, desde la revelación, se manifiesta como un escritor, lo vincula con el mundo de la santidad y el círculo se cierra. Dios-arte-Dios. Tagore, poeta, pone la belleza fuera, en una obra objetiva, objetual, la obra de arte. Gandhi, el santo, hace de su vida una obra bella, introyecta unas formas bellas percibidas en el mundo y las abstrae en su interior para regir su conducta.

En 1924, diez años después del encuentro imaginario, Tagore aparece en San Isidro. (Digresión: San Isidro es el trabajador del campo al cual Dios hace la gracia de atender su arado mientras él reza; desplazamiento del trabajo agrícola por la plegaria que es bella como obra de arte; un emblema de Victoria: recogerse fuera de la ciudad, no lejos de ella, fuera del mundo productivo, para rezar y contemplar lo hermoso del texto rezado.)

De paso para Lima, donde nunca llegará a cumplir

una invitación del presidente Leguía (en cambio llegará Leopoldo Lugones haciendo su primer y chirriante elogio de la espada como redentora del mundo exhausto de las libertades), Tagore se queda en Buenos Aires. Tiene 63 años (Victoria sólo 34) y una salud delicada, descuidada por creer que el objetivo de su vida no era el placer. El médico le prohíbe ir a Lima y, como los padres de Victoria le indican que no puede instalarse en San Isidro, debe alquilar una casa cercana.

Poco a poco Tagore domesticó al joven animal salvaje y dócil a la vez que era yo, y que no dormía, de noche, en el piso de baldosa, detrás de su puerta, como un perrito cualquiera, simplemente porque estaba fuera de sus usos y costumbres.

La escena nos es conocida: la mujer americana sale del estado animal cuando el maestro ultramarino llega portando el logos. Para completar la alegoría, el maestro tiene la misma edad del padre. Y cumple la función que el ingeniero Ocampo no es hábil para realizar: religar a la hija con Dios, reconciliarla con el Padre Primordial, que legitima a todos los padres. Hay que pagar el don: pagar viajes en trasatlánticos de lujo, una casa elegante cerca de la ciudad, alquilar un local de París para que exponga sus cuadros. Servir el té y desaparecer, como una criada, cuando llegan las visitas.

El padre impone cierto temor reverencial. La esposa teme al esposo.

El maestro, como todos los maestros, encuentra que la Argentina es tierra rica y sin alma, donde la falta de expresión propia lleva a la imitación servil. La estancia de los Martínez de Hoz, por ejemplo, está llena de *unmeaning things*, de imitaciones incompetentes de una casa británica. Victoria le hace coser su ropa en la sucursal de Paquin de Buenos Aires. Todo un símbolo: el maestro de misticismo se viste para una fiesta de la alta burguesía porteña. Confirma la fama que le ha hecho Romain Rolland: es frívolo y mundano, frecuenta a las damas elegantes mientras los líderes de la independencia india están presos por los ingleses.

Se volverán a ver en París. Tagore le pide que lo acompañe a Oxford, tal vez que lo siga a la India. Ella parte a Nueva York, para verse con Waldo Frank y ultimar los detalles para la fundación de *Sur*. En sus cartas, el maestro le reprocha un exceso de buen humor elegante que impide una auténtica comunicación. El poeta que le recomendó Victoria, Baudelaire, le parece un *furniture poet*, un escritor preocupado en exceso por el mobiliario. Los teósofos que formaban una corte en torno a él, en San Isidro, tenían su costado *kitsch*, como aquella señora que lo confundía con un adivino de barrio y le pedía descifrar un sueño con elefantes, que había tenido noches atrás.

Victoria está a punto de desdeñar la historia, pues "sólo hay historia del alma", según sostiene Saint-John Perse, y la historia del mundo es desdeñable. Es el momento de dejarlo todo y marcharse a la India, a perder la identidad y ganarla definitivamente, en aquel mundo donde, tal vez, sea inteligible que "todo en la tierra es palabra de Dios". Pero ella toma el rumbo contrario. Nueva York, la capital del mundo histórico, el ombligo de la industria mundial, las fechas que corren, las inciertas tareas de los hombres, con sus palabras siempre desconcertantes.

T. E. LAWRENCE

Junto con Gandhi y Tagore, T. E. Lawrence constituye una Santísima Trinidad fronteriza con la cual Victoria se identifica a partir de sugestiones varias: la frontera entre el arte y la santidad, la frontera entre el cuerpo y el alma, la frontera entre lo masculino y lo femenino, la frontera entre lo primitivo y lo civilizado (el Oriente indio o árabe frente a Inglaterra podría ser una manera de pensar la relación Argentina-Inglaterra, frontera que atraviesa por fuera y por dentro el mundo victorial). Espejos de santidad masculina, estos casos subrayan que la mirada constituyente para Victoria es siempre la mirada de un varón, aunque en el caso de TEL valgan algunas

La madre de Victoria Ocampo.

Victoria Ocampo en París (La primera de la izquierda, Silvina Ocampo es la cuarta).

Victoria Ocampo a los 1 años (Archivo General de la Nación).

Victoria Ocampo
—sin fecha—
(Archivo General de
la Nación).

Victoria Ocampo,
1922.

Victoria Ocampo, 1926 (Archivo General de la
Nación).

Victoria Ocampo en "El Diapasón", 1929 (Archivo General de la Nación)

Victoria Ocampo con
José Ortega y
Gasset, en España.

Recital a cargo de Victoria Ocampo en la "Biblioteca Argentina", Rosario
(Archivo General de la Nación).

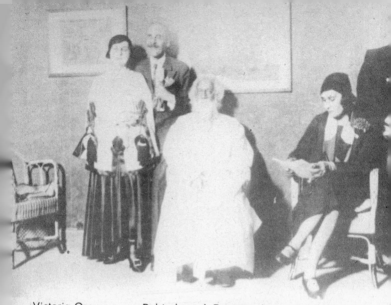

Victoria Ocampo con Rabindranath Tagore y la condesa de Noailles, P (1930), durante la exposición, organizada por V. Ocampo de dibujos Tagore.

Victoria Ocampo en Mar del Plata con María Rosa Oliver, Waldo Frank y Eduardo Mallea.

Victoria Ocampo, 1940.

Victoria Ocampo y Roger Caillois.

Victoria Ocampo.

Victoria Ocampo.

Victoria Ocampo y Julian Huxley.

Victoria Ocampo, 1961. Acto en la
SADE (Archivo General de la
Nación).

SUR

REVISTA SEMESTRAL

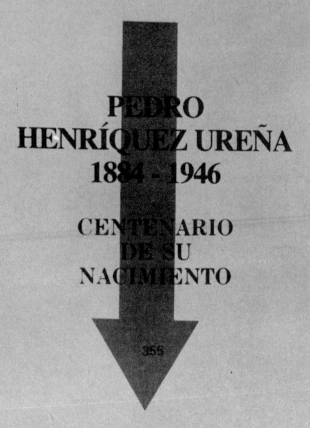

PEDRO
HENRÍQUEZ UREÑA
1884 - 1946

CENTENARIO
DE SU
NACIMIENTO

355

JULIO - DICIEMBRE 1984
BUENOS AIRES

Portada del número 355 de la revista Sur.

Victoria Ocampo con
Igor Stravinsky, su
esposa, José Bianco
y otros.

Silvina y Victoria Ocampo con Jorge Luis Borges.

Victoria Ocampo y
André Malraux en
Villa Ocampo.

Victoria Ocampo, 1963.

Victoria Ocampo en la Librería "El Ateneo" con Manuel Mujica Láinez y Antonio López Llausás. (Archivo General de la Nación).

Victoria Ocampo en la Embajada de la India en Buenos Aires.

Victoria Ocampo con Indira Gandhi, Embajada de la India
en Buenos Aires, 1968. Entrega del doctorado *honoris causa*
en letras, de la Universidad de Visnu Bharati, fundada por
R. Tagore.

Victoria Ocampo en el 30° Aniversario de la revista Sur. En la fotografía
J. L. Borges, E. Pezzoni, E. González Lanuza, A. Bioy Casares, H. A.
Murena, E. Mallea, S. Ocampo, M. L. Bustos, A. Girri, C. A. Erro, A.
Jurado, G. de Torre.

Victoria Ocampo con Indira Gandhi. Embajada de la India en Buenos
Aires; 1968.

Victoria Ocampo.

Victoria Ocampo y Angel Battistessa.

Estudio de Victoria Ocampo en la editorial Sur de la calle Viamonte 494, 8° p. Buenos Aires.

matizaciones. El falo vertebra y el falo es masculino. La mujer fálica debe oler a hombre, según el aserto de Ortega, oler, más que a órganos masculinos, a santidad y a escritura.

En plena guerra y en pleno compromiso político antifascista, Victoria empieza a comentar y hacer traducir a TEL (ver *Misión de Lawrence de Arabia*, en *Sur* nº 97, octubre 1942). El estaba muerto, no se habían conocido ni escrito. Apenas, pensamos, alguna referencia a través de conocidos comunes. Es uno de los pocos casos en que Victoria no calla ante un espejo, esperando que el elocuente varón se muera, sino que asume este logos desde siempre descorporizado del santo guerrero.

TEL servía a Inglaterra y Victoria, también. Esto quiere decir: ambos concebían el universo histórico como una unidad (lo humano) y al conjunto de los hombres como una masa amorfa que debía ser conducida hacia la vivencia de los valores universales del hombre por un puñado de naciones desarrolladas. Pero TEL era inglés y Victoria, no. Estaban a ambos lados de la frontera y el salto que los comunicó era un salto simétrico y de direcciones opuestas.

TEL es ganado por la causa nacional árabe y comprende que su finalidad no es servir a una nación, sino llegar a la santidad buscando, en la guerra, un cilicio. Es el civilizado seducido por el primitivismo, así como Victoria es lo opuesto y complementario. Deja las metrópolis sofisticadas y se va al desierto, al cenobio, tras su ciudadela interior habitada por un orgullo angelical.

El santo no espera de los hombres libertad ni justicia, sino apenas la ocasión de sufrir por ellos. Está por encima de las luchas históricas en pos de esos valores y todo triunfo en ese campo le resulta decepcionante. Lo mismo ocurre con su sexualidad: su fascinación por los hombres es apenas el paso por los infiernos del cuerpo para llegar a sublimar los impulsos en una batalla contra la muerte. TEL no exigía de su cuerpo lo que buscan los gozadores y los amantes, sino lo que exigen los santos: "la capacidad de martirio". La fe convierte el cuerpo en un olvido milagroso, hay un masoquismo sagrado en que el señuelo del placer por la tortura lleva hasta el dolor santificante. Le faltó el amor, verdadero estado de amnesia corporal. Sólo tuvo un dominio físico sobre sus impulsos, como el domador sobre la fiera.

Victoria mira atentamente su imagen en el espejo de TEL. ¿Qué la atrae de esta figura, en concreto, cuando se identifica con ella? Tras el cuerpo del varón, hay un alma de mujer. Esto, tal vez, explique su homosexualismo. En cualquier caso, TEL, inmerso en la religión de la máquina, en esa centrifugación espiritual que vuelca al varón hacia el mundo y la historia, elige una actitud femenina: se encierra en su interioridad, alegoriza los sentidos, se penetra de música, lenguaje con significados que son senderos en perpetua bifurcación, como el laberíntico jardín borgiano. He aquí un esbozo de autorretrato:

Lawrence pone su independencia por encima de todas las cosas. Sin embargo, necesita a los otros para verse, como Narciso necesitaba su fuente. Pero si desea ese espejo, no es para mirarse, sino para conocerse, porque se conoce mal. De sí mismo no conoce más que un haz de potencias y de entidades cuyo personaje central se le escurre.

TEL es un monje sin fe, fórmula perfecta del mandarín (es lo que Eliot decía de Valéry). Mira con envidia la inocencia casi animal de ciertas relaciones amorosas porque él no puede pasar de la repulsión, sin llegar a amar al otro que viene envuelto en cuerpo: a Dios. Es dieta, pero no ayuno. Represión, no castidad. Hasta aquí el TEL de Victoria, que suscita una pregunta repetida: ¿por qué siempre sus santos son varones? ¿Por qué su mirada no reconoce la santidad femenina, la capacidad de la mujer para sublimar el impulso y conectarse con lo universal? Esta opción es peligrosa, pues sirve de prueba a la tipología sexista que encierra a la mujer en el mundo de lo particular.

A Victoria se le escapa la experiencia de TEL en el seno del mundo árabe, como la experiencia de contacto con el otro, de invasión del otro, de conversión. TEL intenta ser un árabe, se viste y habla y pelea como un árabe, pero no logra transformarse en el otro, que siempre queda del lado de afuera de la piel, del lado del disfraz. Es difícil cambiar de dioses, rumia Dostoievski.

Los árabes representan, para TEL, la cultura de la fe. Para ellos, todo es verdadero o falso: la duda no existe, no hay dificultades metafísicas ni interrogaciones introspectivas. La vida se acepta como un don axiomático, sin cuestionarse nada de él. El saber está lleno de respuestas y el fiel no agrega ninguna pregunta de su cosecha. La vida es un usufructo ajeno a toda regulación, donde el suicidio es impensable y la muerte no se lamenta.

Lo agudo de la reflexión lawrenciana es que se está refiriendo a los semitas, es decir a las raíces remotas del cristianismo: contrapone los resultados de esta religión en Occidente con su fundamento oriental, en definitiva. Las ideas y los genios individuales, los hechos colectivos como cataclismos y espasmos, constituyen su ideal de vida. Exactamente, el lugar para la excepción, para el hombre superior, capaz de alejarse de ya ciudad en busca del desierto. El cuerpo, sometido a la abnegación o entregado al placer, se desprecia en cualquier caso. Por ello no incide en las demás esferas de la vida.

Internado en el Oriente, TEL advierte que su lucha se transforma en una batalla para rescatar estos valores semitas elementales y oponerse al señorío otomano, con su Estado militar y policíaco, basto y disgregador, que somete a los árabes y los derrota por medio del movimiento de los Jóvenes Turcos. La fantasía de TEL es que Inglaterra restaure los valores árabes y unifique el Asia Cercana, desde Anatolia a Damasco y Bagdad, dándole a él, como síntesis de las dos mitados del semitismo (el primitivo y el derivado), una suerte de virreinato en la zona. Cuando llega a Damasco (su camino a Damasco también es un episodio místico, como para Saulo de Tarso) comprende que allí no se halla "la vaina de su espada". Ha estado combatiendo en una guerra equivocada.

¿Forma parte de su decepción la incapacidad organizativa de los árabes, eficaces en pequeños grupos, caóticos en grandes masas, frente a la germánica disciplina de los turcos? El esfuerzo es inútil, pero éste es el signo de la superioridad: es lo que hacen los ingleses con los caballos y los negros, lo mismo que Dios con los hombres. Ofende pensar la similitud entre el que está arriba y el que está abajo. Ofende al superior, claro está. En cualquier caso, en el relato y en la memoria de TEL se habla del hombre como varón. La mujer está estrictamente excluida de su panorama (acaso porque, como observa Victoria, TEL la lleva interiorizada y sueña con ser la Reina de Arabia).

Es tan honda la asunción del valor oriental del cuerpo como despreciable, que el relato de TEL describe con impavidez la crueldad de la guerra y de la vida campamentaria, sin ningún tipo de consideración respecto a la guerra como evento humano: la guerra es entre naciones que encarnan principios abstractos. La hazaña es exaltada y el dolor, negado, por pertenecer al reino de lo pura y meramente corporal. Ejecuta a Hamed sólo para evitar que la tribu contraria lo haga y genere enfrentamientos, no para hacer justicia. Se alegra de ver cómo las minas subterráneas explotan y hacen volar en pedazos los trenes turcos.

Como los santos, TEL cree que hay una continuidad entre los sueños y la vigilia, y que la enfermedad es buena porque exalta las percepciones y el trabajo mental, alejando el espritu de la pesadez del cuerpo. Se sueña como un peregrino desnudo por desiertos de lava, sintiendo en los talones unos mordiscos de insectos y la persecución de "ellos": no sabemos quiénes son, apenas que, tal vez, incluyan a un moro muerto.

La guerra, según queda dicho, no es para TEL un hecho humano, sino religioso. Lo dice a pesar o acaso por haber leído a los clásicos en el tema. La guerra es el reino de lo absoluto, en tanto en la paz basta la mera mayoría. La guerra es siempre una guerra de religión, en que se pelea por principios abstractos e inmateriales, diferencias que sólo pueden zanjarse a tiros, discusiones que persiguen la aniquilación del otro. El único pueblo que no pone consideraciones religiosas en la guerra es el inglés, un pueblo de pacifistas que ve lo bélico como absurdo y deleznable. Cabe, quizá, concluir que, en esto, TEL había dejado de ser inglés.

Más cosas fascinaban su mirada al dirigirse a los árabes. Lo ejemplar de las relaciones amorosas entre varones (Daud y Farray son una pareja a su servicio). Daud morirá antes y Farray será muerto por TEL, para evitar que los turcos lo quemen vivo. No hay más detalles de su vida sexual, pero sí consideraciones generales sobre el sexismo de los árabes, que hace de la mujer mediterránea un ser de cuerpo poderoso y espíritu pobre, con la cual los varones no mantienen relaciones de amor. Esto explica la facilidad del árabe varón para la homosexualidad, opuesta a la dificultad del inglés, "monje en la cárcel de su cuerpo", para quien el nacimiento es pecaminoso y obsceno, y sólo puede superarse con una vida de esfuerzo y trabajo. La dicha no paga la vida, hacen falta un Juicio Final y un Infierno. El, apenas conoce la imagen del ser amado en las especies de otro varón, el jerife Ali, del cual se despide como Jonatán de David, intercambiando las ropas y con un beso de adiós (es el único que se menciona).

También hay un elemento literario en la cultura árabe que atrae a TEL: el hecho de que esté basada en una escritura y en sus comentarios escritos. La función del escritor, el amanuense de la revelación, es central. El lenguaje, codificado en escritura, es el cimiento del patriotismo. Y de allí en adelante, la convicción de que los ingleses, por ser superiores, no debían ser imitados, sino aceptar que Dios había hecho a los árabes como tales árabes, ordenándoles profundizar en sus cualidades, que emanaban del sagrado texto.

Por otra parte, TEL ve a los árabes en unas condiciones muy especiales: en guerra. Es decir, convertidos en una sociedad de varones solos, que buscan en la muerte el ocio total que corresponde a una fiesta eterna, a la vez que la derrota de dos grandes demonios interiores: la pretensión de ser infinito y omnipotente.

Otro punto agudo del relato lawrenciano, en la perspectiva victorial, es el episodio de la tortura administrada por el Bey, por no ceder a los deseos sexuales del turco. ¿Es el amor a sufrir lo que lo lleva a no ceder? ¿Es el placer sexual de la tortura, como él se encarga de detallar? ¿Es la necesidad de afearse para convertirse en algo poco atractivo? ¿Por qué cuenta que huyó fácilmente después de la tortura, como si estuviera lleno de fuerzas? ¿Había llegado a la santidad, a esa altura de la cruz desde la cual se ve mejor el mundo y estaba más allá de las leyes físicas? No hay documentos contrastantes sobre este hecho, apenas la fantasía de TEL. Sus explicaciones son filosóficas: él obtiene su energía de la estrecha unidad cuerpo-alma, en la espiritualización de la materia por la forma (principio occidental), en tanto el árabe lo hace por el camino contrario, segregando claramente uno y otra.

Como corresponde a un santo, la historia no es asunto suyo. TEL hizo una guerra que, según fue resuelto, no era lo que él pensaba. Los ganadores se partieron el botín y, por medio de Rotschild, concedieron colonias a los judíos, pero no a los árabes. La escena de la entrada en Damasco, donde él es uno *menos*, alguien distinto al cual nadie reconoce como tal, significa que ha sido restado de la historia, evacuado, tachado por sus verdaderos jefes, a los que sirvió sin saber. Como Drieu, vio en la guerra la moral de la degradación, pero la celebró con alborozo: el soldado moribundo en el desierto tiene tiempo para excitar la piedad de Dios.

Al volver a Inglaterra, TEL comprende que la guerra ocurrió en el destierro: él se creía árabe pero ningún árabe lo reconocía por tal. Consecuencia: era un inglés y debía incorporarse a la RAF, experiencia que cuenta en *El Troquel.* El cuartel es un convento, donde las barracas encierran a cuerpos malolientes y excitados, pero no ya disfrazados de árabes.

Victoria encuentra en el espejo lawrenciano varias de sus carencias: ella no es inglés, no es varón, no es guerrero, no es homosexual, pero sí quisiera ser santa (o mejor dicho: santo) tomando como vías el dolor y la escritura. No pide la abyección de las escuelas militares, ni para exaltarlas como camino de perfección (TEL) ni para denunciarlas como basurales del alma (Drieu) y profetizar desde ellas el apocalipsis. Por esto no apela al suicidio, como ellos dos (en TEL, meramente posible). Abandona el espejo, huye de la frontera y vuelve a casa.

MARCEL PROUST

A pesar de no haberle dedicado un libro en particular, Proust aparece reiteradamente en la escritura de Victoria, a veces mencionado, otras eludido en un hueco que sólo puede corresponderle. Es un espejo cuya mirada se rehúye apenas se conecta con la mirada de Victoria, pero que no puede evitarse. Esta ambivalencia responde a varias razones y no basta explicarla con la obviedad de que Proust es uno de los escritores indispensables de nuestra época. Indispensable quiere decir insoportable. Hay otros y Victoria no los menciona. No le importan Kafka, Musil, Thomas Mann, Martin du Gard, Svevo, Joyce y la lista que el lector quiera añadir por las suyas. No, no basta la importancia "institucional" de Proust, pues Victoria lo lee desde cuando nadie habla de él en el Río de la Plata, no obstante haber contado con lectores precoces y tan heterogéneos como Manuel Gálvez, José Bianco y Roberto Mariani.

La atracción por Proust viene del referente: el novelista señala el mismo mundo en que Victoria cree vivir. El rechazo se origina en que Proust decepciona como maestro: no tiene ninguna verdad que decir (al revés de Gandhi o Tagore) porque la verdad no existe para la inteligencia laica de Occidente. Invoca la autoridad final del arte, pero el arte no tiene ningún contenido. No se puede ser el hijo de Proust, porque no esgrime ninguna autoridad paternal. Y este tipo de igualitarismo, de fraternidad, espanta, finalmente, a Victoria, que busca en los libros un sustituto del padre. Ortega, Keyserling, Waldo Frank y hasta Mussolini le dirán lo que tiene que hacer en la vida (ella obedecerá o no, esto es otro tema), pero

Proust carece de normativa. Es el análisis que se extasía en el desmontaje final y total del objeto que lo atrae. De algún modo, lo decepcionante de Valéry.

La sociedad que refiere Proust (la Tercera República francesa) puede ser definida (cf. Adorno) como "sociedad de apropiación". De lejos, guarda cierta similitud con la sociedad argentina de la época: espacios vacantes de poder están al alcance de los nuevos ricos y la riqueza acreditada intenta elevar defensas culturales para evitar la invasión. Son, ambas, sociedades de prestigios exagerados o falsificados, de arribistas y de esnobs.

¿Qué hace Proust ante este mundo social al que pertenece y del que intenta distanciarse para entenderlo y dar cuenta de él? En cierto modo, llevar al extremo su historicidad; en otro sentido, prescindir de ella, intentar quitarse de encima la historia y la sociología (que venía de ser la ciencia total en los tiempos eufóricos de Comte) para que el arte tome el punto de vista de la eternidad. Pero para ello hace falta Dios, único garante de lo eterno, y Dios ha muerto. Ausencia que Proust considera con melancólica elegancia y que Victoria no le disculpa (no disculpa ausencias ni elegancias).

La sociedad de apropiación es recordada por el novelista como una gran fiesta de consumidores. El debe ser invitado a dicha fiesta y, poco a poco, con gran esfuerzo de aprendizaje, logra que se le abran las puertas de los distintos salones. Una fiesta lleva a la otra y, en la fiesta final, una serie de viejecitos medio estropeados por los años rodean a una millonaria esnob que se ha apoderado del ducado de Guermantes, la más noble de las noblezas de Francia. Todos han vivido seleccionándose en función de ilusiones culturales y terminan admitiendo que el dinero los ha seleccionado a todos.

El narrador es un *voyeur*, ajeno y lúcido, que se disfraza de distintos personajes admisibles en el "mundo", pero que permanece íntimamente distante de ellos, sólo fiel a su mítico destino de artista inteligente, cuya misión es comprender. En esto se diferencia radicalmente de Victoria, pues ella ha nacido en el medio que, en la Argentina, se considera a sí mismo el "mundo" y se denomina a sí mismo *la sociedad*, como si no la hubiera fuera de él. Recuerdo a una vieja dama argentina que me explicaba la trama de las clases diciendo que eran tres: la sociedad, la burguesía y el pueblo. La sociedad era el equivalente de la nobleza europea, es decir la custodia de ciertos valores que el Nuevo Régimen no había podido (o querido) destruir, y que hacían a la fundación de lo nacional. No obstante, esta traducción (llamarse a sí mismos *la* sociedad) daba a la clase patricia una autoridad excluyente, pues podía dejar fuera de la "sociedad" a quien le pareciere. Un rasgo de intolerancia que ha tenido triste fortuna en la historia argentina: sucesivamente, el patriciado, el Ejército y los partidos llamados "nacionales" se han identificado con la Nación misma y se han arrogado, en consecuencia, el derecho de considerar extranacionales a los sectores que les semejaban inaceptables.

Puede pensarse que Proust se ha disfrazado de invitado en esta fiesta con el solo propósito de espiar. Lo prueba el hecho de que la historia no le interesa como tal, que los tiempos narrativos están mezclados y revueltos, que el final y el principio se superponen y que, por lo tanto, el decurso intermedio no vale como tal, según los cánones del relato clásico. El objeto de la narración no es la historia narrada sino, como arriesga Jauss, el "universo particular" que sólo puede manifestar el arte: el mundo de lo único en el espejo del tiempo.

Bien, piensa Victoria, pero para esto no hace falta ser un escritor francés de la Tercera República. ¿Por qué los patricios argentinos no nos merecemos a un Proust y nos toca en el reparto, digamos, apenas Martín Aldao? ¿Cuál de los escritores del *gratin* argentino es capaz de hacer la historia regresiva de su clase para desnudar el mito del origen, los trucos de la selección social?

Ambas son sociedades donde domina el prestigio descrito por Thorstein Veblen en su clásico texto: el prestigio del ocio, de la clase improductiva, del consumidor puro. Una gran movilidad vertical permite que suban y bajen los personajes por los escalones del escenario y que los espías cultivados, como

Proust, se infiltren en los reservados salones. Tal vez Proust creyó en el "mundo" hasta que acabó de conocerlo. Tal vez no creyó nunca en él. Victoria no ve con buenos ojos que haya salido a la calle a contar sus impresiones. Pero ello es, acaso, más bien responsabilidad de la preciosa del cotarro, que es la encargada de admitir y de no dejar salir al incluido.

Esta sociedad, mirada en su conjunto, tiene un sesgo trágico. Muestra a una burguesía que se enriquece y asciende, pretendiendo ennoblecerse, al tiempo que la nobleza, a la caída del Segundo Imperio, deja de ser siquiera parte de la clase dirigente. Apenas le quedan unos prestigios simbólicos, tradicionales, arrastrados durante siglos, pero carentes de virtualidad política. Es una sociedad donde reina el *se dice* (el *on dit*, el *man sagt*), el rumor, el chisme, pues del centro del discurso donde yacen los prestigios fundacionales no puede decirse nada, ya que allí no quedan rastros de lo que hubo.

Imagino que Victoria lee con intriga y final horror la descripción de la guerra entre saloneras que describe Proust. Ya ha existido la Verdurin, hay que cuidarse de imitarla. Esa burguesa aficionada al arte, para la cual los salones del *gratin gratinant* están todavía cerrados, funda, en la vereda de enfrente, un salón "progresista", donde se elogian todas las novedades y del cual están excluidas las mujeres. En el espejo de la Verdurin hay un retrato robot del esnobismo.

Walter Benjamin ha definido al esnob como el consumidor químicamente puro, cuyo matiz estetizante lo diferencia del mero arribista, y al esnobismo como el fenómeno más caracterizado de la sociedad de apropiación. Para esos años de Victoria y de Proust (ella en los salones de París, él ya retirado a su celda, tapizada de corcho, redactando su minucioso informe en el destierro) la palabra ha tenido una curiosa historia.

Según informan los diccionarios, *snob* es una palabra inglesa de origen *slang* (o sea del lunfardo londinense) que, hacia 1781, significaba "zapatero" u "obrero remendón". En 1791 pasa a la jerga universitaria como sinónimo de "estudiante ajeno a la universidad", o sea excluido de la carrera de honores que pueden llevar a la nobleza togada. Ya en 1830 se ha metaforizado y señala a toda persona sin cultura ni gusto. Su tipología cobra tal importancia que en 1848 (año revolucionario democrático-burgués en el continente) William Thackeray le dedica su *Book of the Snobs*, donde define: "El que admira mediocremente lo mediocre". En 1857 el libro es traducido al francés y la palabra empieza su feliz carrera en tierra firme.

El Larousse de 1887 se hace cargo de su etimología, recordando que, en los colegios ingleses, el hijo de noble era etiquetado *fil. nob.*, en tanto el plebeyo era el *s. snob* (*sine nobilitate*, sin nobleza) y el que no pagaba cuotas y estaba becado, era *s. ob.* (*sine obolo*, impecune). Para entonces, esnob es el que imita la nobleza sin tenerla, una suerte de impostor caricato de los rasgos que caracterizan al aristócrata (una suerte de tilingo argentino).

La palabra es redefinida en 1895 por François de Coppée, quien entiende por esnob al *bourgeois perverti par le dilettantisme*. Ya estamos en un terreno más acotado y en el mundo del esnobismo proustiano: el burgués que pretende no ser considerado como tal, o sea como filisteo, sino como artista o, al menos, como *amateur d'art* y que, para ello, hace gala de un gusto muy estricto y peculiarizado. En 1895 el código del esnob comprende la música de Wagner, la poesía de Mallarmé, la pintura prerrafaelista. Pero el esnob no es el elegante de club refinado (el *gommeux*), que los ingleses suelen denominar *dandy*. En su versión francesa o británica, el elegante es el inventor de las modas, en tanto el esnob es su mero imitador, el que vive desesperado por saber cómo suena el último grito y cómo hay que abrir la boca para proferirlo.

Adorno, que sigue a Benjamin, entiende que el esnobismo es el concepto clave en la obra de Proust, si por tal entendemos "la posesión erótica de los lugares sociales típicos". Es decir que a la repartija de los roles se agrega su poder de seducción y de imperio sobre lo imaginario, donde residen los fantasmas del deseo. El puro consumidor es un puro depredador, un conquistador de botines, un puro despojador, que obtiene su triunfo verdadero el día siguiente de la batalla (generalmente ésta ocurre en forma de fiesta) cuando recorre el campo y se alza con el trofeo. En cualquier caso, se trata de distanciarse radicalmente del acto productivo, ocultarlo o desconocerlo (Victoria abandonando la estancia y entregándose a la pelea por el lugar que la enamora de los maestros que custodian el lugar porque lo conocen de antemano).

El destino del esnob es trágico como lo es la dinámica de toda esa sociedad. La burguesía esnobista codicia los prestigios de la nobleza y la nobleza carece ya de realidad nobiliaria. Una mira a la otra y la otra mira hacia un gran vacío poblado de fantasmas que, desde lejos, parecen corpóreos. La nobleza cobra un alto precio para dejar que los arribistas se asomen al borde del gran hueco.

Este juego se organiza por mecanismos de cooptación e iniciación. Los que están adentro presentan y aceptan o excluyen al que está fuera, que se somete a una serie de pruebas iniciáticas. El salón toma el rol erótico del sádico o del histérico, que puede llegar a rechazar cuando todo parece a punto de aceptarse, y el neófito goza desde la erótica del masoquista. Finalmente, sólo hay esnobismo de lo que puede ser pagado y se es esnob del dinero, aunque no de modo inmediato. Al hueco central del espectáculo hay que arrojar unos generosos puñados de oro.

Proust era un esnob que intentaba superar su situación por medio de una cierta conciencia crítica de su lugar social. El creía que miraba su propio esnobismo desde la óptica del *amateur d'art*, sin advertir que este papel también pertenece a la comedia social que todos representan, es decir que también es una máscara que nos ponemos para que los otros nos reconozcan y para ocultar nuestro desnudo enigma personal.

El arte funge, así, como un animador cultural entronizado y derogado por la moda, y el snob juega una función de animador cultural. Esta dinámica ha tenido siempre, en París, con o sin calidad de capital cultural mundial, una virtud movilizadora, apenas se comprenda la alta dosis de frivolidad que siempre implica. Como el arte es el jeroglífico de una religión extinguida, queda de él lo periférico: lo gratuito, la liturgia, el ritual. Aquí vuelven a oírse las quejas de Victoria contra Proust, que son, en rigor, los lamentos por la muerte de Dios, endechas burguesas por la nobleza difunta.

Si al hombre le resulta imposible salir de sí mismo y no puede ver de los otros sino la persona (la máscara), entonces la vida es un baile de disfraz, donde cada cual es según la ropa que se pone. Esto explica la radical diferencia que alcanza a la identidad y, a veces, hasta al nombre, de los personajes proustianos, en distintas situaciones de discurso, diversidad que afecta al narrador mismo. Desde su nacimiento ¿cuántas veces no ha muerto, cuántas palingenesias no tajean su vida en trozos sangrantes?

Desilusionado y lúcido, Swann comprende (y nosotros con él) que la literatura no revela nada, pues no hay nada que revelar. Caída la máscara, el personaje se diluye en el vacío, es el caballero inexistente de Calvino. Nuevas quejas de Victoria contra el padre decepcionante. Así piensa el esnob, que toma el parecer por el ser, en tanto sabemos, con Proust y con Heidegger, que sólo hay ser en el horizonte del tiempo y no de la eternidad. La memoria formaliza el pasado como una parodia de lo eterno, a través de la obra de arte, pero se trata de una eternidad fragmentaria y pasajera. No es el tiempo perdido lo que se recobra, sino la situación del mirón en el baile de máscaras, con su antifaz correspondiente.

El ser social tiene un centro hueco, la nobleza lo disimula con sus ritos, la burguesía codicia los ritos de la nobleza, el esnob quiere llegar a ellos a través de la riqueza de la burguesía, el artista pretende entender lo que pasa entre unos y otros y dentro de sí mismo. Pero he allí que el arte tiene, también, un discurso cuyo centro es un vacío, el hueco de lo inefable. El modelo del artista no es Bergotte, el escritor, que morirá intentando decir con palabras el amarillo de una pared de Vermeer; ni Elstir, el pintor, que puede pintar como Vermeer pero no atrapar el deseo de Swann por Odette; el deseo está en la música, la sonata de Vinteuil, pero, ay, la música es su expresión inmediata y no acepta traducciones. Proust no puede decir nada musicalmente, porque él es un escritor. Quizá, Victoria, repasando los amores de Swann y Odette, de los cuales apenas se puede silbar una melodía desde fuera, se haya preguntado si una frase de Chopin no vale todas sus páginas victoriales, una de aquellas frases que la madre, silenciosa y envolvente, arrancaba con una caricia al piano de la infancia.

EDUARDO MALLEA

Las voces de Ortega, Keyserling y Waldo Frank pasan a Victoria del maestro a la discípula. Reaparecen en Mallea, discípulo de segundo grado, eco masculino de las palabras magistrales que resuenan en el ámbito femenino de la intermediaria. Nueva generación que asegura la continuidad del discurso. Poco y nada hay de anecdótico en la relación de Victoria y Mallea en las páginas autobiográficas de la primera. Todo lo que es tradición oral queda desechado. Me ciño a los textos malleanos que cubren la primera década de *Sur: Conocimiento y expresión de la Argentina* (1934), *Historia de una pasión argentina* (1937), *La bahía de silencio* (1940) y *El sayal y la púrpura* (1941).

Aunque defiende a Frank, ataca a Keyserling y obvia a Ortega (no obstante escucharse su voz a cada párrafo), Mallea habita su misma fenomenología: la preocupación por la identidad de un país joven en términos de identidades históricas antiguas (las europeas), la proclamación de la autenticidad frente a la falsificación (el sayal frente a la púrpura) y la busca de una voz para un continente corporalmente poderoso, pero mudo e inexpresivo.

Mallea define la Argentina por su paisaje dominante, una llanura infinita y desértica, imagen de lo inorgánico, de lo que no tiene cabeza, centro, comienzo ni fin. Paisaje femenino, castrado, carente del falo organizador, pero depositario de los tesoros de la regeneración, valores maternos: lo raigal, lo puro, lo honesto, lo natural, entendido esto último como algo invariable y que contiene un código ético. Cada vez que el país se sacude, sea con el signo que fuere, (triunfo radical en 1916, golpe de Estado en 1930) esta profunda pureza nacional se muestra en la superficie.

Frente al campo, símbolo del bien, la ciudad es el repertorio de la falsedad, el dominio del advenedizo sin estirpe, del ambicioso, del corrupto. Esta dicotomía lleva a Mallea a idealizar al propietario típico del campo (el terrateniente) y a denostar al capitalista urbano, especulador del suelo o de la finanza. También hay una tendencia a identificar al campo con la población criolla original (el pueblo, que siempre, por español, es hidalgo y aristocrático) y a la ciudad con la plebe inmigratoria. En cualquier caso, el predominio final será de los valores eternos (la decencia, el sayal, el país real, la Argentina invisible, el grito que busca articularse) y lo aparente sin fundamento caerá por inercia. Hay aquí una visión fatalista, telurista, naturalista u orgánica, de cuño spengleriano, pero de sesgo optimista, basada en la necesidad de redención primaveral que tiene el mundo europeo, exquisito, exhausto, invernal y senil, y que será cumplida por América.

Las figuras que ilustran estos principios insisten en una vuelta a la tierra, a la semilla, a la raíz, a un dejar hacer a la naturaleza que todo lo organiza y lo recompone. Generosidad, alma, corazón, novedad del sentimiento, caracterizan a esta América reciente y natural, frente al predominio de la prudencia, la medida y el formalismo de los europeos.

El Mallea de estos años (la década del treinta) es un nacionalista moderado y abstracto, que ha recibido el magisterio de Lugones, pero lo ha recibido en las oficinas de *La Nación*, es decir con una cobertura liberal que apela a las proclamas del siglo XIX. Se ha tocado con el fascismo y prueba de su admiración por la Italia de Mussolini son sus conferencias en Roma y Milán (1934) con Victoria, en las cuales exalta a una juventud que busca el orden en el origen, la "comprensión jerarquizada" y "'la concepción

175

totalitaria de nuestra vida", y las posteriores páginas de *La bahía de silencio*, aunque siempre marcando su distancia ante las doctrinas políticas del fascismo.

Algunas apelaciones de este Mallea se pueden aproximar a momentos de la ideología fascista: el culto a la grandeza de la raza (el gaucho: fetichismo elemental, instinto, virilidad, coraje), las cualidades incomparables del argentino fundacional ("la razón pródiga"), el rechazo por "las razas vetustas y raciales", el imperativo de unidad en lo nacional (principio integrista), la exaltación de los extremos frente al justo medio, el proyecto de fundar "una corporación, un centro capaz, por la salud de su base, de polarizar las buenas voluntades, las inteligencias limpias y valientes de la nación".

En su *Carta al hermano menor* (1941) se puede leer:

> Busca en torno tuyo a aquellos que desdeñan el grito público y hacen de su retiro o de su callada acción la sola gloria capaz de interesarlos... Si ves a un argentino que clama por lo que clama el prusiano, desprécialo, porque traiciona. Tampoco hay que clamar por lo que clama el inglés, el ruso o el esquimal. Hay que clamar por lo que clamamos nosotros.

Aquí se puede advertir que el lector ideal de Mallea es una suerte de hermano menor que busca (se supone que en el hermano mayor) una suerte de instancia paterna, adoctrinante. Mallea funge como intermediario entre el joven y el maestro, del cual ha recibido la lección del "argentino radical": Lugones. Dejando de lado el detalle del suicidio, se ve que el escritor intenta moderar la doctrina heredada, tanto en lo que tiene de autoritaria como de mortífera. Finalmente, Lugones ha proclamado una precoz hora de la espada, una tajante xenofobia y al Ejército como depositario de los valores nacionales permanentes, conculcados por los políticos de la demagogia democrática. Ha escrito la proclama del *putsch* de 1930 y, tristemente, no ha recibido ni una modesta canonjía en subsidio. El, que creía ser el mentor de la espada redentora, ha sido reemplazado por un político tan gárrulo y gesticulante como los demás.

Mallea, sorteando lo que de ríspido tiene la figura autodestructiva y sombría de Lugones, halaga al lector, diciéndole que pertenece a una raza admirable cuya misión histórica es repristinar a un mundo agotado: eres grande, joven, buceando en tu intimidad hallarás el bien, etc. Se entiende que, en vastos sectores intelectuales de entonces, fuera tomado como un maestro de este eclecticismo tan al gusto de una sociedad donde predominan las clases medias, su moral del "no te metás" y el miedo a ser implicados en la guerra mundial. Desde luego no es la posición de *Sur*, jugada claramente por la alianza de la Argentina y los países antifascistas, a través de los Estados Unidos.

En este espacio de ambivalencia y contradicciones no pensadas, la figura de Victoria (a la que Mallea dedica su íntegra *Meditación en la costa* y algunos relatos de *La ciudad junto al río inmóvil*) cobra una dimensión mítica. La Argentina es una gigantesca mujer, cuyo ser profundo y dormido él (Mallea) está llamado a despertar para convertirla en madre de las futuras progenies nacionales, dirá en *Historia*... De nuevo, el punto de vista del pionero ante América es el del varón ante la hembra.

Más claramente se perfila la mujer mítica, representativa de las mejores esencias argentinas, en la señora de Cárdenas que aparece en *La bahía de silencio*. Más claras, también, las ambivalencias de la mentalidad malleana. De esta señora sabemos: que no habla en toda la novela, sino cuando el narrador (Martín Tregua), sufre un accidente de auto y ella le dice *God bless you*, que él la conoce a la salida de una librería también inglesa y que, cada vez que se refiere a ella, lo hace como *usted*.

Mientras la señora es de "una de las familias más altivamente criollas", Martín es hijo de un modesto ingeniero del sur, que compra un aserradero y se caracteriza por su mutismo, al igual que su madre. La mudez será un rasgo ético positivo en la narrativa de Mallea y a ella dedicará toda su novela *Chávez*. Mudez que comporta no implicarse en una realidad rechazable, pero que también significa desdén por la expresión, impotencia histórica, inactiva oposición a la realidad, que busca una trascendencia mística en la contemplación no verbal, sin hallarla.

César Acevedo es el personaje *pendant* masculino de la Cárdenas. También es un criollo de muchas generaciones, noble, fino, distinguido, calificado, habituado "a la frecuentación de las más finas castas" (se supone que el narrador también las conoce, de otro modo no arriesgaría estos juicios). Entre ambos personajes se trenza una imagen de la Argentina fundacional, henchida de calidades que se han degradado en este siglo de "anodinos, aunque serios y solemnes administradores".

La Cárdenas es a Tregua lo que la Guermantes es a Proust, pero, en tanto el narrador proustiano analiza implacablemente los velos del disimulo guermantiano, sin renunciar a ninguno de sus encantos, Mallea permanece en una muda y alejada contemplación de la dama señorial, siguiéndola en silencio por las calles del Barrio Norte y por las numerosas páginas de su novela, mientras cuida de su ascetismo interior, aunque no desdeñe visitar a las prostitutas, con la mala conciencia de renunciar a "esa calidad y esa sobriedad militar" que exige su vocación de escritor. De pronto, le lanza líneas de admiración que identifican la clase patricia con el sexo femenino (protegido por la distancia del tabú: se trata de la *madre* patria) y con la propia argentinidad:

> Venía usted de una de esas familias criollas señoriales, pródigas, dignas, de que nuestro país se empobrece cada vez más... Esos viejos troncos familiares son la custodia, la defensa final contra un profundo mestizaje. El grande es grande donde esté, así en el imperio como en el llano.

Otro tanto frente a los árboles de la plaza San Martín:

> Eran árboles argentinos y me enorgullecía reconocerlos, tan magníficos y nobles en su alta carna-

dura señorial. Yo quería que el país fuera como esos árboles.

Es interesante cotejar la visión idealizada y mistificada que Mallea tiene del patriciado, él que no pertenece a esa clase, con la que da Victoria en su autobiografía, ella que sí pertenece al cogollo y conoce las intimidades de su clase. Desde luego, no coinciden las imágenes y esto es lógico. Las contradicciones de Mallea pertenecen al mundo de la ideología pequeñoburguesa, manifiestan el vago malestar de una clase que sólo puede mirar la historia en silencio, e identificarse con prestigios muy convencionales de una clase antigua, a los cuales se aferra en un momento de cambio. Victoria, al revés, se imagina como un individuo atípico de esta clase, la mujer que aspira al poder viril de la escritura y, por ello, vinculada a sectores sociales vastos y cambiantes (las mujeres argentinas que se incorporan al mundo del trabajo). Si *La bahía de silencio* acaba con el fracaso de las empresas mundanas de Tregua y su callada introspección, sin contenido histórico ni religioso, en cambio, en la escritura de Victoria, lo histórico y sus dudosas fronteras, siempre en movimiento, son la materia con que se teje la expresión de su habitante.

BENITO MUSSOLINI

En un viaje europeo (1934) Victoria es invitada a dar conferencias en Roma y Milán por el Instituto Interuniversitario Italiano. Su texto será publicado como *Supremacía del alma y de la sangre*. De su entrevista con Mussolini quedará una imagen entusiasta en *La historia viva* (incluida en *Domingos en Hyde Park*), luego revisada en evocaciones donde el Duce aparece como un hombre atractivo y de seductora conversación, pero partidario del odio y la guerra. En este tiempo, *Sur*, expresivamente (1934/5) deja de publicarse y, a partir de 1937, tomará posiciones políticas claramente antifascistas.

Este pasaje de la evolución mental de Victoria

nunca será bastante aclarado por ella. Fue usado en su contra y, sin embarcarse en acusaciones ni defensas, puede ser explicado históricamente.

Ante todo, hay que señalar que, en esa época, todavía Mussolini funcionaba en el ámbito de la política exterior probritánica y estaba claramente distanciado de Hitler. En 1928 definió la amistad con Inglaterra como "eje de sus relaciones exteriores". Su régimen, autoritario y represivo, conservaba una apariencia parlamentaria, y sólo se transformaría en francamente corporativo en 1939. En 1934, el canciller austríaco Engelbert Dollfuss es asesinado por los nazis e Italia moviliza sus tropas en la frontera austríaca, en función de los Protocolos Romanos firmados con Austria y Hungría. Hay que tener en cuenta, en otro frente, el Pacto de no Agresión de Mussolini con la URSS (1933), que le permitía cierto margen de maniobra en las cuestiones centroeuropeas. En la conferencia de Stressa de 1935, Italia, Francia y Gran Bretaña renuevan los pactos de Locarno y condenan la política exterior nazi. El Eje Roma-Berlín no se formará hasta 1936, por el enfrentamiento africano de Italia e Inglaterra en la cuestión de Abisinia (1935) y la participación conjunta de fascistas y nazis del lado franquista, en la guerra civil española.

Sería largo de enumerar el elenco de intelectuales que simpatizaron con Mussolini o militaron abiertamente en el fascismo. Volveremos sobre esto en el capítulo sobre la fundación de *Sur*. En todos los maestros que admiraba Victoria (Valéry, Ortega, Keyserling, hasta el mismo Waldo Frank) pueden encontrarse puntos de coincidencia con las doctrinas históricas, ya que no políticas, del fascismo. Gandhi, el santo laico que entusiasmó a Victoria, era un admirador del Duce, y poco hay que agregar a lo dicho sobre Drieu y Lawrence. Por su parte, el gran modelo de *Sur*, la *Nouvelle Revue Française* y las décadas de Pontigny, reunían a una clientela muy variada, que iba desde los fascistas Drieu y Céline (que acusaba al film *La grande illusion* de Renoir de projudío, en tanto era premiado en Venecia por gestión de Mussolini) hasta los comunistas Gide y Malraux.

El propio Mussolini (*Il Popolo d'Italia*, 23 marzo

1921) hacía una formulación dialéctica y pragmática (en cualquier caso, bastante abierta) del fascismo, un año antes del golpe de Estado:

Nos permitimos el lujo de ser aristocráticos y democráticos; conservadores y progresistas; reaccionarios y revolucionarios; legalistas y antilegalistas, según las circunstancias de tiempo, de lugar, de ambiente, en una palabra, "de historia", en las cuales nos vemos constreñidos a vivir y actuar. El Fascismo no es una iglesia; es más bien una palestra. No es un partido; es un movimiento; no es un programa para realizar en el año 2000 por la sencilla razón de que el Fascismo construye día a día el edificio de su voluntad y su pasión.

De otro lado, un político que escribía con habilidad y gracia y que tenía el pudor de confesar sus fuentes filosóficas (Bergson, los neoespiritualistas italianos, Blanqui, sin contar un buen sabido Nietzsche), que pedía disculpas públicas a Croce por un exabrupto parlamentario y que decía de los comunistas que eran sus hijos extraviados, podía atraer la atención de los intelectuales, habituados a cierta garrulería de barricada, momentánea y de poco fundamento. Pragmático, si se quiere, enemigo de dogmas y programas rígidos, Mussolini empezaba privilegiando el futuro como un misterio, sin precisar siquiera ninguna de las profecías heredadas y confiando en la historia y su racionalidad, casi con palabras hegelianas (sus partidarios Spirito y Gentile y su fugaz apoyo, Croce, conocían bien a Hegel).

En el contexto internacional, Mussolini apareció como avalado por todas las potencias, que saludaron en él a una suerte de restaurador del orden en una época de caos. Sus evidentes simpatías por Lenin, a quien consideraba el único revolucionario del siglo XX junto consigo mismo, hicieron que tuviera buenas relaciones con la URSS, no obstante su duro anticomunismo interior. En Europa contó con el apoyo inglés y la indiferencia francesa, a pesar de las pullas que dirigía a su decadente democracia. Los Estados Unidos del presidente Harding lo miraron con simpatía, y su embajador Childe se dejó llamar fascista por el Duce en 1923. Era difícil oponerse a tanto suceso.

La historia intelectual y política de Mussolini, en otro sentido, era atractiva y colorida. En 1914 se lo expulsa del Partido Socialista por oponerse al neutralismo y propiciar la participación en la guerra, según las viejas tesis de Crispi: hay que estar con los que ganen y pedir un poco de territorio colonial, para expandir a una población sin recursos suficientes. Lo curioso del caso es que Mussolini defendió el intervencionismo con argumentos "socialistas": ésta es una guerra entre naciones proletarias contra naciones reaccionarias, feudales y católicas. Hablaba como un viejo mazziniano enemigo del clero, que veía en la Iglesia y en todos los internacionalismos un obstáculo a la unidad italiana (aunque, oportunamente, luego, pondría al Vaticano como ejemplo de imperio mundial).

El pacifismo es un ideal burgués, de defensa individual, en tanto la guerra es un ideal socialista, la lucha por la reforma del mundo. La guerra da armas a los obreros y les permite cumplir su misión histórica revolucionaria. Sólo que ésta pasa por los principios nacionales y no por un vago y arcaico universalismo. El propio Marx es denunciado como pangermanista. Italia (principio futurista, republicano, popular, progresista) contra Austria (principio pasatista, monárquico, oligárquico, reaccionario). Con este discurso funda en 1915 los Fascios de Intervención, que se convertirán, en 1919, en los Fascios de Combate, a partir de un acto inaugural, no por casualidad, realizado en la Plaza del Santo Sepulcro (Milán): Tánatos señalará para siempre al fascismo y lo marcará con una fantasía wagneriana de autoaniquilación y de suicidio heroico. Ya en ese momento, el proletariado es reemplazado por el pueblo y la nación proletaria por el imperio, pues el imperialismo es el "fundamento de la vida para todo pueblo que tiende a expandirse económica y espiritualmente". A la vez, incita a los obreros a liberarse de la demagogia roja, ya que la revolución rusa (cita la autoridad de Kautsky y de Bernstein) nada tiene de socialista. Los obreros deben librarse también de la dictadura que les ha impuesto la burocracia del Partido Socialista. Así, disparando en todos los frentes, con un vocabulario revolucionario y un sólido fondo conservador, ecléctico y provocativo a la vez, Mussolini parte a seducir al mundo o a someter con una violencia "inteligente" a quienes no acepten sus encantos. Cabe preguntarse qué rasgos de familia podían reconocer en el fascismo italiano los mandarines argentinos de los años treinta. Las respuestas son múltiples.

1º) Mussolini era europeísta en una época que desplazaba geopolíticamente los centros de poder desde el Atlántico (donde estaban desde 1500, antes estuvieron en el Mediterráneo) hacia el Pacífico (Estados Unidos, Japón). Prometía sacar a Europa de su decadencia, fruto de su anticuamiento mental por su fijación en los dogmas del siglo anterior. Europa era "el pequeño y maravilloso continente que fue, hasta ayer, guía y luz de todas las gentes".

2º) El fascismo se define (en 1920) como un movimiento mandarinal, de una minoría que ve claro en medio de unas masas confusas y ciegas. En un mundo disputado por dos Vaticanos (el negro de Roma y el rojo de Moscú), los fascistas se desmarcan como herejes de ambas religiones. Proponen, como en tiempos del emperador Juliano el Apóstata, una nietzscheana subversión de todos los valores. Navegar es más importante que vivir, "también contra la corriente y la grey, también si el naufragio alcanza a los portadores solitarios y orgullosos de nuestra herejía".

Más adelante, en 1924, definirá al comunismo y al fascismo como las únicas revoluciones del siglo, ya que ambas devoran la herencia caduca de la revolución francesa. La superioridad del fascismo proviene de que no invoca ideas anteriores ni disimula su carácter imperial latino, como el comunismo disimula su carácter pequeñoburgués y paneslavista. Ni comunista ni socialista, la URSS es una revolución democrática agraria en un país atrasado.

Mussolini, como se lee en numerosas páginas de *Sur*, considera que el marxismo ha sido superado por la historia, que es una teoría anticuada de la sociedad. En su abono, hace consideraciones muy precisas: las clases no son sólo dos (burguesía y proletariado), la historia no puede explicarse con causas solamente económicas, el internacionalismo es un lujo de las clases altas, pues los pobres están "desesperadamente ligados a su tierra natal", el capitalismo es opresor, pero también es selectivo, a través del desarrollo de la capacidad individual y la formación de jerarquías. Mussolini sigue a su maestro más ilustre (sic) el sociólogo Wilfredo Pareto, que describe la sociedad moderna como un trompo, cuya mayoría es una masa media y apolítica, en tanto los dos extremos son agudos y pequeños. Esta es la base social del fascismo, la consensual y silenciosa aprobación del hombre cualquiera, que sólo participa en las grandes liturgias patrióticas organizadas por el Estado totalitario. Tal conclusión le permite también discurrir contra la idea marxista de una clase obrera necesariamente revolucionaria:

> ...las masas obreras son naturalmente, me atrevería a decir que santamente, pacíficas, porque representan siempre las reservas estáticas de la sociedad humana, en tanto el riesgo, el peligro, el gusto de la aventura siempre han sido la tarea y el privilegio de las pequeñas aristocracias.

Realista y pesimista, Mussolini considera que la felicidad es ajena a la vida y que los mitos de la república universal proletaria han sido destruidos por la guerra, que demuestra la unidad de las clases en la Nación y su organización en estructuras militares. El socialismo ha sido derogado por la propia revolución rusa, que condena a los obreros a la tiranía y al hambre. Rusia no es una dictadura del proletariado, le dice en la Cámara a Antonio Labriola ("sólo el proletariado puede darse el lujo de una dictadura"), sino de la burguesía profesoral.

3º) El fascismo se plantea, al comienzo, como una minoría juvenil (son apenas cien los fascios de combate) sin gran historia, o con una historia inmemorial, aligerada por los proyectos de futuro. Esta minoría está compuesta por las "fuerzas jóvenes de la guerra y la Victoria" y su función es restaurar la potencia perdida por el Estado actual, que ha quedado sin atributos viriles (*sic*). La conquista del Estado es una metáfora sexual: se trata de que vuelva a contar con un falo potente, que deje atrás el invierno de la esterilidad y entre en una nueva primavera juvenil, fecunda, deportiva, lúdica, alegre, festival, etc. (los caracteres que Ortega veía florecer en el Estado de la posguerra). En 1925 Mussolini define al fascismo como "una soberbia pasión de la mejor juventud italiana". La Nación, en estado permanente de guerra, requiere organizaciones de soldados y, por definición, el soldado es varón y es joven.

Como tantos espejos en que se mira Victoria, Mussolini también es sexista y, si bien acuerda a las mujeres italianas, "sin que se lo pidan" (señorial, el Duce siempre da sin que se le exija) el voto en las elecciones administrativas, cuando se trata de definir a la mujer en la revolución fascista, lo hace apenas como "la madre o la viùda" del soldado. O sea: la mujer se define a partir del varón y éste, a partir de la guerra. Es la "vestal del fuego patriótico".

4º) El fascismo es definido como rural, ya que la única revolución posible en la sociedad italiana es la agraria, regionalizada y adaptada a las condiciones de cada lugar. Italia es un país de dominante campesina, y todo movimiento nacional debe tenerlo en cuenta. Después de sus gesticulaciones heroicas, el Duce hace el elogio de la "sólida, cuadrada y buena provincia" y contrapone las virtudes campesinas a la corrupción de las ciudades, basurales del pasado donde prosperan las ideologías disolventes. Vale comparar estas observaciones con las exaltaciones pampeanas y telúricas que hemos leído en páginas anteriores.

5º) El fascismo se propone fundar una nueva ética nobiliaria, basada en el modelo de las aristocracias militares y en el principio de que *noblesse oblige*. Frente a la moral plebeya y jacobina de los derechos del hombre, los nobles proponen un código del deber, la responsabilidad, la entrega, el don (que es prueba de potencia, es emblema de dispersión seminal y rol varonil). El fascista se preocupa por la salud de la raza, reclamándose de esta valoración de lo que se hereda, se transmite por la sangre, se fija en el tesoro genético, lo cual, si bien se mira, también pertenece al mundo de las estirpes, o sea de la nobleza. Por otra parte, el sentimiento central del fascista es el amor a la patria, montado sobre la relación madre-hijo, es decir, una relación de deber, cuya figura paterna, destruida por la crisis del Estado liberal, es repuesta en su sitio por el mismo Duce. Los italianos son, de este modo, hijos de un padre de carne y hueso que ha celebrado sus nupcias místicas con la madre común.

Al fundar su revista (1922) Mussolini elige el nombre de *Gerarchia* y la connota con valores nobles: "responsabilidad, deberes y disciplina". La jerarquía es la salvación de las tradiciones que la historia respeta, desdeñando las que mueren en el tiempo. Esto recuerda el razonamiento orteguiano de la "altura de los tiempos" como los valores que resultan hacederos en una determinada circunstancia de la historia.

Esta aristocracia no es, para Mussolini, la aristocracia de la sangre, titulada y parasitaria. El presume de ser nieto de campesinos e hijo de obreros, ya que los proletarios son "el alma del alma de la Nación". Estamos, pues, en una aristocracia del trabajo, del alma y de la inteligencia, muy similar al autorretrato que suelen hacer los mandarines de sí mismos. El objeto de esta minoría es conciliar las clases en el Estado. Si es necesario, apelando a la violencia, pero siempre que ella sea "quirúrgica, inteligente y caballeresca". Como juvenilista que es, el fascismo exalta otra de las virtudes tópicas de la juventud: la belleza. Desde luego, la masculina, y ya Luchino Visconti nos ha explicado con abundancia de ejemplos cómo en la misoginia del fascismo late una compulsiva y sádica homosexualidad. No el amor fraternal entre los varones, sino la dominación del más fuerte sobre el menos fuerte y el sometimiento fascinado y agradecido del soldado a su oficial.

6º) El fascismo intenta superar una civilización de la cantidad y restaurar una nueva cultura de la calidad, conforme a la nomenclatura de Spengler, que en esos mismos años empieza su carrera entre los intelectuales de Occidente. En un texto fundamental (*¿Da che parte va il mondo?*, en *Gerarchia*, 25 febrero 1923) Mussolini decreta terminada la era de la cantidad por medio de la guerra mundial, tumba de diez millones de jóvenes, reclutados según las normas del censo democrático. Ha terminado el siglo de la cantidad, la mayoría, la materia y el número (1789-1919) y se inicia una era de restauraciones (recordemos las teorías de Ortega sobre el ocaso de las revoluciones y el alma desencantada) cuyo lema es: "pocos y selectos". Vuelven Dios, el espíritu, los hombres simbólicos a los cuales se aferran los demás, hartos de errancia y de inseguridad democrático-revolucionaria. El siglo xx es un siglo de derecha, encabezado por Italia, Alemania y Rusia, que señalan el fin del anonimato, del gobierno de nadie, de la masa gris y homogénea. Surgen nuevas aristocracias, visto que las masas no pueden ser protagonistas, sino instrumentos de la historia. El capitalismo ha dejado de ser democrático, como lo fue en el xix, pues *ya no necesita de la democracia*. El Estado democrático ha muerto y la revolución fascista lo ha sustituido por otro, que tiene la solidez de la juventud, basada en la jerarquía.

Como queda dicho, Mussolini es un pesimista y un maquiavélico (su tesis doctoral versa sobre Maquiavelo, precisamente). Frente al excesivo optimismo de Rousseau y los enciclopedistas, el pesimismo maquiavélico es saludable: el individuo es siempre antisocial y debe tener sobre sí a un Estado temible pero no amado. El pueblo nunca es soberano: delega su soberanía pero no se gobierna a sí mismo. El gobernante debe recordar el modelo del *profeta armado*, capaz de hacer creer a los demás algo por la fuerza (Mussolini profetizó, un poco atolondradamente, un ciclo de 60 años para el fascismo, que terminaría en 1982).

Hay la libertad, pero ella es un instrumento y no un fin, como concibe el liberalismo. El individuo no es libre de actuar contra el Estado y la fuerza debe impedírselo. Nada ocurre fuera, contra ni al margen del Estado. La nación adquiere un aspecto de una "mónada" (*sic*) donde todo está integrado y homogeneizado en última instancia, y fuera de la cual no existe nada.

7º) Un proyecto político de minorías selectas es, desde luego, también, y sobre todo, un proyecto de mayorías silenciosas, alegres de obedecer, que dialogan con el caudillo como los párvulos con el maestro, a partir de una cartilla que señala, anticipadamente, las respuestas. Una escena de ópera italiana: tenor solista y coro acompañante. En 1925 precisa el Duce:

> Soy yo quien ha soñado la generación italiana de los silenciosos operantes... anulando todos los residuos de seiscientismo... los italianos se reunían para discutir cuáles de los principios eternos se habían marchitado y cuáles estaban por marchitarse...

Este mismo año, en su polémica con Croce, acusa a los filósofos de resolver cuestiones sólo sobre los papeles y declara que, al catedrático impotente, prefiere el escuadrista que actúa. Los políticos, desde luego, sus principales declarados enemigos, quedan del lado de la fea palabra inútil y no junto a él, en el bello mundo de los gestos combatientes.

Porque el fascismo es, por fin, estetizante y neoclásico. Concibe la política como un arte, no como una ciencia. Así que el artista crea por inspiración, el político crea por decisión. Ambos están siempre insatisfechos, ya que la forma material nunca se identifica con la forma ideal, que es eterna, ajena al tiempo y al espacio (principio clásico). El fascismo es un arte que resulta de "una severa disciplina interior, es nítido y sólido". El italiano nuevo se atreve con intrepidez por la senda que le señala su destino. El trabajo, por lo mismo, será sometido a una organización racional y científica, para evitar el despilfarro y el error.

Latino, claro, renovador, noble, juvenil, primaveral, regenerador, limpio como el saludo de la mano en alto (a la altura de los tiempos)... ¿por qué no mirarse en el espejo ducal?

VIRGINIA WOOLF

Durante casi cuarenta años, Victoria producirá textos sobre Virginia Woolf. En ellos, la escena original se repite y aun responde, en eco, a una escena básica de la viajera argentina que se encuentra con el gran personaje de la cultura europea: se entabla una relación asimétrica, en que Europa asume el rol elocuente del que dice y América, el rol mudo del que escucha. Cuerpo sin expresión, sin nada que exprimir, sin algo que sacar de adentro (valga el pleonasmo), América es la naturaleza ante la cultura, la materia extensa ante la razón.

Ya en 1934 (*Carta a VW*) compara esta simetría con un vínculo de riqueza/pobreza. El americano, rico o pobre, es hambriento, se define por sus carencias. Virginia es una suerte de bocado para el caníbal de ultramar. Es la madre que alimenta como Victoria alimenta al hijo de su sirviente: comprándole ropa y abrochándosela sobre un cuerpo que late como un pájaro prisionero. América es, de nuevo, mujer, y la seguridad elocutiva de Virginia resulta viril, a pesar del sexo de la escritora (sexo biológico que luego matizaremos). Como Victoria en Europa, la mujer en literatura es una advenediza, una recién llegada a la orgía inteligible de los varones.

En 1971 (*La trastienda de la historia*) la evocación es mucho más gráfica y directa:

> Y yo, como ante un chico que sigue con los ojos un sonajero, o un trompo que gira, agitaba, para interesarla, un mundo de insectos, de pumas, de papagayos, de floripondios, de *señoritas* (mis bisabuelas) envueltas en mantillas de finísimos encajes (como las vio Darwin), de ñandúes veloces, de indios mascando coca, de gauchos tomando mate, todos deslumbrantes de color local; en fin, la rodeé con el torbellino humano, animal y vegetal de Hispanoamérica. Así pagaba el lenguado comido con los Woolf y entraba en su intimidad, coronada por la flora y la fauna de todo un continente.

Fuerza de la naturaleza, animal fabuloso, fantasma sonriente y poco verosímil de un país remoto, se ve Victoria ante Virginia, para la cual la Argentina es un archipiélago poblado de vacas y sobrevolado por nubes de mariposas brasileñas. Al sur de los Pirineos empieza un oscuro, caliente y católico mundo meridional en que Sevilla, Río de Janeiro, Monterrey y Montevideo se amontonan en indiferente confusión. Victoria se mira en este espejo donde la mirada de una muchacha inglesa de su misma edad (Virginia le llevaba ocho años) se pierde en la lejanía de otro espejo fronterizo, en el que hay dibujada la figura de un andrógino. Victoria no ve el modelo especular, apenas distingue las diferencias de destino entre la burguesa de Londres y la de Buenos Aires.

Ambas pertenecen a una clase privilegiada que, en sus números más cultos, los intelectuales, se siente misionada para conservar y abrillantar unos valores culturales reputados como del universo. Los antepasados de Virginia son intelectuales (no ganaderos, funcionarios ni militares, como los de Victoria) y el padre permite que las hijas lean los libros de su biblioteca, aunque les prohíba fumar. Leslie Stephen no es el ingeniero Ocampo, que se interpone ante el proyector de cine familiar cuando viene una escena de besos, no deja a las hijas viajar en auto propio y les instala una mucama que vigila su virtud. Virgen antes del matrimonio, frígida durante él, la mujer victoriana debe tratar a su novio de "usted" y no permitirle siquiera un beso que exceda lo fraternal.

Los valores sociales en que se educaron ambas mujeres no son muy distintos. La dinámica de una sociedad desarrollada como la inglesa de la era victoriana es, sí, en cambio, muy diversa de la rigidez y lo primario de su equivalente argentino. No hay aquí misterios telúricos ni oscuridades de roles sexuales imbricados en un destino histórico inescrutable. Hay, simplemente, y nada menos, un escalón muy visible de desarrollo social.

Cuando nace Virginia, en 1882, su padre empieza a escribir un diccionario biográfico inglés, por el que se lo sigue recordando, así como por sus juicios de crítico e historiador (no por sus prescindibles páginas de filosofía). Hombre de una juventud creyente, su desilusión religiosa lo lleva a un escepticismo liberal, bastante lejano de la rigidez católica de la alta burguesía rioplatense, especialmente dura en cuanto a la crianza de sus mujeres.

Por su primer matrimonio, Leslie Stephen era yerno de Thackeray, y los hermanastros de Virginia le aproximan, por esta vía, las dos fascinaciones rectoras de su existencia: las letras y la locura. Cultiva ambas con la misma ilusión productiva, como si se tratara de artes gemelas. Enfrente, la tradición materna es aristocrática y de inflexibles prejuicios de clase. Pero el matrimonio Stephen está dominado por la figura paterna, figura de anciano que necesita cuidados. Ya la hemos visto como repetida en el origen de varias escritoras del xix. El padre, debilitado por el tiempo, tiene a su servicio a su esposa, que morirá antes que él, dejando a las hijas el cuidado de sus últimos años y enfermedades. Vanessa, la hija mayor, absorbe las fantasías de la primogenitura. A Virginia le quedará el resto. No se llamará Adeline Stephen, o sea "la pequeña noble coronada", sino Virginia Woolf, "la loba virginal". En el medio, dos hermanos varones que poco hacen por enderezar el mástil paterno del grupo. Thoby morirá de tifus en 1906, agregando a la memoria de Virginia otra imagen de varón enfermo.

Las escenas infantiles repiten asuntos conocidos: el teatro casero, la religión privada de los chicos en el jardín, inhumando ratones y pájaros, los abusos incestuosos del hermanastro George Duckworth que, según ciertos biógrafos, marcarán para siempre la fobia sexual de Virginia por los varones y su refugio en la frigidez y en un lesbianismo más bien incorpóreo. Ella es ruda desde pequeña, compitiendo con los varoncitos en el juego de los bolos.

Las niñas no van a la escuela, como las Ocampo. Las educan sus padres y unas institutrices. Si bien, durante la mañana, leen a los clásicos y hacen dibujo y escultura, por la tarde vuelven a sus tareas de mujeres, animales domésticos que no deben disputar a los hombres sus puestos de protagonistas sociales.

Con Vanessa los roles están divididos desde siempre. Ella sabe que será pintora y Virginia tendrá la tarea viril de escribir. Desde luego, se apoya en una tradición de escritoras que no tiene Victoria en Buenos Aires: si bien las mujeres aparecen tardíamente en la literatura inglesa, en el XVIII, enseguida toman puestos protagónicos, aunque limitados a la narrativa. Se conoce la historia de los varones ingleses, no la de sus mujeres. De hecho, las muchachas Stephen, mal vistas por algunos, por no haber sido bautizadas, viajan solas por Europa antes de casarse. Vanessa, concentrando toda la libido femenina del grupo, mujer gozosa, amante plural, bella, sana, libre dentro de su papel. Virginia, en cambio, hermosa pero poco estimulante, desmañada en sociedad, descuidada en su aspecto, cultivará un retraimiento propicio a la abstracción de la escritura.

Victoria evita toda mención a un aspecto definitorio de la personalidad virginiana: su sexualidad. Estos amores, generalmente asexuados, pero nítidos, por las mujeres, vertebran su obra porque gobiernan su imaginario. Imposible poder inventar a la señora Dalloway sin amar a Madge Addington Symonds, imposible la ocurrencia genial de Orlando sin la proximidad de Vita Sackville West y Violet Dickinson. Y el noviazgo con Lytton Strachey, homosexual que la pide en matrimonio en 1909 y del cual Virginia se prenda porque es una suerte de Orlando premonitorio, un varón con alma de mujer. Y los triángulos apetitosos de Bloomsbury: Lytton enamorado de Ralph Patridge, el marido de Dora Carrington, Virginia flirteando con su cuñado Clive Bell, acaso para compartir la radiosa femineidad de Vanessa, inalcanzable para ella de otro modo. Y lady Ottoline Morrell, que lleva la frivolidad elegante de la aristocracia a aquel invernáculo donde flota una vaga "sodomía", por usar un arcaísmo de la época. Tal vez se amaban, ilesas, con Virginia, y la Morrell llevaba y traía de Bloomsbury a David Herbert Lawrence, hijo de obrero y denso predicador del coño, como lo llamaría André Malraux.

Con la sexualidad de Virginia va ligado su sentimiento de muerte, de estar ya muerta y frecuentar el suicidio. En 1904, en 1913 (al año siguiente de su matrimonio con Leonard Woolf) y en 1941 hay episodios suicidas. El último es definitivo, pero inmediatamente antes, hay un proyecto de muerte compartida con Woolf, dosis de morfina de por medio, frente al espectáculo de derrumbe que asume su civilización. Amor estático por Katherine Mansfield, amor rechazado con horror de Ethel Smyth, amor tempestuoso con Vita, que la corteja hasta el asedio como un hombre, ella, la noble y agitanada escritora "de pluma de latón".

Por puritano y fóbico que sea el trasfondo de esta sociedad, su riqueza de relaciones permite una libertad de juego que está muy lejos de la sordidez descrita por Victoria en su autobiografía cuando evoca la vida sexual de las argentinas en su generación. Bloomsbury, aunque mal visto por la sociedad posvictoriana, se permite una fama de promiscuidad sexual que la leyenda afirma en desmedro de los documentos. Era un grupo en que los deseos circulaban como en un ambiente cerrado y, con frecuencia, los vínculos se deslizaban de un sujeto a otro. Vanessa amó a John Maynard Keynes y a Roger Fry, Virginia llegó a bañarse desnuda con Rupert Brooke, a la luz de la luna. Los episodios de actos sexuales en grupo y con espectadores parecen pertenecer al mundo del chisme, pero el resto basta.

Vita, el andrógino que excita en Virginia la figura de Orlando, un hombre que se trasmuta en mujer a través de los siglos, cumpliendo la fantasía de Tiresias y encarnando una suerte de fuerza mítica de la historia inglesa por la parodización de sus literaturas sucesivas, Vita era un ser dividido por la esquizoidia puritana. En su mitad "superior" habitaba su masculinidad, vinculada a la imagen de varón que solía confundir la mirada de los filisteos cuando ella misma se disfrazaba de hombre. Fuera de sí, lo varonil era su marido Harold Nicholson, su mitad "buena" y "razonable", su vínculo con el mundo de la ley, aunque él también hubiese tenido leves experiencias homosexuales. La mitad inferior estaba dedicada a un lesbianismo tormentoso, donde se encarnaba todo lo diabólico de su condición. El resultado fue un matrimonio de medio siglo, vivido en la intimidad de diarios, autobiografías y cartas que hoy permiten ver en qué medida los sujetos escogidos de una clase muy distanciada de lo natural, por esto mismo, podían dar el ejemplo de una institución tan artificiosa como el matrimonio mismo.

La sexualidad de Bloomsbury es el baile de máscaras de la identidad sexual convertido en sistema. Si se quiere, en ética y en teoría. Nadie está en su lugar, al revés de la moral establecida, cuyos roles son fijos e inamovibles. Aquí se trata, por el contrario, de amar en espejo, de amarse en trenzas amorosas que dan la vuelta a todo el grupo y que enlazan a unos sujetos con los fantasmas ajenos. El afecto puede ser tanto el amor como el odio, su hermano gemelo y nocturno. La mujer fóbica a lo masculino puede transformarse en macho para arrebatar su hembra al enemigo, poniendo de manifiesto que aquello estimado por encima de todo es lo que se combate. Vita amaba a Harold como Virginia a Lytton, porque eran mujeres disfrazadas con el cuerpo de un hombre, aunque la máscara de primera instancia mostrara que se trataba de hombres con inclinaciones femeninas que vivían este costado de su identidad fantástica a través de unas mujeres que rendían fobia, armoniosamente, a su propia feminidad, eso sí, reivindicando apasionadamente su feminismo.

La diferencia entre sociedades se advierte, también, en la distinta actitud social de Virginia y Victoria. La inglesa siempre intentó relaciones personales con hombres y mujeres de su mismo nivel intelectual y cultural, sin padecer los desajustes internos que Victoria tan bien supo describir en ella misma. Virginia fue, además, una partícipe en las luchas políticas de su tiempo, no a título de individuo excepcional y único, sino de asociada a causas como el sufragismo de la mujer (en 1910 se inscribe en el Movimiento Sufragista), la Women's Corporation Guild que dirige Margaret Lewellyn Davies (1912) y el Movimiento Fabiano, para el cual da conferencias ante auditorios obreros.

Como luego haría Victoria, dirigió una editorial, la Hogarth Press, en la que publicaron algunos de los principales escritores ingleses de la época, y de la cual se apartó T. S. Eliot en 1925 para dirigir *The Criterion.*

Y también está Nelly, la mucama con la que Virginia sostiene una relación de guerra y de dependencia, similar a la de Victoria con Fani.

Y está el grupo de Bloomsbury, tan modélico y distinto del grupo *Sur.* Sus integrantes se conocían desde 1899, a partir de la universidad de Cambridge. Se van estructurando a partir de 1904 en formaciones como los Apóstoles y la Sociedad Medianoche, pero la definitiva parece ser el Memoir Club de 1920. Sus integrantes tenían lazos de parentesco que se fueron afirmando con matrimonios y aledaños, partían de una misma desilusión religiosa, cultivaban una moral libre y rigurosa, se sentían ligados a la experiencia india de los conquistadores ingleses, participaban de la herencia intelectual de Cambridge y pertenecían a un imperio que no sólo era el más importante de la época, sino que semejaba un castillo fuerte, indemne a todas las tempestades sociales de su tiempo. Bastante más, por donde se mire, de lo que podía aspirar a tener un escritor argentino de 1930.

Afuera, en el mundo, estallaban las tormentas. Adentro, en Inglaterra, había una sólida civilización burguesa cuyos valores podían cuestionarse con la misma parsimonia con que se cultivaban. Se confiaba en el futuro y se miraba el bien y el mal como una pareja de relatividades, estados mentales sin realidad objetiva, cambiantes y volubles, conforme las circunstancias, compatibles, en última instancia, según explicaba la moral de George Moore.

En Bloomsbury se practicaba la libertad sexual, tal vez cierta inteligente promiscuidad, existía igualdad entre varones y mujeres y esto hacía de su feminismo algo libertario y no puritano, a la manera del feminismo combativo del siglo anterior.

Con la guerra mundial, la solidez del mundo imperial empezó a resquebrajarse y hubo oportunidad de que la sociedad inglesa se pusiera atenta a lo que podían decirle unos intelectuales como aquéllos. El desencanto y la desconfianza invitaban al relativismo y al punto de vista. Un bloomsburyano, el economista Keynes, auguraba una salida catastrófica a la paz de Versalles, que estrangulaba a Alemania. Clive Bell advertía a su refinada civilización que nunca había cumplido con la fantasía humanista de difundir la cultura a todos, limitándose a concentrarla en una elite que excluía a los esclavos de la noria. Erasmo de Rotterdam, el pensador distante y no incluido, era su modelo, pero resultaba un ejemplo necesariamente solitario.

Bloomsbury intentó evitar la catástrofe quitando de su espectro intelectual a los extremos. Allí no cabían comunistas revolucionarios ni fascistas restauradores. Como en el mundo anglosajón. Evitar las virtudes heroicas era la mejor manera de impedir los vicios heroicos. Pero el mundo iba por otros caminos y el triunfo del fascismo hizo incompatibles las condiciones de mandarín y de fascista. Los mandarines abandonaron la torre de marfil, que se caía de inestable, antes de que sus astillas se les clavaran en la carne, y se pasaron a la necesaria defensa de una Inglaterra enrolada en el antifascismo. Pero esto no lo pudieron elegir y quedaba fuera de su relativismo. Lo mismo que le pasaría a *Sur*, matices más o menos. La historia los absolutizó.

Virginia describió muy gráficamente la escena con su figura de la torre inclinada. La torre paterna, el dinero heredado, daban al intelectual burgués una seguridad que, a menudo, no coincidía con la realidad del conjunto histórico. Los escritores del XIX, hablando en nombre de su clase, hacían como si hablaran por la humanidad, según acontece siempre con las clases dominantes. Paradójicamente, al ignorar que hablaban sólo por una clase, carecían de conciencia clasista. Las guerras napoleónicas, por ejemplo, no alteraron su óptica. Desde la misma torre, fascismo, comunismo, guerra civil española, eran fenómenos que se consideraban como un espectáculo. Pero los cimientos empiezan a ceder y, antes del derrumbe, los intelectuales deben abandonar la torre y bajar a la tierra, para compartir los afanes de los hombres.

Virginia no defiende, por cierto, una literatura programática o "comprometida", en el sentido de que deba ponerse al servicio de ciertos valores apriorísticos. "Un escritor es una persona que se sienta ante una mesa y mira con cuanta intensidad puede cierto objeto". La literatura produce sus contenidos, no los transporta desde un espacio ideal anterior al texto y los "comunica" a los lectores. Pero ello no impide que el escritor, como sujeto perteneciente a una sociedad, no deba preocuparse por los problemas comunes, reclamando un fuero especial.

La condición de la mujer es uno de estos asuntos concretos. Virginia, aunque reclama igualdad entre los sexos, no lo hace desde una posición de agresión a un supuesto varón dominante, sino intentando que la mujer conquiste un lugar activo en la sociedad, similar al que ha tenido desde siempre el varón. Pero ello a partir de la condición fraternal, ambos con su "cuarto propio". No postula, como cierto feminismo de estas últimas décadas, la necesidad de una escritura femenina distinta de la masculina, sino que propone una escritura de modelo andrógino, en que se contenga toda la variedad del mundo, contradictoria y complementaria.

La mujer puede expresar la injusticia de la sociedad, pero no más ni fuera de como la expresan los escritores negros o proletarios. Se trata de ocupar los espacios de los que están excluidos, no de habilitar espacios distintos. Acceder a una escritura que ha sido considerada masculina porque los hombres la han monopolizado, pero no porque sea ajena a una supuesta "naturaleza" de la mujer. Se trata de que las mujeres empiecen a actuar por sí mismas y no se limiten a influir sobre quienes actúan. Que se conviertan en sujetos protagónicos de la vida social, y no en objetos o en sujetos secundarios. La razón, el interés por lo abstracto, la preocupación por lo general, no son exclusividad "natural" del sexo masculino. Lo subversivo de la irrupción mujeril en las letras consiste en que inviertan las valoraciones convencionales, como Bloomsbury, trivializando los "grandes" asuntos y dando importancia a las cuestiones "banales". El ideal de Virginia era, por fin, una sociedad con sexos pero sin sexismo.

EL ESPEJO ROTO

En 1962, una publicación colectiva recogió una larguísima serie de artículos en homenaje a Victoria, que venía de cumplir 70 años. De algún modo, la heterogeneidad incompatible de esos discursos mostraba cómo la historia había alejado a los componentes del grupo *Sur*, cuyo secretario "histórico", José Bianco, se acababa de apartar de su puesto por razones políticas. Pocos años después, la revista dejaría de funcionar como tal, acaso porque resultaba imposible continuar reuniendo lo que la historia había disparado en tan lejanas direcciones.

Recojo cuatro ejemplos extremos, obviando el espacio intermedio, para facilitar la descripción.

Carmen Gándara escribía: (los argentinos) "...de Europa lo hemos recibido todo y Europa, de hecho, necesariamente, en términos culturales, es nuestra salida, nuestra voz: la única voz que puede decir el silencio que llevamos dentro."

Alicia Jurado puntualizaba: "Los hombres de tu sangre ayudaron a construir la patria: te odiaron los que adquirieron esta tierra sin pagarla con la vida de sus antepasados".

A su vez, Ezequiel Martínez Estrada, desde La Habana, recordaba, precisamente el Primero de Mayo, que en la Argentina acababa de ser derrocado un gobierno legal (el presidido por Arturo Frondizi) y que gran parte de lo ocurrido en el país era responsabilidad de unos intelectuales que habían vivido de espaldas al pueblo. En el tribunal de la historia, cuando se juzgue a los *clercs* por su connivencia con la barbarie, Victoria será jueza y no acusada.

Si Octavio Paz seguía confiando en los poderes de la revista ("SUR es la libertad de la literatura frente a los poderes terrestres. Algo menos que una religión y algo más que una secta"), María Rosa Oliver hacía una historia del espejo roto: "Muchos de los entonces unidos en una idea las tenemos hoy divergentes y hasta opuestas: gran parte de lo que hoy creo mi deber decir no puedo decirlo en SUR y la línea política adoptada por SUR no está de acuerdo con mi sentir. Que así sea agrega nostalgia a mi evocación, pero no amargura."

Corresponde, pues, ahora, contar la historia de este gran espejo victorial y astillado que es *Sur*.

"SUR": LA TORRE INCLINADA
PRIMERA ÉPOCA: 1931-1948

Sur aparece en el verano de 1931 como revista trimestral, bajo la dirección de Victoria Ocampo y con dos consejos asesores: el extranjero (compuesto por Ernest Ansermet, Pierre Drieu la Rochelle, Leo Ferrero, Waldo Frank, Pedro Henríquez Ureña, Alfonso Reyes, Jules Supervielle y José Ortega y Gasset) y el de redacción (formado por Jorge Luis Borges, Eduardo Bullrich, Alejo González Garaño, Eduardo Mallea, María Rosa Oliver y Guillermo de Torre). Tiene su sede en la calle Rufino de Elizalde 2847 (la casa de la propia Victoria) y cuesta dos pesos el ejemplar corriente y tres el atrasado. Aunque no figura ningún secretario de redacción, se sabe que cubre dichas funciones de Torre hasta 1932, en que vuelve a España para colaborar con Pedro Salinas en la Universidad Internacional de Santander. La revista se convertirá en mensual en julio de 1935, tras un año de receso. En julio de 1938 asumirá la secretaría José Bianco, quien permanecerá en el puesto hasta abril de 1961.

Las colaboraciones son pagadas y, si bien no me consta su plantilla puntual, se sabe que Keyserling, por ejemplo, recibía 250 pesos por artículo y que una serie de conferencias como las que montaba Amigos del Arte se pagaba diez mil pesos (según la correspondencia de Bebé Sansinena con Ortega a propósito de las invitaciones a Emil Ludwig, Bernard Shaw y André Maurois). Para comparar valores, conviene pensar en un dólar de la época, que costaba dos pesos, aunque el valor adquisitivo de la divisa norteamericana era muy superior al que tiene hoy. El régimen de publicidad se analiza más abajo, sin perjuicio de considerar que, en cualquier caso, el mecenazgo de Victoria cubre siempre todo avatar financiero de la revista.

El estado personal de Victoria cuando la fundación puede rastrearse en algunas noticias de su autobiografía y en sus numerosas cartas a Ortega. Como en el caso de este último, la revista aparece tras la muerte del padre, tal si la ausencia de un control paterno dejara en libertad al fundador. Victoria, además, cruza en esos años una época de soledad, crisis personal y formación acelerada. Su instalación en Barrio Parque, el final de su larga relación con Julián, sus dos viajes a Europa y Estados Unidos (1929/ 1931), los muchos contactos con intelectuales de ambos lugares, su recorrida por América Latina, desembocan en un estado de máxima distancia y tenaz cuestionamiento de todos los modelos, y una necesidad impostergable de actuar, de hacer algo para construir su lugar en el mundo. A ello, tal vez, haya que añadir un elemento crítico que se puede denominar cronológico: Victoria acaba de pasar la frontera de los cuarenta años. Su generación es ya madura. El desierto llama a construir con las propias manos. Ambas apelaciones llevan a la obra común. Mal con su medio, distante de la magistral Europa, imposibilitada de reconocerse en las dos Américas, sólo queda ensayar una aventura personal en que se intente dar lugar a una voz propia. Esa es la fantasía fundadora de la revista: gritar desde el sur para que la voz sea identificada en el resto del mundo.

LA CRISIS DEL MANDARINATO

El grupo de *Sur* no puede pensarse como una expresión de clase, según se ha ensayado alguna vez. Decir que *Sur* fue una revista de la oligarquía porteña, aunque se limitara este concepto a su capa intelectual, es harto inexacto. La oligarquía porteña nunca se dedicó a este tipo de empresas y entre los animadores de *Sur* hay tanta gente de esta clase como de otras. *Sur* se plantea como el órgano de expresión de un mandarinato intelectual, de una elite, de un conjunto de productores de cultura que se consideran a sí mismos como los mejores y que se proponen como modelo de conducta social, a efectos de cumplir, sobre presupuestos laicos, la refundación de valores que son, en último análisis, religiosos. Las figuras del mártir y del santo estarán presentes en la continuidad del discurso de la revista y en la obra de sus principales escritores.

En este orden, la empresa del grupo se parece, más que nada, a la de los intelectuales franceses posteriores a la Revolución y a la generación argentina de 1837. En ambos casos, la tarea definitoria es la misma: reemplazar al sacerdocio institucional de la Iglesia Católica en la tarea de producir el discurso dominante, de elaborar la ideología principal. Esto explica que el idioma francés utilice la misma palabra, *clerc*, para designar al clérigo y al intelectual. También explica sus malas relaciones orgánicas con la Iglesia, a la cual se disputa el monopolio de aquel discurso. Estos *clercs* (los tres grupos) se aproximan, por el lado de la historia, en tanto surgen después de una etapa que se considera acabada, a la cual cuestionan y cuyos males intentan paliar recurriendo a la fundación. Son, por ello, grupos ideológicos regeneracionistas, que acuden a la apelación de un nuevo padre, que regenere, o sea que vuelva a engendrar y dé lugar a un nuevo origen. Así como los escritores franceses del romanticismo revisan la experiencia de la Revolución, los del 37 revisan la experiencia independentista y *Sur* intenta revisar la Argentina del 80.

Las apelaciones de *Sur* a los hombres del 37 (Sarmiento ante todo) y su no confesa identificación con el mandarinato francés acreditan estos parecidos. Cabe señalar que es en la época de la Restauración, precisamente en 1828, cuando Villemain, en su *Cours de littérature française*, empieza a comparar a los intelectuales de su tiempo con los mandarines chinos, pues ambos son requeridos por el poder para docilizarlos o temer su resistencia, y se consideran a sí mismos como la primera corporación.

La tarea específica del mandarín consiste en proponer a la sociedad unos valores absolutos, sin los cuales la tarea intelectual se torna inviable. Así como, conforme al modelo griego clásico, la literatura tiene una independencia relativa frente a la religión y maneja un paradigma profano, debilitando el poder coactivo espiritual del clero organizado, en el modelo judío, la tarea del *clerc* se asocia, por un medio privilegiado y excluyente (la escritura) con la noción dominante de lo divino. En la Edad Media, el escritor es amanuense directo del Espíritu Santo, que dicta el discurso. Se trata de propagar las verdades de la fe. Como inmediata consecuencia, surge la teoría del símbolo escrito y de la significancia o sea de la potencia semantizadora de la palabra. El mandarín organiza un discurso en el cual la sociedad encuentra el tesoro y sus significados.

Estas nociones se van matizando con la Modernidad: en los siglos XVI y XVII, la teología natural intenta recuperar la independencia relativa del pensador ante la corporación eclesiástica. La tarea profana del escritor empieza a dignificarse. Con la revolución burguesa de los siglos XVII y XVIII, la institución del laicado se torna radical y, sin renunciar a su trabajo constante, ensaya autofundarse, es decir, buscar en el mismo discurso humano sus cimientos legitimadores.

Durante la dominación de la burguesía, este clero laico, corporación que funciona, a la vez, como órgano y tribunal de la sociedad, extrae a sus componentes de la misma clase burguesa, que se va apoderando de todos los resortes del poder cultural, antes en manos de los estamentos (nobleza territorial, nobleza togada, ejército, clero eclesiástico). Pero no es la parte pensante de la burguesía, sino un colectivo de burgueses que se imagina dotado de autonomía y distancia frente a las clases sociales, siempre dentro de un orden, aunque construyendo sus propios espacios de actividad (periodismo, literatura, teatro, universidad).

Este despegue mandarinato-burguesía explicará, más tarde, sobre todo a partir de la segunda mitad del XIX, los conflictos de estos intelectuales con su clase, la oposición artista/filisteo, el nacimiento de un lenguaje que trata de desmarcarse de la cotidianeidad burguesa y los aportes de ciertos pensadores de la clase dominante a la causa revolucionaria de los dominados.

En términos muy generales, la ideología del laicado puede llamarse humanista. La humanidad es magnificada hasta la hipóstasis, o sea hasta dotarla de las características de lo divino. Una suerte de pan-

teísmo de lo humano o de la historia reemplaza a
los antiguos panteísmos y, mucho más, a la dualidad
incompatible entre Dios y la creación. Se intenta bo-
rrar la noción de pecado original y fundar el derecho
a la felicidad terrenal de un hombre pretendidamente inocente. Dios pasa a ser una noción abstracta
perdiendo sus caracteres de sujeto. Es divino, pero
está muerto (al menos, palingenésico o dormido) y
carece de lenguaje. Su misión en la historia es la de
un fiador de la razón y un soporte del universo como
orden a investigar por la *ratio* científica.

La poesía es recuperada (y exaltada) como un nuevo lenguaje naciente, el balbuceo de una humanidad
que, tal un buen salvaje rousseauniano, intenta apoderarse de un mundo a construir. Los *clercs* anuncian la revolución y luego suelen entrar en conflicto
con ella, una vez realizada, pues la doctrina revolucionaria se erige en absoluto de la historia y no admite ningún otro poder adoctrinante. Los *clercs* liti-
gan por el privilegio de elaborar sus propios discursos doctrinales y se llevan mal con los Estados a los
cuales lo doctrinario resulta esencial. Para la revolución, en cambio, el escritor es un instrumento que
sirve a un corpus ideológico anterior al hecho revolucionario. Nunca es un guía, carece de espacio propio y debe someterse al Estado revolucionario.

En Sarmiento y Echeverría se estructura esta mentalidad del mandarín ante el proceso histórico, salva-
das las distancias entre el desarrollo social de Francia y la Argentina, y los desajustes que produce la
cultura libresca de los *clercs* aborígenes, cuando intentan descifrar el paisaje "natural" de su América
a partir de los libros franceses (o traducidos al francés) de viajeros que recorren el Oriente.

Sarmiento cuestiona a la Revolución el haber ser-
vido para que se impusieran las fuerzas campesinas
de la barbarie sobre las fuerzas urbanas de la civilización. La independencia ha logrado destruir el aparato dominador colonial y reemplazarlo por la dictadura del caudillo local, el comandante de campaña.
Echeverría dice algo similar: los propietarios, los militares y los curas no son capaces de cumplir con la
declaración doctrinal de la independencia. Esta tarea

incumbe, pues, a los intelectuales regeneradores, que ven la herencia de los tiempos como un Desierto: un lugar sin historia, sin asentamientos humanos, pura naturaleza acechada por los salvajes nómades, donde empezar de nuevo, volviendo al grado cero de la Revolución, pero con otro aparato operativo: la Joven Argentina.

Es evidente, en el planteo echeverriano, que se trata de refundar una religión. Todo su vocabulario es religioso: dogma socialista, religión de la patria, santidad de la causa, invocación a los mártires, anatema al traidor, mandato divino, misión inmanente del hombre, ley divina de la unidad y la comunión de todos los hombres, sacralidad de lo nacional como principio absoluto, voz del pueblo como voz de Dios, etc. El objetivo de la historia es progresar hasta el Edén (ir al origen, recuperar la inocencia perdida). En lo concreto, un programa de tipo liberal (la voluntad general no puede invadir los derechos naturales del hombre) y democrático restringido, con un voto censitario y la sumisión del pueblo a la razón, que es administrada por los intelectuales. De algún modo, éstos se preparan para ocupar espacios en la burocracia del Estado futuro. Casi cien años después, el grupo de *Sur* ensaya criticar la herencia de este proyecto, que consistió en sustituir el caudillaje heredado por la Revolución, no por un mandarinato, sino por una oligarquía. Es decir, revisando el discurso fundacional y regenerador del 37, se advierte que la Argentina moderna ha sido mal constituida. El propio discurso fundador sirve para una nueva crítica y una nueva propuesta de regeneración.

En los tiempos iniciales de *Sur* (entreguerra europea) la ideología madrinal está sometida a una fuerte crisis. La hemos visto, en parte, al aludir a Valéry. Pero hay otros autores cercanos a *Sur* que se ocupan de lo mismo y que sirven para evocar el marco ideológico en que se fragua la mentalidad original de la revista.

Julien Benda, en *La trahison des clercs* (1927), *La fin de l'éternel* (1928) y, más tarde, en *La France byzantine* (1945), propone al intelectual la misión de restaurar la religión de lo espiritual en un mundo dominado por la religión de lo temporal. Hay que volver a una concepción trascendentalista de· la vida y abandonar el inmanentismo de la historia, que ha llevado a divinizar la Nación como forma profana,. tangible y orgánica del Estado.

El *clerc* bendiano es aquel cuyas actividades no persiguen un fin práctico, cuyo "reino no es de este mundo". Desdeña todo realismo y se aleja de las pasiones masivas. Si bien los *clercs* no han impedido los males de la historia laica, han evitado que se transformaran en algo sagrado. La humanidad, de esta forma, aunque haga el mal, honra el bien porque el intelectual sigue sosteniendo un discurso trascendente, que anima los sentimientos humanos hacia lo divino.

Esta misión entra en quiebra a fines del XIX, cuando los intelectuales ponen su inteligencia al servicio de las pasiones políticas, anteponiendo la nación y la clase a la humanidad. Lo universal se deteriora y despedaza. La praxis desplaza la reflexión. El hombre tal cual es y será anula el ideal de la perfección de la humanidad que se mira en el espejo divino. Esta es la traición de los intelectuales, o sea el abandono de su sacerdocio laical.

La crítica al abandono, por parte del intelectual, de sus deberes para con la trascendencia, es un cuestionamiento radical a la civilización ilustrada y burguesa posterior a la Revolución. Mientras los *clercs* consideraron a la razón como exterior a la historia, pudieron denunciar todos los vicios irracionales de la humanidad. Pero en cuanto quisieron dotar al proceso histórico de una racionalidad propia e inmanente, perdieron su espacio particular y se enajenaron a las fuerzas ciegas de la pasión. El intelectual que considera racional todo lo real traiciona a su tarea, pues ésta es mantener viva la idea de revolución basada en la razón y autónoma a los intereses sociales. Así como el cielo aristotélico influye sobre la tierra, la mentalidad intelectual desinteresada debe influir sobre los laicos, pero no al revés. El norte sobre el sur, si admitimos la metáfora espacial de nuestra revista.

El otro extremo de la crisis será descubierto por

207

Benda en la posguerra, analizando la literatura francesa del período 1925-1945. Así como el intelectual traidor se enajenaba a los intereses temporales, el escritor bizantino se enajena a una mística del arte, en que éste se transforma en un absoluto y existe con independencia de sus deberes morales hacia la humanidad. Aparece el *littérateur* que es el apóstata del intelectual, un nuevo traidor. Curiosamente, Benda señala a Valéry, con quien coincide en tantos aspectos, como uno de los líderes de esta apostasía bizantinista.

Ortega, en *La rebelión de las masas* (1930), de algún modo, también señala que los intelectuales han defeccionado de su misión, pues el hombre egregio se porta como la masa, sometiéndose al proceso de homogeneización que rige en las sociedades industriales de Occidente. Esto se debe, en parte, también, a que Europa ha perdido el liderato occidental. Así, irrumpe en la escena el "hombre-masa", carente de interioridad, condicionado desde fuera, sometido a estándares, a patrones falsamente "internacionales", sin yo irrevocable, disponible a toda ficción, que cree tener sólo apetitos y derechos y carecer de los deberes inherentes a la nobleza. El hombre masivo no es el pueblo, es la plebe.

He aquí un siglo como el xx, tan contemporáneo, tan decadente y poco moderno (según ya había definido Mussolini, con alborozado realismo maquiavélico). Con su intimidad enajenada por la política, el hombre masivo se ha anulado ante la colectivización, convirtiéndose en pura cantidad intercambiable. Cerrado y hermético a toda instancia superior, sus deseables se han unificado y descalificado, accediendo al poder, que no es lo suyo. Hay muchos donde hubo pocos, se han llenado los espacios vacíos o solitarios. Las masas están compuestas por sujetos que no quieren ser sí mismos, sino parecerse a los demás, anulando la diferencia, la discrepancia, el disenso: la libertad.

Para Ortega, este cuadro no es una anomalía histórica, sino la consecuencia de un proceso que se inicia a mediados del xviii y que los europeos deben revisar. Este proceso consiste en someter el intelectual egregio a la humanidad, cuando su misión es elevarse por encima de ella y proponerle ejemplos extraordinarios. La difusión de los bienes de la cultura entre las plebes los ha abaratado y descalificado, haciendo creer a la masa, que siempre es infantil, que tiene derecho al goce de toda la civilización, sin ninguna obligación en contrapartida. Esto ha llevado a la irrupción de fenómenos de primitivismo político como el fascismo y el comunismo, manifestaciones de una violencia pequeño-burguesa y primaria de resentimiento contra las minorías egregias. La solución orteguiana pasa por la restauración del eurocentrismo: unir las diversidades europeas y devolver al continente su vocación de imperio y de mando, ante la amenaza "hercúlea" de los rusos y los norteamericanos.

Otro colaborador de *Sur*, Salvador de Madariaga, diseñaba, con presupuestos parecidos a los de Ortega (*Anarquía o jerarquía*, 1935), un síndrome del tiempo: vivimos años juveniles para los cuales lo nuevo es el comunismo, el fascismo y el nazismo; la libertad se ha quedado vieja y los antiguos conductores europeos han perdido las riendas del proceso histórico. Del democratismo cuantitativo y el internacionalismo abstracto de la preguerra se ha pasado a una exaltación de las nacionalidades y las jerarquías (jefes y técnicos). Se teme a la libertad como promesa de desorden y se busca amparo en la autoridad. Una mala selección de mandos es el producto de una mal entendida igualdad. La especialización ha impuesto sus propios órdenes.

Aunque respetando los principios de las libertades naturales y el gobierno representativo, una auténtica república debe basarse en el mando de los mejores, constituyendo una democracia orgánica (expresión que luego recogerá el franquismo). Los conjuntos realmente activos de la sociedad son los que deben gobernar, estructurándose en consejos económicos y sociales, aristocracia del mérito y de la inteligencia. Se trata de un régimen democrático mixto de corporativismo, como el que propusieron muchos pensadores de la posguerra e intentaron cristalizar constituciones de la época (la alemana de Weimar, la República española). Dos parlamentos, uno general y otro de corporaciones, podrían dar la fórmula final. No es cuestión de restaurar el principio aristocrático del privilegio, sino el nobiliario del deber.

Ya en una carta de 1906, Ortega le decía a Unamuno que lo que estaba entrando en crisis era la identificación del Europeo con el Hombre por la caída de la virilidad continental (algo que observará en los mismos términos Mussolini). El grifo (el falo) del que bebieron los siglos se estaba quedando exhausto y los hombres, en lugar de pensarse como eternos e ideales, empezaban a verse como efímeros y peculiares, destruyendo el espíritu clásico de la modernidad.

Si se recorren comparativamente estos textos (Valéry, Benda, Ortega, Madariaga) y se escuchan sus ecos en textos de *Sur*, se advertirá la problemática común que denuncian (o, al menos, de la cual se quejan): el mundo se ha descalificado a favor de la cuantificación, y ello ha llevado a que el planeta perdiera su cabeza y su eje (Europa). La única manera de reponer las cosas en su sitio es restaurar las jerarquías "naturales" de la humanidad "clásica", o sea el gobierno de los "auténticamente" mejores. Esto, como se ve, es una tarea antihistórica y, por ello, restauradora; hay que volver al origen de la modernidad y anular las grandes líneas de su desarrollo: laicismo, democracia, industria, ciencia. La cultura, para conservarse creativa y cualificada, debe retornar a las manos de los buenos, que siempre son pocos. Una tarea paradójica y desgarrante en el seno de un mandarinato que, por su parte, se forma en el culto a esos valores en crisis que terminan por serle antipáticos. Estos autores proponen volver, salir hacia atrás. No es la historia, sino la razón, quien salvará a la propia historia de sus pecados degenerativos. El tumor deberá ser extirpado con una inteligente intervención quirúrgica (no olvidemos que todo regeneracionismo proviene de remotas metáforas médicas del siglo XVI, que apelan a las virtudes primaverales de la poda).

Estas líneas pueden explicar la distancia conflictiva de *Sur* ante dos corporaciones de poder, cercanas y distintas: los políticos profesionales y la intelectualidad de la Iglesia.

Victoria ha demostrado siempre escasa simpatía por los políticos profesionales. Creo recordar que, entre los argentinos, sólo elogió a Marcelo de Alvear, muerto en 1942, porque era su amigo personal y se había jugado en el frente antifascista. Siempre honró a Gandhi, pero, precisamente, por lo que tenía de no político, de no violento. Y, tardíamente, al general De Gaulle y al rey Ludwig de Baviera, porque se inclinaron ante los artistas (Malraux y Wagner). Había en ellos algo de mecenático, como en la propia Victoria, y también algo de víctimas de la ingratitud, como suele ocurrir con los mecenas.

En cuanto al catolicismo intelectual, conviene recordar que, en esa época, en la Argentina, se produce una reorganización de este sector, bastante deteriorado en el proceso mental de la Argentina moderna, no, como suele decirse, por obra de una hipotética "oligarquía liberal" del 80, sino por sectores influyentes del liberalismo doctrinario en la intelectualidad y el ejército, según el modelo español. Los gobiernos oligárquicos nunca se atrevieron a zanjar la situación de la Iglesia en la sociedad argentina, separándola constitucionalmente del Estado y profanizando el matrimonio civil por medio del divorcio. Sí, en cambio, mellaron mucho el poder del sacerdocio al crear escuelas, registros civiles y cementerios laicos, única manera de dar cierta homogeneidad social y cultural a las variopintas oleadas inmigratorias del xix.

La intelectualidad católica, fiel a la jerarquía, se había quedado atrincherada en la Academia Literaria del Plata, fundada en 1879, y en nombres individuales como Miguel Navarro Viola, José Manuel de Estrada o Pedro Goyena. Pero en los años veinte, la inquietud social hace volver muchas miradas hacia el catolicismo como garantía de seguridad intelectual y de orden, lo cual provoca un renacimiento de la vida ideológica de la Iglesia, que se manifiesta en instituciones como los Cursos de Cultura Católica (1922), la revista *Arx* (fundada por Martínez Villada y Nimio de Anquín siguiendo el modelo neo escolástico italiano), la revista *Estudios* (Rómulo Carbia, Guillermo Furlong, César Pico, etc.) y la ruptura, en 1922, con el idealismo de Benedetto Croce, tildado de ateo por un libro clásico del catolicismo italiano, el de Emilio Chiochetti. En 1925, el abierto conflicto de Croce con Mussolini, al que había apoyado como remedio heroico, deslinda a los católicos argentinos del liberalismo y los escora hacia posiciones autoritarias de variable matiz maurrasiano. A ello contribuye el magisterio de Ramiro de Maeztu, nombrado embajador en Buenos Aires por el dictador Primo de Rivera.

En lo que hace a *Sur*, revista de inspiración cristiana independiente en sus comienzos, el dato más importante es la previa fundación de *Criterio* (1928), con un núcleo salido de los Cursos y que formaban Atilio dell'Oro Maini, primer director, Faustino Legón, Tomás Casares y Emiliano Mac Donagh. En 1929 el mando pasa a Enrique Osés y, en 1932, el perfil definitivo, que lleva a encontronazos varios con *Sur*, se adquiere con la dirección de Gustavo Franceschi. Si bien las diferencias se tornaron incompatibles, algunos colaboradores, como Borges y Julio Irazusta, eran comunes en los primeros tiempos. Evidentemente, un cristianismo no sometido a la jerarquía era el peor enemigo intelectual del catolicismo orgánico.

LIBERALISMO

En términos muy generales, puede calificarse a *Sur* como una revista liberal, pero siempre que se matice mucho el alcance de la palabra, no tanto por los senderos que se bifurcan en el jardín del mismo grupo sino, más ampliamente, por las contradicciones históricas que ha asumido un posible liberalismo en la Argentina.

El liberalismo es un fenómeno de la historia europea con raíces muy antiguas que no se pueden rastrear en la historia argentina y que sólo tienen efectos discontinuos e inconsecuentes en la previa historia española: Desde la Baja Edad Media, las relaciones conflictivas entre monarquía, nobleza y burguesía se fueron codificando, al margen de guerras sociales muy sangrientas, por medio de catálogos legales que respondían a dos grandes modelos: el de las libertades aristotélicas (modelo anglosajón y germánico), resultado de la alianza táctica de la aristocracia y la burguesía contra el absolutismo monárquicos, y el de las libertades democráticas (modelo francés), alianza táctica de la Corona y la burguesía contra los originarios privilegios señoriales. De esta última nace el Estado moderno, suerte de abstracción profana del poder emanado de Dios, pacto mítico entre el Creador y su pueblo, que luego será reemplazado por otro pacto no menos mítico, el pacto social, base de la democracia moderna, celebrado entre todos los individuos, que ceden sus libertades naturales para que exista la voluntad general, controlada por el sufragio.

La concepción liberal de la sociedad parte de una libertad original del individuo, que sólo responde de sus actos ante su conciencia libre, creando un espacio de libertades concretas o derechos humanos que ningún poder está legitimado para suprimir. El Estado reconoce estos derechos subjetivos, pero no los funda, por lo cual tampoco puede avasallarlos. A tal fin, se erige un código de garantías concretas. Estos derechos conforman la condición humana general y son propios a todos los individuos de la especie, más allá de las diferencias culturales y nacionales concretas.

He aquí un primer punto de fricción con la concepción católica de la libertad: para el catolicismo, es ilegítima la libertad de hacer el mal. Hay una tiranía, legítima, la tiranía del bien, que es derivada de la revelación divina. Simétricamente, para el liberalismo existe una tiranía democrática, que es el producto de decisiones mayoritarias incompatibles con los derechos inherentes a la condición humana. El liberalismo se muestra, en este perfil, como una concepción laica de la sociedad y una tutela de espacios correspondientes a individuos y minorías, que no pueden ser penetrados por ningún poder exterior al hombre, sea cual fuere su legitimación. El Estado sólo existe para tutelar estos derechos, no para actuar como sujeto de los mismos, con criterios que, por hacer a una concepción anónima y burocrática de la institución, se basan en valores de autoridad y no de libertad.

Hacia 1830, la ideología liberal, balance de medio siglo de revolución burguesa, va creando una idea histórica del hombre como perfectible y progresivo. Las libertades son naturales, pero su reconocimiento es paulatino y temporal, pues la humanidad se dirige hacia un futuro misteriosamente mejor que el presente, iluminado por las vacilantes luces de ese nuevo Dios que. es la Humanidad. La fuerza se somete al derecho y el gobernado al gobernante, que obedece al orden jurídico abstracto que lo legitima. No hay dogmas, el dogma de la libertad es insostenible por definición y el pensamiento se transforma en poder histórico, según la fórmula de Guizot, que tanto ilusionaba a los progresistas argentinos de la época.

Esta nueva fe en el desarrollo humano intenta reemplazar a las religiones positivas, y alcanza en el mandarinato laico europeo su nuevo sacerdocio, un clero sin sacramentos ni liturgias, pero no por ello menos imbuido de su misión trascendente (ligar al hombre con su propia trascendencia como heredero de Dios), del cual serán expresiones tardías y trágicas pensadores como Valéry y Benda.

La consecuencia más importante para la producción intelectual de este liberalismo es que el otro es siempre necesario y merece respeto. Frente a la fundación dogmática de un mundo mental enraizado en la revelación y la verdad como dadas y definitivas, la mentalidad liberal ahueca el concepto de verdad hasta convertirlo en un espejismo del deseo, un horizonte inalcanzable, un proceso incesantemente abierto por la historia.

La historia argentina no autoriza plenamente a fundar un liberalismo concreto en que la ideología liberal sea el emergente de un proceso como el descrito. Los liberales argentinos del XIX eran intelectuales y militares que se veían a sí mismos como depositarios de una misión pedagógica, la de conducir a un pueblo bárbaro y arcaico hacia estadios crecientes de civilización y modernidad, integrándolo, desde la altura del mandarinato, al fenómeno universal de la cultura humana, cuyo modelo eran las grandes naciones desarrolladas de Occidente. Estas inconsecuencias históricas pueden, tal vez, explicar las vacilaciones de nuestros liberales modernos, tentados, a menudo, por la devoción hacia su propio esplendor narcisista y hacia los brillos de la espada redentora. *Sur* fue un escenario privilegiado de estas dudas y los desgarros, cada vez más dramáticos, del proceso argentino mellaron su altiva y original condición de "torre orgullosa".

VIDAS PARALELAS

Como *Sur* no nace en el grado cero de la historia, conviene ver a quién se parece y en qué se diferencia a la hora de consultar ejemplos. Lo dicho sobre el grupo inglés de Bloomsbury sirve al caso. Pero hay más espejos, algunos cercanos, otros lejanos.

En el mundo literario argentino, sólo *Nosotros* se puede comparar con *Sur* en cuanto a continuidad y solidez expresiva de una comunidad intelectual. Fue fundada en 1907 por Roberto Giusti y Edmundo Bianchi, compartiendo la dirección con este último Julio Noé, entre 1920 y 1924. La primera época de la revista se clausura en 1934, no casualmente cuando está por empezar el rodaje de *Sur* como mensuario. Una segunda época llega desde 1936 hasta 1943.

Las condiciones sociales y políticas que hacen posible *Nosotros* y su propio nombre son diferentes que las de *Sur*. El "nosotros" es inclusivo y todo el mundo cabe en él, en tanto el "sur" es apenas la mitad de la geografía, pues supone la existencia exterior de un "norte".

Nosotros es la emergente de una sociedad en que la emigración tiene ya una voz cultural robusta (baste examinar los apellidos de los directores) y las clases medias argentinas, escolarizadas y elevadas a ciertos niveles de la propiedad, empiezan a buscar una entidad cultural y política propia. Su manifiesto inicial señala su carácter de generación (nosotros somos los jóvenes de 1907) y la carencia de un lugar propio desde el cual manifestarse. En esto *Sur* coincidirá sin decirlo expresamente, lo mismo que en lo atingente a dar voz a un lenguaje americano y a un sistema de relaciones culturales estables entre los países del continente, históricamente aquejados de aislamiento y mutuo desconocimiento.

Ambas revistas carecen de un programa explícito, pero la historia se los va dando. Si se plantean no enrolarse en banderías políticas o sociales, es claro que su compromiso recoge las aspiraciones de la Argentina inmigratoria: sufragio universal, democracia con leyes sociales, reforma universitaria, pluralismo político, una literatura dirigda conscientemente a la sociedad y teñida de propósitos documentales y realistas.

Los principios inclusivos son liberales, como lo es el discurso laico argentino de la época. Esto explica que la generación posterior tenga lugar protagónico en sus páginas, como el primer manifiesto ultraísta de Borges y una antología de la nueva literatura, seguida por una extensa encuesta del colectivo literario nacional. Hay la conciencia de que la literatura argentina existe como institución y que merece tener un órgano crítico.

Pero la historia absolutiza lo relativo en sus momentos concretos, y así vemos a la revista saludar con alegría las elecciones democráticas de 1916 (con reservas a la vaguedad programática de los radicales, reservas que parecen venir de sus simpatías social-demócratas) y hacer lo mismo con el golpe de Estado fascistoide de 1930, intentando legitimarlo con un supuesto apoyo popular. La imposibilidad de mantener la neutralidad política es admitida en el receso de 1934. Algo similar pasará con *Sur* a lo largo de su historia.

El resto de las revistas literarias argentinas tiene diferencias de volumen y de carácter notables con *Sur*. Las inmediatamente anteriores son revistas programáticas, sea de vanguardia (*Proa, Martín Fierro, Inicial*), de izquierda (*Claridad, Los pensadores*), las católicas ya mencionadas, las estudiantiles (*Megáfo-*

no, Letras). En cuanto a persistencia institucional, sólo se le comparan los suplementos de los diarios, sobre todo *La Nación* y *La Prensa*. Coetáneas de *Sur* son revistas de marcada ideología como *Sustancia*, dirigida por Alfredo Coviello (Tucumán, 1939), *Sol y Luna*, por Mario Amadeo y Juan Carlos Goyeneche (1938-1942) y *Antología* por Arturo Cambours Ocampo (1943). Un efímero *pendant* es *Realidad* de Francisco Romero (1947-1949). Luego hay las revistas grupales, sea de exiliados republicanos españoles, como *De mar a mar*, dirigida por Arturo Serrano Plaja y Lorenzo Varela, o de promociones literarias que proponen estéticas muy definidas: *Canto, Cántico, Huella, Verde memoria, Ángel*, son expresiones del neorromanticismo del cuarenta. El movimiento platense tiene a *Renacimiento, Teseo, Delfín*. En Jujuy se nuclea el movimiento de *Tarja* (1955-1960). El cincuenta aparece en *Poesía Buenos Aires* de Raúl Gustavo Aguirre (1950-1960) y en *Buenos Aires literario* de Andrés Ramón Vázquez (1952-1954). El surrealismo tardío se expresa en *A partir de cero* de Enrique Molina (1952/3) y *Letra y línea* de Aldo Pellegrini (1953/4). Los jóvenes que no caben en *Sur* se agrupan en *Contorno* (1953-1959) con un conjunto que reúne a los hermanos Viñas, Juan José Sebreli, Oscar Massota, Noé Jitrik, Ramón Alcalde, Adelaida Gigli, León Rozitchner, Adolfo Prieto y otros, y en *Ciudad* (1955/6) dirigida por Carlos Manuel Muñoz. Después la experiencia de *El grillo de papel* (1959-1960) y *El escarabajo de oro* (1961) ambas dirigidas por Abelardo Castillo, y *Crisis* (1973-1976) por Federico Vogelius, indica que la revista de amplitud liberal o de estrictez programática estética ya no cabe en una Argentina fuertemente politizada.

En el ámbito europeo están, me parece, los dos grandes modelos de *Sur*: la *Nouvelle Revue Française* (París, 1909) y la *Revista de Occidente* (Madrid, 1923).

La NRF tiene, como *Sur*, un marcado tinte generacional, no de grupo juvenil, sino de juventud que ingresa en la edad de la razón, capitaneada por André Gide, Jean Schlumberger, Henry Drouin, Jacques Copeau, André Ruyters y Henri Ghéon. No hay programa, salvo una vaga enunciación de enemigos ("pretensión de luchar contra el periodismo, el americanismo, el mercantilismo y la complacencia de la Época por sí misma"). Al grupo le interesa más el tono que las ideas, más una labor de difusión (publicar "lo más importante de los mejores") que una tarea de precisión teórica. Si se lee la propuesta al revés, se advierte que hay una línea ideológica insinuada en las exclusiones: europeísmo, neoclasicismo (lo permanente opuesto a lo cotidiano), de antifilisteísmo y de severidad crítica (rasgo tradicional del mandarinato). Como *Sur*, entonces, estamos ante unos jóvenes mandarines que empiezan a madurar y quieren organizarse para ser la conciencia alerta de una sociedad (que no es la argentina, obviamente).

El grupo inicial se amplía e incorpora a contemporáneos (Paul Claudel, Paul Desjardins, Charles Louis Philippe, que morirá poco después) y a nombres más jóvenes (Jean Giraudoux, Valéry Larbaud, Jacques Rivière, Alain-Fournier, Alexis Leger, que luego se firmará Saint-John Perse).

Según queda dicho, la NRF no formula un programa, apenas un texto de Schlumberger (*Considérations*) esboza cierta "conducta": privilegiar la unidad de inspiración y de método, el entendimiento íntimo, la actividad del grupo como comportamiento de camaradas literarios. Hay una falta de admiración calificada por d'Annunzio y la filialidad escolar por Mallarmé (los dos maestros del decadentismo y del simbolismo), lo cual desmarca un espacio estético bastante claro y se aleja de las herencias autorizadas. Se exaltan virtudes abstractas: rigor, disciplina, contención expresiva. Junto a ello, fragmentos de autores clásicos que sirven de apoyo a una ética del trabajo, la energía perseverante y la desconfianza por la inspiración y el arrebato. El trabajo bien hecho excluye lo superfluo y Rivière apelará a "los modelos definitivos y perfectos de lo eterno".

Con esto hay bastante para perfilar en la NRF algunos de los rasgos que aparecerán luego en *Sur*: el rigor austero de la pequeña burguesía laboriosa y acumuladora y la apelación a modelos intempora-

les, a la vez que el distanciamiento de las escuelas
en boga (decadentismo y primeras vanguardias) cris-
talizan en cierto neoclasicismo. De hecho, el único
decadente del grupo será André Suarès.

Un rasgo significativo de la NRF es la ausencia de
mujeres. No sólo de señoras que escriban, sino de
valores "femeninos". Contra todo romanticismo mujeril y toda delicuescencia poco viril y decadentista, el
grupo levanta, como un falo, la "virtud", clásica y
masculina, rasgo de cierto vago espíritu francés,
opuesto a la tiniebla nemorosa y germánica, y a la
fachendosa ventolera italiana. Por neoclásico y francés, finalmente, ecléctico, o sea inclusivo y liberal.

El arte es exaltado por la NRF como *métier*, como
oficio que persigue un buen hacer. Idealización del
artesano en el pequeño taller, el artista se repite
constantemente las palabras *verdad* y *sinceridad*, acaso porque el arte, en la etapa inmediatamente anterior, ha mentido y fingido demasiado. Un cierto espíritu paisano y provincial, de serena y laboriosa burguesía periférica, acredita el sutil francesismo del grupo,
que es francés, pero también nuevo. Las virtudes artesanales son, finalmente, virtudes nacionales, no de
la cosmopolita y abigarrada París, sino de la segura
y perfilada provincia gala. Ni pragmatismo anglosajón, ni abuso reflexivo alemán, ni industrialismo americano, ni entusiasmos irracionales del Sur o del
Oriente: el buen sentido de quien sostiene con su
trabajo su tallercito personal, sin empresarios ni
obreros. Esto permite, por su lado, distanciar al mandarín de la burguesía, que se afana por los grandes
negocios y se fascina por las sociedades anónimas,
jerarquizadas y burocráticas.

Imparciales en política, los hombres de la NRF
son enemigos del chovinismo en alza y, en general,
todos toman partido por Dreyfus en el famoso asunto. No son hombres de acción, no lo son por principio, pero esto les produce cierto malestar y cierta
nostalgia de una vida más enérgica, al tiempo que la
militancia los lleva a una fácil y pronta desilusión.

La NRF es, desde luego, también, una revista liberal, que parte del respeto hacia toda convención auténtica. Sólo es inaceptable la falsedad. Acusada de

"protestante" por sectores del integrismo cerril, la revista acoge a escritores claramente católicos, como Claudel y Charles Péguy. Su concepción del arte es decididamente autonomista: el arte no debe obedecer a programas ni opiniones previamente cristalizadas, ha de ser imprevisto y denso (ambiguo, digamos). Como luego en *Sur*, Ramón Fernández y Jacques Rivière se enzarzarán en una polémica acerca de la primacía o autonomía entre arte y moral (el tema de Benda).

Órgano de un mandarinato laico y liberal, sin embargo, como *Sur*, la NRF se distancia de los valores consagrados inmediatos (en el caso francés, Anatole France, por ejemplo) e intenta constituir un aparato de reunión del grupo, como también lo hará nuestra revista, a partir del verano de 1910, con las décadas de Pontigny, que suceden, no por casualidad, en una abadía desafectada como tal. Su rechazo de la novedad le hará tomar posiciones variables. Por ejemplo: apoyarán la irrupción de los ballets rusos de Diaghilev y toda su secuencia estética (coreográfica, pintura, vestuario, música), pero rechazarán de plano la aparición del cubismo.

En el caso de la *Revista de Occidente*, se pueden observar, de entrada, dos similitudes estructurales muy sugestivas: Ortega y Victoria fundan sus revistas cumplidos los 40 años y enseguida de la muerte de sus padres, como si ocuparan su lugar, y ambas publicaciones aparecen tras ocurrir, en España y Argentina, sendos golpes de Estado militares que quiebran un largo período de estabilidad constitucional (Primo de Rivera, en 1923 y Uriburu en 1930). Otro rasgo común y distante de la NRF y similares consiste en la necesidad de una tarea de actualización y difusión intelectual, en medios como el español y el argentino, donde el nivel de la producción no es el mejor del mundo y en el que faltan, a menudo, noticias acerca de los últimos acontecimientos culturales europeos y norteamericanos.

Las diferencias entre Ortega y Victoria son muy evidentes. El es un hombre de la burguesía intelectual que intenta, hasta 1916, hacer política y escribir políticamente, para luego replegarse a una posición

de apasionado "espectador". La fundación de la RDO
coincide con un cierto auge de la burguesía industrial norteña que ha hecho buenos negocios con la
neutralidad en la guerra mundial, y cuyo contacto
orteguiano es Nicolás María de Urgoiti, dueño de la
Papelera Española, luego de Calpe y sostenedor indirecto de la RDO por medio de una suscripción de
500 ejemplares (la tirada nunca pasó de los 3.000,
cuando *Sur* llegó a tirar 5.000, y buena parte de la
RDO se vendía en la Argentina, tanto que en sus
portadas figuraban los precios en pesos y pesetas).

Ortega, hombre de sólida formación filosófica, pionero del pensamiento moderno en un espacio atrasado y esclerótico como el español de principios de
siglo, dispone de un abanico intelectual más organizado y vasto que el de Victoria, al cual no es ajeno,
desde luego, el hecho de ser varón, universitario, etc.

La RDO es, por oposición, claramente programática:
se trata, nada menos, que de salvar a Occidente (no
tan sólo a Francia ni al sur), por medio de la formación de una nueva minoría egregia, para lo cual hay
que crear un estado de disponibilidad espiritual totalmente apolítico y desmarcado de todo cosmopolitis-
mo, sea de la internacional obrera o del señoritismo
español, parasitario y mundano, que sólo se ocupa de
parties frívolos en los grandes hoteles. Esto implica
la exaltación callada de una nueva burguesía, laboriosa, actualizada, inquieta, apoyada por el apoyo de una
minoría intelectual surgida de las ciudades, en medio
de un país todavía mayoritariamente paisano y analfabeto. Los ejemplos están a la vista: Japón (recordemos
las páginas de Unamuno sobre la necesidad de "japo-
nizar" a España) y Alemania, dos países que llegaron
tarde al capitalismo y, a finales del XIX, se empezaron a convertir en potencias industriales de primer
orden. He allí el desgarro orteguiano: la necesidad
de una sociedad industrializada, en tanto la industria
es lo moderno, y el horror a sus consecuencias masi-
ficadoras. Europa debe cumplir la tarea sintética:
salvar la existencia de minorías creativas y selectivas,
a la vez que preservar el desarrollo de lo moderno
como lo industrioso.

Como *Sur*, es un grupo de jóvenes que empiezan a madurar y que rige un hombre maduro (Ortega tiene cuarenta años en 1923), aunque sin un programa generacional ni estético, como pudieron plantearlo otras revistas españolas de la época: *La Gaceta Literaria* era vanguardista, *Residencia* era estudiantil, *Cruz y Raya* será católica de izquierda, etc. Inclusiva y liberal, admite desde fascistas como Ernesto Giménez Caballero y Ramiro Ledesma Ramos, hasta comunistas como Rafael Alberti y Miguel Hernández, pasando por una amplia gama del pensamiento laico español que sería aburrido reseñar. Sí, al igual que *Sur*, se advierte la prescindencia de los viejos maestros consagrados, por ejemplo casi todos los del 98.

El liberalismo de la RDO tiene sus límites y he allí que, por razones de vedetismo o de opción filosófica, faltan Heidegger, Croce, Marx, Bergson, aunque aparece mucho Freud (al revés que en *Sur*), que Ortega presentó tempranamente al lector español, allá por 1910. El autonomismo político se quiebra en 1931, con el advenimiento de la República, con la cual se solidarizan casi todos los colaboradores de la revista, y en 1936, cuando la guerra civil interrumpe su existencia.

Si bien la RDO no tiene un programa político, sí, en cambio, manifiesta un esfuerzo por considerar los problemas de la sociedad contemporánea en tanto sociedad industrial que pone en crisis la noción de minoría egregia tradicional. Esto ya lo hemos analizado. Se trata de encarar la crisis del capitalismo liberal, su tendencia a la concentración y el monopolismo, a la vez que la anomia de los valores tradicionales, que hacen anacrónica la figura del clero decimonónico y liberal. Pero también se trata de no considerar su anulación por la irrupción de formas radicalmente nuevas como el fascismo y el comunismo. A la vez se considera, con perplejidad, cómo el centro del mundo se quiebra y se desplaza, escapando de las manos de los grandes imperios europeos y huyendo hacia ultramar (los Estados Unidos) y hacia Oriente (Rusia y Japón).

En lo temático, la RDO se diferencia de *Sur* por la mayor importancia concedida a la historia (como problema y como teoría), a las cuestiones políticas contemporáneas y, sobre todo, a la filosofía de la ciencia, pues, para Ortega, la filosofía era una suerte de saber de los saberes, que intentaba teorizar sobre el alcance y la legitimidad de lo sabido por las ciencias particulares, articulando un campo general del pensamiento teórico que fuera el balance de la práctica cognoscitiva (desde luego, sin limitar la ciencia a las ciencias naturales, como había hecho el positivismo).

En ambos casos, se advierte que el proyecto de formación de minorías conductoras pero aisladas de la política concreta desemboca en una empresa socialmente inerte. La historia se apodera de ella y la crisis argentina pone a la gente de *Sur* en campos enfrentados, a la vez que la guerra civil española distribuye a los colaboradores de la RDO en distintas trincheras para alojarlos, luego, a muchos de ellos, en el ostracismo interior o el exilio exterior.

"SUR": EL PROYECTO ORIGINAL

Victoria presenta a *Sur* como la obra de la hija: Waldo Frank le ha impuesto la tarea y Ortega le ha dado el nombre. Ella, discípula y americana, acata la orden y recoge el desafío. Ya la metáfora geográfica es una definición: el sur es lo de abajo, la tierra, lo americano, lo mudo e inexpresivo, en tanto el norte es lo de arriba, lo celestial, lo europeo, el logos. Hembra ante el macho, horizontalidad abierta a la penetración del norte, que es siempre el punto cardinal que marca los rumbos. América es, además, joven, inocente, fabulosa, pronta al milagro (por exclusión: el norte es viejo, culpable, histórico, científico). Las dos mitades del mundo, la espalda y la frente, la sombra y la luz, se necesitan y buscan una síntesis. Desde el sur, la tarea consiste en articular un lenguaje inexistente. América muda empieza a hablar, aunque más no sea a balbucear.   .

Waldo, en un sentido exacto, esta revista es su revista y la de todos los que me rodean y me ro-

dearán en lo venidero. De los que han venido a
América, de los que piensan en América y de los
que son de América. Las cualidades de su América, Waldo, son secretas como las cualidades de la
mía.

Descubridores de lo secreto, violadores de lo sagrado (el secreto lo es), desfloradores de la bella
durmiente americana que sueña con un príncipe encantador y ultramarino que llegará con la primavera
a disipar la helada sombra del invierno colonial.
Gigantesca y sin lenguaje, América está por descubrirse. Victoria y Waldo son los exploradores y los
pioneros. Pero América es Victoria, la rica dama ilustrada del Río de la Plata (*Ella es yo*). La carta de
Güiraldes a Valéry Larbaud (8 junio 1921) que reproduce el primer número de *Sur*, dice, desde la tumba
del predecesor, lo mismo: hay que dar voz a una sensibilidad racial inexpresada. La revista será

> un refugio para esos pocos hombres y mujeres
> que sufren del desierto de América porque llevan
> aún en ellos a Europa, y sufren del ahogo de Eu-
> ropa porque llevan ya en ellos a América. Deste-
> rrados de Europa en América, desterrados de
> América en Europa.

Cabe preguntarse si el proyecto no es una abusiva
simplificación de esta minoría mandarinal que, a
fuer de creerse la voz original de América, es un
grupo de intelectuales porteños. ¿Era, en 1931, América tan desértica y Europa tan tersa, homogénea,
unitaria? ¿Se padecía tan agudamente esta esquizoidia de la transculturación, de modo que la tierra del
cuerpo estuviera tan tajantemente separada de la tierra del espíritu? ¿Dónde colocar a Rusia, Japón, los
Estados Unidos, quiero decir, de qué lado del tajo?
Si hacemos memoria, aunque sea desordenadamente,
tenemos, ya para entonces, un romanticismo americano en que pescar a Sarmiento y Euclides da Cu-
nha, la novela indigenista, la novela de la revolución
mejicana, el muralismo de Rivera y Orozco, el ne-
grismo poético de la vanguardia, el tango, el sainete,

Machado de Assis, Rubén y los modernistas. ¿Cabe hablar, todavía, de la mudez americana? ¿O es más bien una actitud de señoril desdén porteño la que acalla tantos rumores?

> *Anuncio.* "Sur" tendrá como uno de sus fines primordiales el de estimular, destacar y organizar el desarrollo de los jóvenes núcleos pensantes de esta parte meridional de América.

O sea: nuclear a los mejores, que son pocos, y que además deben ser jóvenes y pensantes, y estar en cierto espacio sureño. ¿Se trata de una generación? ¿Hasta cuándo un escritor es joven y cuándo empieza a no serlo? En 1941, la revista pide a sus colaboradores que propongan temas a debate y se obtienen respuestas curiosas, que tienen que ver con el proyecto original. Enrique Anderson Imbert se pregunta, por ejemplo: "¿Permanecerá *SUR* como revista literaria de minoría o se arriesgará a una contaminable influencia sobre las masas?" Eduardo Krapf, más concreto, propone debatir "la posición de la República Argentina en el mundo anglosajón de mañana". En 1945, todavía Gabriela Mistral encontrará a Victoria demasiado cosmopolita y afrancesada, y le propondrá a América como regalo, para que se integren la una con la otra. Se trata siempre de actitudes gigantescas, como se ve.

La imagen de una minoría muy activa quedará fija en la historia de *Sur*, y así dirá Victoria en 1948, a propósito del Nobel a T. S. Eliot:

> La cultura habrá de ser mantenida, en nuestra época, por un pequeño número de personas —generalmente poco provistas de medios materiales— y por revistas y periódicos de escasísima difusión, casi exclusivamente leídos por sus propios colaboradores.

La escena se repite en muchas páginas de Victoria: la americana ·enmudece ante el europeo elocuente y luego evoca la entrevista donde el logos está tachado y sólo quedan imágenes visuales (una habitación, un gesto, un vestido). El europeo muere y Victoria toma la palabra. Por otra parte, sólo puede ser afrancesado quien tiene hondas raíces criollas: ella misma, Güiraldes, su antepasado José Hernández, profundamente gauchos, criollos de muchas generaciones, fundadores del espacio nacional, seguros de su prosapia. Es como si, del otro lado, Europa, la única herencia cultural legítima de los argentinos, fuera indiferente a sus herederos. En 1939 le escribirá a Roger Caillois: "Venga a ver lo nuestro. Usted dará conferencias. Nosotros le daremos páramos y montañas de piedra hasta hartarlo". Los ejemplos son Camus, el argelino, Supervielle, el uruguayo, Saint-John Perse, el antillano, que escriben en francés y terminan siendo aceptados por la literatura francesa. El logos se hizo carne y habitó entre nosotros.

Por su parte, la revista no es indiferente al hecho de que esa Europa axial y modélica se está cuarteando y pierde su hegemonía. Los artículos de María Zambrano sobre la agonía de Europa, las evocaciones de Tagore por Victoria y el trabajo de Etiemble sobre Gobineau, apuntan a lo mismo: Europa, tras su fatuo triunfo sobre la naturaleza, ha perdido su idealismo, aunque no puede morir, pues es, como decía Valéry, lo inmortal de la historia. El error europeo ha sido la divinización del hombre, origen de todas las guerras, pues Dios es activo y violento, y la guerra es el instrumento de su poder. Se impone, pues, una nueva reforma religiosa que resitúe al hombre. Europa, civilización y materia, deberá impregnarse de Oriente, de espíritu y mito. La Ciudad de Dios es inalcanzable y se convierte en el infierno cuando se la confunde con alguna ciudad de los hombres. La pesadilla de la utopía realizada.

En el fondo del debate, hay la eludida cuestión del imperialismo como instrumento de la historia: ¿ha sido Europa un modelo de civilización universal o es que ha universalizado un modelo de vida por la violencia? En cualquier caso, la verdadera universalidad es la libre integración de la pluralidad humana, o sea que Europa debería aceptar la herencia cultural de las regiones del mundo que definió como periféricas.

Enseguida de la posguerra, la cuestión se agudiza: Europa está en ruinas. Un diálogo entre James Burnham y André Malraux lamenta la decadencia europea ante el ascenso ruso-americano y propone la fundación de una tercera fuerza laica, ni comunista ni conservadora, como la que Claude Bourdet extrajo del grupo *Combat*. La mayor parte de sus miembros, salvo Camus, se han marchado con De Gaulle, soportando las acusaciones de reaccionarios que les dirigen los comunistas. Pero el asunto de fondo sigue pendiente: ¿cuáles son los límites de Europa, sobre todo ahora que está dividida entre el mundo capitalista y el soviético? En el plano cultural, Malraux no ve clara la idea de Europa. Más bien se trata de un acto de voluntad religiosamente articulado. Así como, en el pasado, lo estructuró el cristianismo, ahora se impone otra religión universal de parecido alcance. He aquí otra constante del pensamiento de *Sur*: cómo reemplazar, desde el mandarinato laico, a las religiones perimidas. Tal vez haya llegado, tarde, la hora de una federación europea (como la propuesta por Napoleón, Víctor Hugo, Churchill y Denis de Rougemont). De otra forma, Europa se limitará a ser la herencia de un antepasado muerto, una biblioteca, algunos cuadros de familia y una ruinosa mansión en las afueras de la gran urbe industrial.

LA HISTORIA ARGENTINA

Como grupo fundacional y regeneracionista, el de *Sur* se pregunta por el origen y por la esencia. Tal vez se trate de un gesto de inseguridad. Cuando me pregunto obsesivamente qué soy o quién soy es porque siento que soy poco y nada. En todo caso, se advierte que la preocupación por lo argentino va a lo intemporal y a lo mítico (el mito del origen) y se saltea el espacio intermedio que trae hasta la actualidad, o sea el concreto proceso histórico. Desde la torre se mira hacia lo lejano y se desdeña lo menudo de la actualidad.

Esta preocupación neorromántica por el ser nacional, como una peculiaridad ontológica que no puede entenderse sino desde su inmanencia y que la historia no altera, viene de principios de siglo, de los primeros esbozos nacionalistas, cuando Ricardo Rojas trae a Fichte desde Alemania y Manuel Gálvez intenta recuperar la negada herencia española de los argentinos. Pero, sin duda, es la aparición de *La decadencia de Occidente* de Oswald Spengler en 1917 la que cataliza un nuevo historicismo en el mundo intelectual. La obra es traducida en 1923 por Manuel García Morente para la RDO de Madrid y pronto empieza a mostrar una larga herencia en América, en libros como *La raza cósmica* del mejicano José Vasconcelos (1925), *Insularismo* de Antonio S. Pedreira (1934) y *Tuntún de pasa y grifería* de Luis Palés Matos (1935), ambos puertorriqueños, y *Contrapunteo cubano del azúcar y el tabaco* (1940) del cubano Fernando Ortiz, prologado por Bronislaw Malinovski, por no citar el conjunto de la obra del brasileño Gilberto Freyre (*Nordeste, Interpretación del Brasil, Casa grande y senzala, Sobrados y mocambos, Orden y progreso*). En la Argentina, la sombra de Spengler, acompañada por las meditaciones de Keyserling y Ortega, que ya hemos recorrido, produce textos como *Medida del criollismo* de Carlos Alberto Erro (1928), *Alma y estilo* de Homero Guglielmini (1930, Capítulo "Para una caracterología argentina"), *El hombre que está solo y espera* de Raúl Scalabrini Ortiz (1930) y, sobre todo, la serie de Ezequiel Martínez Estrada que empieza con *Radiografía de la pampa* (1933), más los textos de Mallea ya examinados. Ni el propio Borges escapa al spenglerismo, según intenté mostrar en mi libro *El juego trascendente*, y en *Sur* hay divertidos y olvidados textos suyos que lo acreditan, como "Nuestras imposibilidades" (1931).

Estas meditaciones están fijadas a un doble elemento: una mirada privilegiada (la del mandarín) a la que basta posarse sobre el paisaje para captar su esencia, y un paisaje de índole "natural" (más concretamente, en el caso argentino, campestre) que condiciona de modo fatal todo cuanto ocurre sobre su superficie. La historia gira y se muerde la cola entre los parámetros de este elemento telúrico, misterioso, que apenas admite ser descrito desde fuera y reducirse a una morfología. La mirada, a su vez, al abstraerse de los conjuntos urbanos, va intencionadamente a la descripción de una Argentina rural y "natural", en que la cultura es un elemento exótico, impostado, artificioso y, finalmente, sin arraigo.

La mirada que sólo ve la naturaleza del paisaje y no lo que resulta práctica humana sobre el mismo (el caso de Tolstoi que analizó Thomas Mann) es una mirada de señorito que no asume el mundo del trabajo. Sólo para el dueño de la tierra o quien se identifique con él, puede ser mero paisaje un paisaje.

De intento, estas lecturas de la "naturaleza" argentina sólo se advierten en ella lo dominante de la llanura, su horizontalidad, el diseño de la gran hembra telúrica extendida sobre el suelo, indolente y contemplativa, como la amada que espera en su lecho al amante o echa de menos su abandono. En esto, *Sur*, aun cuando matizadamente y con un relevo generacional, no sale del mundo spengleriano congelado por Martínez Estrada.

Erro (*Análisis de nuestra estructura social*, 1948) desdeña los estudios sociológicos sobre la población argentina y hace mérito de los libros de Güiraldes, centrando el país en la figura del gaucho. Este, al revés que el campesino norteamericano, trabaja la tierra, pero no para modificarla, porque la ama pura y sola, sin aderezos. No tiene ambición, afán de lucro ni avidez. Es estático, primitivo, ajeno a la historia, igual a sí mismo: un sujeto oriental, silencioso, fatalista, conformista y socarrón ante la desdicha. Por ello, es imposible organizar una sociedad en el campo argentino, que resulta, para el pobre que arraiga en él, socialmente inhabitable. La cultura orgánica de la ciudad es inasimilable por el gaucho. Dicho esto en pleno intento de industrializar la Argentina, se entiende que el discurso apunta hacia una desvalorización del proyecto, ya que nada puede esperarse de un país agrícola y pastoril que no convierta su campo en una estructura auténticamente social.

Murena (*Condenación de una poesía* y *La dialéctica del espíritu ante la soledad*, 1948) diseña una imagen de país sin historia, obsesionado, por ello, por un nacionalismo que resulta falso, pues no proviene, como en las viejas nacionalidades, de una tradición opulenta y reivindicable como tal. El ser nacional argentino es el sentimiento de la soledad que produce la falta de lenguaje, que hace imposible la comunicación. Sus ciudades son paisajes vacíos que recorre el viento de la muerte (*sic*). "Los americanos somos europeos que hemos perdido todo derecho a la tradición y a los derechos europeos". En la llanura, el alma corre el riesgo de aniquilarse. Sólo un descenso a este pozo solitario y la lucha contra él puede producir un auténtico arte nacional, y no el impostado nacionalismo de Borges y los martinfierristas. Alberto Girri es propuesto como ejemplo de esta "voz nueva de un pueblo nuevo" (reverso de la nueva Argentina que en esos años proclama el peronismo, cabe agregar).

No todo es pacífico en este panorama, no obstante. Por ejemplo, Guglielmini (1932) reprocha a Keyserling su visión de la Argentina como la llanura, que propicia la inercia. Y Canal Feijoo, cuando aparece *Radiografía de la pampa*, de Martínez Estrada, seguida de *Historia de una pasión argentina* (1937) de Mallea, las contrapone (a mi entender, de modo muy arbitrario), censurando en Martínez Estrada su excesiva obediencia a las "fantasmagorías" de Keyserling. Los errores históricos y sociales de la historia argentina no se deben a fatalismos telúricos: la falsedad semicolonial de la Argentina es el resultado de su integración como país dependiente en el mercado mundial, única manera de que entrara, aunque defectuosamente, en la modernidad. EME ve las cosas desde una ideología estática y conservadora, tendiente al inmovilismo y al pesimismo paralizante, sin advertir cuál es el rol de las fuerzas productivas en la sociedad.

A su vez, Emile Gouiran dice lo mismo, pero esta vez de Mallea: la empresa argentinista del escritor no es histórica, pues propone una enigmática "reforma interior", basada en la soledad ensimismada y el silencio, forma pasiva del descontento ante la mediocridad de la Argentina oficial. La serena exaltación de la vida (parecen palabras de Mussolini) intenta dar existencia, por el amor y la fe, a algo que, para la razón, es dudoso. Y el mismo Martínez Estrada se contradirá (felizmente) en 1941, al escribir sobre Hudson, inglés que ha entendido como nadie el paisaje argentino (el reverso es imposible: ningún argentino entiende el paisaje inglés).

Si se lleva el asunto al plano continental, se advierte más claramente este daltonismo histórico de *Sur*. Una revista que se propone dar voz a América, prácticamente no se ha ocupado nunca de problemas históricos concretos del continente. Origen y esencia, pero no proceso, América es una abstracción estática para el mandarinato porteño. Y no es porque faltaran, en el pasado y en la contemporaneidad, eventos interesantes.

En México se registra el fenómeno de la institucionalización revolucionaria. En 1928 es elegido presidente y luego asesinado, Álvaro Obregón. Asume Portes Gil y Plutarco Calles funda el PRI (llamado entonces Partido Nacional Revolucionario). Es Jefe Máximo de la Revolución hasta 1934, cuando sube Lázaro Cárdenas. Hay las últimas rebeliones militares (1929) y Cárdenas organiza el presidencialismo a la sombra del maximato, siendo presidente del Partido y Secretario de Guerra, antes que Jefe del Estado.

La crisis mundial de 1929 provoca una serie de alteraciones políticas en América: golpes de Estado en la Argentina (Uriburu), Brasil (Getulio Vargas), Perú (Luis Sánchez Cerro), Bolivia (Carlos Blanco Galindo) y República Dominicana (Rafael Leónidas Trujillo), todos en 1930. En 1931, Jorge Ubico en Guatemala, guerra civil en Ecuador, alzamiento militar y efímera república socialista en Chile y directorio militar en El Salvador, con Maximiliano Hernández. En 1933 aparecen Grau San Martín en Cuba, Tiburcio Carias en Honduras y Gabriel Terra en Uruguay. En 1936, ocurre la revolución febrerista en Paraguay y Anastasio Somoza empieza su dinastía en Nicaragua. Bloques históricos como el APRA peruano, el Frente Popular en Chile, el Estado Novo en Brasil o la FORJA argentina pasan junto a *Sur* sin merecer ninguna atención. ¿No son la voz de América?

En 1940, la revista organiza un coloquio sobre relaciones interamericanas y sólo se menciona a un solo movimiento político concreto, el aprismo peruano. Los demás son abstracciones sobre la América internacional/atlántica y la tradicional/pacífica, blancos e indios (Mallea aconseja no dar a los indios la cultura de los blancos), la comunicación entre América y Europa, etc. En 1947, Alfredo Weiss y Enrique Revol organizan la sección *Calendario*, donde no aparecen noticias americanas. Por excepción, en 1943, Arturo Monfort reseña el libro de Dardo Cúneo sobre Juan B. Justo, de donde extraigo esta jugosa cita:

> El latifundio tenía oprimido al país, como en un cerco de bronce. El capital extranjero exprimía la salud y la vida del trabajador, en larguísimas jornadas, por salarios reducidísimos, dando por resultado la miseria y la desnutrición... La política del país se había transformado cuando Justo dejó de existir. Ya no era el parlamento argentino un lugar de reuniones de puros oligarcas, a veces reñidos entre ellos...

En el plano general de América ocurre lo mismo. Encontramos meditaciones de Keyserling (1931) y Caillois (1939) sobre la pampa como cifra de un más allá abstracto y un más acá sin historias, notas de Alfonso Reyes sobre la identidad de América (1931, 1936, 1938, 1940) donde sostiene que el continente está aún por descubrirse y que debe ser visto por los europeos no como un niño por un adulto, sino como contemporáneo, ya que América no es exótica ni pintoresca, sino patética. Mallea (1939), en su carta a Montherlant, repite a Ortega: América es la pura actualidad, carece de pasado. Victoria, acerca del cine norteamericano (1947), defiende la facultad del nuevo continente de asimilarlo todo, y pone como ejemplo a Hollywood. Luego hay artículos de viajes por Brasil de Reyes y Eugenio d'Ors (1931), sobre la danza en México de Guillermo Giménez (1932), sobre cine mexicano de María Rosa Oliver (1947) y diversas crónicas sobre pintura y música. Victoria, tempranamente (1931) se refiere al fotógrafo norteamericano Alfred Stiegliz (1864-1946), inventor de la llamada "fotografía directa", que salía a las calles invernales de Nueva York o al campo, en plena cosecha, para captar imágenes sin composiciones que intentaran copiar la pintura romántica. Victoria ve en Stieglitz una cifra de América, la imagen de cosas en sí que no tienen historia. A la belleza europea contrapone la vida americana.

Sobre música americana hay artículos de Ansermet, Leopoldo Hurtado, Enrique Bullrich, Juan Carlos Paz, Alberto Ginastera, aunque, en general, son crónicas de actualidad. Temas indígenas americanos son abordados por Alfred Métraux, Canal Feijoo, Angélica Mendoza (situación social del indio boliviano, 1940).

Más programática es la revista, sobre todo al comienzo, en materia de arquitectura. Como parte de su sensibilidad neoclásica conceptual, hay la defensa del racionalismo arquitectónico, representado por Walter Gropius en la Bauhaus y por Le Corbusier, que anuncia el comienzo de una nueva latinidad sudamericana, basada en el orden y la luz, frente al modelo de la ciudad abigarrada y de altura que proponen los Estados Unidos. Richard Neutra (*Alojamiento y democracia*, 1946) defiende la civilización industrial en tanto populariza el diseño moderno, mientras que, en el pasado, el buen diseño era un artículo de lujo. Los conceptos de calidad y comodidad son alterados por la historia y hoy un asiento de automóvil tiene más importancia que el sillón cortesano.

Victoria y Alberto Prebisch se encargan de denostar a Buenos Aires, ciudad de advenedizos que prefieren el pastiche y la falsificación a la autenticidad. A la hermosa ciudad criolla, austera y cabal, ha seguido una ciudad de pacotilla. Victoria defiende el interior racionalista, despojado y como de casa recién asaltada, al compacto salón-estuche de la *belle époque*, fatigado de trastos inútiles y de antigüedades de imitación. Tan malo es el rastacuerismo del rico como la imitación servil del pequeñoburgués. Sólo las viejas quintas dan un ejemplo de dignidad que ahora recogen las construcciones industriales. En 1948 pedirá una "dictadura de los que más saben" para educar el gusto de las multitudes en materia arquitectónica (y en otras materias, tiro por elevación al gobierno del momento). La secuencia es clara: al bello país patricio ha sucedido un feo país burgués, y el mandarinato tiene el deber de educar a las masas en el culto a los perdidos valores señoriales. La superstición progresista ha afeado las ciudades y la abundancia material, exterminado el decoro de antaño. Lo único que puede arreglar las cosas (y las casas) es un terremoto, según reflexiona Prebisch en 1931.

GENERACIONES

Sur, sin decirlo expresamente, se funda como revista generacional. La integran los jóvenes del veinte, que han pasado por la experiencia de las vanguardias, y que son maduros a los treinta, después del llamado al orden y la conversión a un neoclasicismo racionalista, desafecto a toda experimentación. Estos intelectuales se desmarcan claramente de sus padres, y así es que los escritores mayores de la Argentina no aparecen para nada en *Sur*, con excepción de Macedonio Fernández (llevado seguramente por Borges) y Baldomero Fernández Moreno, el cual, por esos años, ha abandonado el realismo suburbano y escribe una poesía intimista y reflexiva (*Sonetos a la penumbra*). Por excepción, Borges reconoce a Lugones como su padre al producirse el suicidio del maestro (1938). En cualquier caso, las referencias argentinas van a los fundadores (generaciones del 37 y el 80) y se saltean el proceso intermedio.

Sobre Macedonio exclama González Lanuza(1941): "Considero a Macedonio el autor más extraordinario que haya producido América, y una de las más iluminadoras vislumbres de la Conciencia de todos los tiempos". A la vez, se pueden leer estudios de Pilar de Lusarreta sobre Eduardo Wilde y de Julio Irazusta sobre Lucio Mansilla.

Constantemente, se van incorporando escritores más jóvenes, que van diseñando, notoriamente en el campo de la poesía, un espacio neoclásico y apelando a modelos repetidos (Juan Ramón Jiménez, Valéry y Eliot, sobre todo): Juan Rodolfo Wilcock, Estela Canto, Patricio Canto, Vicente Barbieri, Raúl Gustavo Aguirre, Arturo Jacinto Álvarez, Helen Ferro, César Fernández Moreno, Daniel Devoto, Eduardo Lozano, José Isaacson, Osvaldo Ruda, Emilio Sosa López, León Benarós, María Elena Walsh. El límite entre la primera y la segunda época de la revista conviene colocarlo en el número 163 (mayo de 1948), donde aparecen Héctor Alberto Murena (*Imago Amoris*), Julio Cortázar (*En la muerte de Antonin Artaud*) y Enrique Pezzoni (reseña a los *Ensayos* de Enrique Anderson Imbert).

LA POLÍTICA INCLINA LA TORRE

Sur se funda como revista apolítica, en el sentido de no responder a ninguna bandería precisa, y liberal, si por ello se entiende un espacio en que puedan expresarse tendencias contrastadas. Tampoco tendría sentido ser partidariamente liberal, ya que el liberalismo es inclusivo por definición. Dentro de ciertos parámetros, este programa se cumple entre 1931 y 1934. Si se observan las firmas de los colaboradores, se advertirá un espectro amplio que va desde la izquierda (Jules Supervielle traducido por Rafael Alberti, Elías Castelnuovo que informa en 1932 sobre la literatura rusa, Vladimiro Acosta y María Rosa Oliver) hasta la derecha (Ernesto Palacio, Julio Irazusta, Homero Guglielmini, Francisco Luis Bernárdez), dejando en el centro al grueso de una inteligencia laica y liberal de variado y vacilante signo político, a la cual bandean los acontecimientos, a partir del citado 1934, al campo del antifascismo.

Este encuadre es político por alusión. Que *Sur* no se banderice no quiere decir que, desde su fundación, sea señorialmente indiferente a los problemas políticos. Ocurre que el nivel de discurso en que se tratan es suficientemente abstracto como para dar lugar a matices bastante amplios. La figura esencial es la mudanza que obliga a los propietarios a cambiar de casa y, entre tanto, a vivir provisoriamente en un hotel. Es la llamada crisis de los valores de la entreguerra, descrita en los textos canónicos de Valéry, Ortega, Madariaga y Benda.

El desorden valorativo implica la necesidad de una restauración del orden y un replanteo de las jerarquías, tema mussoliniano por excelencia y que aparece en textos de Victoria y de Mallea cercanos a su viaje a Italia. También se enrolan en esta línea las reflexiones de Keyserling sobre el resurgir mediterráneo, tesoro de energías que responderá a las grandes creaciones de la Europa nórdica (capitalismo y comunismo). Victoria recordará con amargura la fuerte impresión que le produjo el encuentro con el Duce en el Palazzo Venezia, en 1935, cuando, en 1939, comience la guerra que enfrenta a sus devociones de entonces: la Italia fascista y la Inglaterra democrática:

> Había en él —y no hago sino repetir lo que escribí entonces— algo directo, brutal, macizo, imperioso como su cara, cuya fuerza incontrastable seduce por las mismas razones que una catarata. Pero una catarata sólo puede seducir, en nosotros, al turista, es decir al que la admira de paso. No se nos ocurriría establecer nuestro domicilio al borde de esa caída.

El punto de vista del mandarinato recurre a una temática conocida: la historia progresa, pero el progreso es poco fiable, ya que, a mayor luz, mayor sombra. Los cambios sociales son buenos en tanto los inspira el amor y no el resentimiento, que degrada la democracia y el socialismo. Hay que corregir las desigualdades artificiales entre los hombres, las que nacen del privilegio económico, para preservar y exaltar las desigualdades naturales, que hacen a la existencia de las minorías egregias. En 1935, a propósito de Gide (que acaba de cerrar su experiencia política pasando por el comunismo), Victoria se lanza contra los políticos profesionales por su pequeñez y su papanatismo, y reivindica la misión pedagógica de las minorías selectas sobre las clases ricas y pobres. Mallea se incluye en el mismo espacio con dos textos (*El escritor de hoy frente a su tiempo*, de 1935, y *Sentido de la inteligencia en la expresión de nuestro tiempo*, de 1938). Se queja valeryanamente en nombre del espíritu contra el desorden y la anarquía, y propone al intelectual como el mártir que canta en la hoguera para que los hombres recuperen su relación con su propia esencia. El proceso va de la noche al día, del odio al amor, de la dispersión a la unidad. Se trata de participar y de dar, pero entendiendo que la índole del problema no es política, sí acaso de política del espíritu, o sea moral. El intelectual debe dar ejemplo de verbo insobornable, aunque se nos escapa qué deba decir este verbo a los hombres de a pie. En cualquier caso, el narcisismo del mandarín, que se imagina santo, resulta un tanto excesivo si se lo compara con la escualidez programática de su discurso.

El asunto de la crisis y la reconstrucción de las elites es una constante de *Sur* y atraviesa sus variables políticas. Así lo prueban textos como *Inteligencia y personalismo* de Emmanuel Mounier (1938), el debate de 1941 sobre la responsabilidad moral del escritor, a propósito de *Los irresponsables* de Archibald Mac Leish (con Carlos Cossio, Francisco Ayala, Lorenzo Luzuriaga, Erro y otros), la entrevista de Valéry con Roger Lannes en que confiesa que no hay fábrica de elites, *El problema moral de nuestro tiempo* de Benedetto Croce (1945) y un trabajo de Arthur Koestler sobre la gratuidad de la intelligentsia (1946).

El centro del problema es la restauración de creencias, en el fondo, religiosas, que la humanidad ha perdido y no ha podido suplantar. La verdad existe, objetivamente, más allá de los hombres particulares, y por eso el intelectual no puede ser indiferente a su suerte. De ahí la necesidad de someter el arte a la moral y de comprometer políticamente al escritor. El intelectual puro ha contribuido a la barbarización de

Occidente, entregándose a vanos juegos de ingenio y desentendiéndose de su misión pedagógica. Los ejemplos abundan entre los simpatizantes del mundo fascista (Ernst Jünger, Ezra Pound, Henri de Montherlant) pero la lista se podría ampliar generosamente echando mano a los libros de Benda.

Al acabar la guerra, Croce vuelve a enaltecer el rol de la minoría, verdadero centro energético de la historia, pues el movimiento no es de la masa a la elite, sino al revés. El arte, por ejemplo, si bien toma su materia en las pasiones de todos los hombres, se hace con obras de perfección formal que sólo producen unos pocos. Y así en el plano del pensamiento donde, casualmente, ningún pensador socialista ha surgido de la clase obrera. Croce avanza tanto contra el materialismo histórico, que sólo ve en el espíritu una máscara de las fuerzas económicas, como contra el romanticismo, que es una irracionalidad sin religión trascendental.

Entre estos límites, *Sur* acoge expresiones del pensamiento democrático (la crítica de Francisco Romero a *La rebelión de las masas* de Ortega en 1931 y un texto de Benda de 1936 en que reivindica la democracia como la verdadera dominación de las elites, seleccionadas racionalmente) y del pensamiento fascistoide de Ernesto Palacio y Julio Irazusta, que arremeten contra la burguesía, contra su materialismo y su sentido profano de la vida, que ha engendrado, por igual, al capitalismo y a su expresión más corrupta, que es el comunismo. En un texto de Aldous Huxley (*Pigmalión contra Galatea*, 1931), se anticipan algunas de las tesis que Adorno y Torkheimer arriesgarán, más tarde, en su crítica a la Ilustración: el desarrollo técnico, invento del hombre para liberarse de la opresión de la naturaleza, se vuelve contra el hombre que lo engendra.

El año de receso 1934/1935 marca una vuelta decisiva en la crisis política de *Sur*. Si, por un lado, se produce el máximo acercamiento de Victoria y Mallea al fascismo, por otro, aparece en el horizonte el régimen nazi y la crisis africana enfrenta a Mussolini con los ingleses. De 1934 es, precisamente, la primera incursión antifascista de *Sur*, un artículo de Waldo Frank sobre la persecución a los judíos en Alemania.

De allí arranca un proceso que lleva al posicionamiento editorial de la revista como tal: *Posición de Sur* (agosto de 1937) y *Nuestra actitud* (setiembre de 1939, comienzo de la guerra mundial). El primero es una respuesta a la acusación de la revista católica *Criterio* sobre el supuesto comunismo de *Sur* y es una reivindicación mandarinal que se convierte en democrática:

> No nos interesa la política sino cuando está vinculada con lo espiritual. Cuando los fundamentos mismos del espíritu aparecen amenazados por una política, entonces levantamos nuestra voz... Queremos continuar en la tradición profunda de nuestro país que es una tradición democrática.

El segundo texto es una toma de posición en favor de las democracias (Inglaterra y Francia) agredidas por los fascismos con la neutralidad rusa:

> Conocíamos, sí, las deficiencias de los regímenes democráticos —deficiencias inherentes a todo lo humano—. Pensábamos que podían corregirse y que eran, de cualquier modo, preferibles al sistema de bárbaros atropellos y al ordenado desorden de los totalitarismos. Lo que ignorábamos era hasta qué punto de farsa, de indignidad, de traición y de vileza organizadas podían llegar las dictaduras de izquierda o de derecha. Ahora lo sabemos.

En medio, queda la posición de la revista ante la guerra civil española (1936-1939) que se trata por separado.

Desde luego, la posición más profundamente antifascista es la de Frank, cuando reprocha a los judíos norteamericanos su mezquino boycot a Hitler, limitado a un problema racial, cuando, en realidad, están en juego principios generales de dignidad humana. Frank propone a los judíos recuperar a sus profetas (Spinoza y Marx) y librar una batalla por la justicia

social y contra el capitalismo en los espacios "vírge-
nes" de la historia (Rusia, China, América), so peligro de desaparecer.

Sería largo detallar la serie de textos antifascistas
publicados por *Sur*, sobre todo en secciones anónimas como *Galeradas* y *Calendario*, debidas, en parte,
a José Bianco y Ernesto Sabato (éste, llevado por
Henríquez Ureña, hará este tipo de notas hasta mediados de 1943 y se atribuye a una de ellas la ruptura
de Ortega con la revista). Destaca la polémica de
Juan Marinello con Mallea, acusado por aquél de
fascistizante, en la que tercia Luis Alberto Sánchez.

Bernard Shaw (*Fascismo*, 1937) prevé la ruina de
la civilización europea por el triunfo del fascismo,
que es el extremo del eficientismo anónimo y que
tiene en el comunismo su versión socialista.

> Siempre existe una tendencia práctica hacia el
> fascismo, sin contar con el hecho de que el ciuda-
> dano medio es un fascista por naturaleza y por
> educación, y de que los reformadores y revolucio-
> narios son para él únicamente una minoría de ma-
> niáticos sediciosos.

En este posicionamiento de la revista aparecen los
escasos ejemplos de encontronazos políticos concretos
con sectores de la política argentina, sobre todo por
el giro pro nazi de los gobiernos de Castillo y Ramírez. Se recuperan, notoriamente los conflictos de los
católicos con los gobiernos fascistas y las posturas
del catolicismo belga y francés sobre el tema. Augusto Durelli considera mártires a los pueblos persegui-
dos por el fascismo (vascos, etíopes, judíos). Nimio
de Anquín y Carlos Astrada (antiguo colaborador de
Sur) son atacados por utilizar su cátedra universitaria contra la democracia. Mientras David Vogelmann
considera al nazismo un triunfo de la civilización material y técnica sobre la cultura (es decir: la barbarie), Borges lo entiende como la exacerbación de la
tendencia ingenua del hombre a considerar superior
lo propio sobre lo ajeno.

Tal vez, el trasfondo concretamente político de
Sur fuera una suerte de catolicismo progresista a la

francesa, de la línea Jacques Maritain y de las revistas como *Esprit*, *Ordre Nouveau* y *Sept*, cuyo equivalente más cercano era la madrileña *Cruz y Raya* de José Bergamín, clan rival del orteguiano en los años inmediatamente anteriores a la guerra civil española. Este es otro punto de roce con la Iglesia, que nunca se interesó en la existencia de un concreto partido demócrata cristiano según intentara hacerlo Rafael Pividal (1896-1945), discípulo argentino de Maritain. Precisamente, el primer debate organizado por *Sur* (1936) cuenta con Louis Ollivier, de *Ordre Nouveau*, y trata sobre *Misión o demisión del hombre*, todavía en una línea de amplio humanismo mandarinal, que reúne a gente comunista (Faustino Jorge, Gregorio Aráoz Alfaro) con nacionalistas (Ramón Doll, Ernesto Palacio). Ollivier propone una llamada Revolución Necesaria, distante del comunismo y del nazismo, con parte de su economía estatizada, pero no centralizada, sino autogestionaria. Una civilización industrial sin desocupación y sin dictadura es el ideal.

En cuanto a la política argentina, las quejas de la revista se limitan a las prohibiciones de libros, filmes y piezas de teatro que atacan al nazismo, al hecho de que Frank es declarado persona non grata en 1942 y a actos de terrorismo de organizaciones pro nazis. Sabato se ocupa regularmente de estos temas. El 8 de agosto de 1946, Borges renuncia a su puesto municipal coaccionado por el gobierno peronista como firmante de un manifiesto democrático (que él califica de "temerario"). Considera que el nazismo, derrotado, en Berlín, se ha refugiado en "otras regiones". Es un ejemplo aislado de concreto antiperonismo en la revista.

Lo más interesante de este período, en cuanto a lo político, es la actitud de la revista, como tal, ante la guerra de 1939. Desde el comienzo, *Sur* toma partido por los aliados y, cuando se produce la entrada de Estados Unidos en el conflicto, propone que la Argentina, junto con el resto del continente, se incorpore a la batalla mundial antifascista. Por ello no deja de resultar curioso que, en 1939, Erro, celebre la guerra como un buen negocio para una Argentina neutral, proponiendo un programa económico que recuerda al nacionalismo de la época, luego reforzado con el advenimiento del peronismo. Una propuesta de autonomía económica implica repatriar la deuda externa, controlar las inversiones extranjeras en empresas de servicios públicos, afianzar la industria nacional para vender en unos mercados sudamericanos descuidados por los ingleses (que se concentran en su esfuerzo de guerra), comprar materia prima barata en los países atrasados de la región y crear marina y línea aérea nacionales.

Señalo esto en favor del genio paradójico de la historia, pues la posición de fondo de la revista, sostenida por Victoria y por Federico Pinedo, es, justamente, la contraria: la neutralidad no sólo es inconveniente, porque vale como complicidad de las fuerzas malignas que operan en el mundo, sino que es fácticamente imposible, ya que el mercado mundial se ha unificado y lo que ocurre en un punto del planeta ocurre en todos los demás. Una Argentina neutral correrá la suerte de Holanda y Bélgica: ser avasallada por algún imperio. Contra la opinión de los germanófilos y los anglófilos, debe entrar en la guerra del lado norteamericano y participar en la remodelación mundial de la posguerra, a riesgo de descolgarse de la historia. A los alemanes les convenía la neutralidad argentina para descargar fuerzas del bando contrario, y a los ingleses para asegurar sus abastos de guerra. Sea cual fuere la opinión que nos merezca el doctor Pinedo, su razonamiento no deja de ser agudo, y los casos de Canadá, Australia y Brasil están a la vista para cotejarse con la Argentina. La posición se concreta en el número de diciembre de 1941, posterior a los ataques japoneses contra Estados Unidos. Erro, dejando de lado antiguos pacifismos, exalta las virtudes del combate:

> ...hay que recordar que las guerras ejercen una función creadora para el bien o para el mal, importan siempre un gran alumbramiento, y los hombres que participan en ella juegan su vida para defender algo que la misma guerra necesariamente modificará.

Borges, en cambio, en lo más hondo de su escepticismo liberal, descree de todo poder modificador de la historia:

> Hombres ya fulminados por Juvenal rigen los destinos del mundo. No importa que seamos lectores de Russell, de Proust y de Henry James: estamos en el mundo rudimental del esclavo Esopo y del cacofónico Marinetti. Destino paradójico el nuestro.

En 1945, cuando la guerra acaba con la victoria aliada, *Sur* dedica un número a la paz (faltan Hiroshima y Nagasaki, pero la paz en Europa es la paz en "el mundo" y González Lanuza dice que la guerra en el Pacífico es tan lejana como si ocurriera en la Luna, a pesar del estrecho de Magallanes). He allí un escenario crítico, que volverá a poblarse en 1955, con la caída de Perón. Mientras Victoria y Sebastián Soler interpretan el hecho desde un punto de vista idealista (ganaron las inderrotables fuerzas del bien, ha perdido Maquiavelo), Borges celebra el evento, en página no muy feliz, como un triunfo de los buenos, que son los ingleses, pues, a pesar de todo, ellos no son utopistas ni prometen paraísos, sino que son capaces de rectificarse y "de volver a librar, cuando la sombra de una espada cae sobre el mundo, la cíclica batalla de Waterloo" (símil desafortunado, pues en Waterloo, precisamente, los ingleses lucharon junto a los antecesores del fascismo). Juan Adolfo Vázquez, Canal Feijoo y Guillermo de Torre son pesimistas en cuanto a la posguerra, donde seguirán dominando criterios militares de enfrentamiento, ya que el mundo ha sido fascistizado por la convivencia con las dictaduras.

El único razonamiento histórico del grupo corre por cuenta de Sabato, que intenta razonar históricamente la historia. El fascismo no es un fenómeno italiano ni alemán, sino capitalista, y muestra la incapacidad del sistema para canalizar las fuerzas productivas desencadenadas. Hay un desajuste entre el modo de producción y el sistema productivo, tal que condiciona infinitas guerras. Si no se socializan la producción y el consumo, la paz será estéril y, para ello, propone el programa del laborismo inglés.

Al año siguiente, Camus (*Carta a un amigo alemán*) sostiene la tesis idealista de que los franceses ganaron porque defendían la verdad ante la mentira alemana. A fuerzas iguales, la verdad vence por una suerte de inercia moral de la historia (en rigor, Francia fue derrotada en 1940, pero Camus es francés).

> Luchamos por ese matiz que separa el sacrificio de la mística, la energía de la violencia, la fuerza de la crueldad, por ese matiz aun más débil que separa lo falso de lo verdadero y el hombre que soñamos de los dioses cobardes que vosotros reverenciáis.

Durante todo este tiempo, la revista sigue sosteniendo tesis concretamente liberales, pacifistas y antirracistas, con los matices que acabamos de ver. Se repiten valores como la tolerancia, el universalismo, la no violencia de tipo gandhiano, la necesidad de reajustar el capitalismo liberal con reformas sociales, Caillois echa la culpa de todo a Rousseau (el pacto social avasalla las libertades humanas respetadas por las antiguas monarquías constitucionales), James Burnham anuncia el fin de la burguesía y la dictadura de los técnicos y Enrique Revol no sale de la noche del pesimismo lúcido, pues vivimos la época de lo que no se resigna a morir y lo que no se atreve a nacer.

Otra línea conflictiva de la revista es el pacifismo. Huxley (*Pequeña enciclopedia del pacifismo*, 1938) entiende que la paz no es un valor en una sociedad competitiva, que exalta el triunfo y el éxito, y concluye, con Spengler, que la guerra es inherente a la realidad de la vida, que es la lucha, y que la paz es un mero ideal. Guillermo Pastor (*Digresión sobre los libros de guerra*, 1942) será, en cambio, radicalmente pacifista: la guerra no puede razonarse, no hay guerras buenas ni santas, toda guerra es esencialmente perversa. Especial importancia cobra la consideración de la no violencia de Gandhi, admirado por Victoria, ya que él, si bien sostiene que no hay que tomar las armas contra los ingleses, apoya a los chinos contra los japoneses. El uno de octubre de 1942, la revista organiza un debate sobre Gandhi, en que flota, sin mencionarse, el tema de la relación Inglaterra-Argentina bajo la metonimia Inglaterra-India. El pacifismo no le impide a Gandhi apoyar a los aliados en la guerra mundial, con la esperanza de que los ingleses concedan la independencia, no sólo a los musulmanes, como lo proyectan, sino también a los hindúes. En una prefiguración de lo que será el inmediato Tercer Mundo, Gandhi (y, sobre todo, Nehru) conciben una alianza India-Rusia-China, ante la común amenaza japonesa. En definitiva ¿es peor para los indios una colonización fascista o democrática? ¿Hay que exterminar a los ingleses, no tan sólo boycotearlos, o sea exterminar su ciencia, su medicina, sus máquinas?

Humanista y liberal, *Sur* es, desde luego, antirracista. He allí los textos del biólogo Jean Rostand (1939) y una aguda reflexión de Valéry (1940):

> El racismo es una expresión de debilidad y de temor; es la teoría indicada para un pueblo que teme ser digerido, asimilado o disuelto, pues se siente profundamente incapaz de digerir o asimilar los elementos extranjeros con los cuales se pone en contacto. No concibe sino dos formas de deshacerse o preservarse de ellos: eliminarlos o esclavizarlos.

Entre los aliados, menudean las críticas. Hay que dividir las dirigidas a la URSS, que vienen desde el comienzo de la revista, y las que van a las democracias, en especial a los Estados Unidos.

Sur es una revista moderadamente antisoviética, cuyas críticas se dirigen, sobre todo, a la defensa del mandarín bajo una dictadura: denuncias por falta de libertades públicas y sometimiento del arte a los fines rígidos de un Estado totalitario. Durante el período en que la URSS es neutral en la guerra, se registran algunas pullas anónimas que intentan volcar a los rusos en el frente antifascista. Una galera anónima de 1939 dice:

> Paulatinamente hemos visto a la URSS desentenderse del mundo, traicionar al comunismo, aburguesar la sociedad soviética, sustituir la dictadura del proletariado por la dictadura de una burocracia sobre el proletariado y, no satisfecha con prescindir de las virtudes que rescatan los abusos e imperfecciones de las democracias, imitar a los totalitarismos de derecha en sus costumbres más odiosas.

Otra galera anónima (1940) dice:

> *A los comunistas.* ¿Por qué abandonan la posición antifascista al empezar la guerra? ¿Por qué entienden la guerra no como la oposición democracia/fascismo, sino como una lucha entre imperios? Si se comportan como agentes engañados o conscientes de un imperialismo extranjero que toma, para seducirlos, la máscara de la revolución social, entonces cabe declarar que no son otra cosa que esclavos y que el suelo argentino no se hizo para ellos. Pedimos que se definan.

El mismo año, otra galera, comentando *Dictature ou liberté* de Louis Marlio, define al leninismo como una religión y a la URSS como una Iglesia (lo mismo que Borges hace con el fascismo) y se replantea la constante disputa del mandarinato con las Iglesias constituidas.

Una crítica radical a la URSS puede leerse en el trabajo de G. P. Fedotov (*Rusia y la libertad*, 1946) donde se sostiene la tesis de la insuficiente occidentalización de Rusia, heredada por la revolución comunista. Un Estado autócrata (Moscú) apoyado en la nobleza territorial domina una zona fronteriza entre el catolicismo y Bizancio. El choque de culturas produce un nihilismo despótico, que es tomado por la *intelligentsia* durante la revolución, eliminando a los demás sectores e instaurando un régimen de trabajo carcelario. Un chovinismo militarista y mesiánico propone a Rusia como la Nueva Roma que salvará al mundo.

Las críticas a los Estados Unidos corren por cuenta de Frank, como hemos visto, y de un agudo texto de Archibald Mac Leish (*El arte de la buena vecindad*, 1940), quien reprocha a su país su total indiferencia por la periferia del mundo (por ejemplo: tanto da que la India sea inglesa o alemana). Un sentido misional de la historia teñido de hipocresía redunda en mero imperialismo. Estados Unidos se anoticia más de Europa que de América misma.

Otros textos, algunos de la propia Victoria, critican la indiferencia egoísta de las democracias ante el fascismo y denuncian en qué medida esto ha colaborado al auge totalitario en el mundo. China, España, Checoslovaquia, Albania, fueron los antecedentes de Petain y su final traición, sostienen Georges Bernanos (*Carta a los ingleses*, 1941). Sabato y Vogelmann polemizan acerca de si alemanes y nazis son lo mismo, entendiendo el primero que no y que es inválido oponer un racismo a otro.

En la posguerra, cobra especial importancia la falta de elementos sobre las campañas macartistas en los Estados Unidos. Sólo se registra la defensa que Oliver y Juan Ramón Jiménez hacen de George Wallace, acusado de estalinista. También hay una protesta anónima por el juicio a Ezra Pound, internado en un hospital psiquiátrico, esta vez acusado de fascista.

LA GUERRA CIVIL ESPAÑOLA

La guerra civil, que empieza el 18 de julio de 1936, llega a *Sur* sólo el año siguiente, con el artículo de José Bergamín *La máscara de la sangre*. Antes de él, hay una mención a los eventos españoles al darse cuenta del congreso que el PEN Club celebra en Buenos Aires, y al cual no pueden asistir los miembros del Centro Madrid, dada la situación. Sólo acude Enrique Díez Canedo, embajador en Buenos Aires.

Las páginas de Bergamín bien merecen pasar a la antología de la guerra santa. Identifica la revolución española con la verdad revelada y la voz popular con la divina. "El hombre cristiano es contemporáneo de su muerte y extemporáneo de su vida. Por eso profetiza su historia. Por contemporizar con la muerte". Su comentario a "la bárbara sublevación de los militares rebeldes" es:

> A todos los Pilatos intelectuales que preguntan por nuestra verdad, responde nuestro pueblo con el grito vivo de su sangre. Silenciosamente, con su martirio, como Cristo.

Estas palabras, que podrían haber sido escritas por algún propagandista del otro bando, poniendo a Dios de su parte, claro está, contrastan con el intento de Guillermo de Torre, que desde el destierro francés, ensaya rescatar un final antifranquista de Unamuno, y luego polemiza con Antonio Sánchez Barbudo (director de *Hora de España*, en Valencia) acerca de arte libre o dirigido, acusando a los comunistas de usar los mismos métodos que los fascistas, sometiendo el arte a la propaganda, aunque sus fines sean diversos. La revista empieza a publicar artículos de escritores españoles desterrados por la guerra y noticias en que se denuncian atropellos y persecuciones de los franquistas, tomando abierto partido por la causa republicana.

En 1939 se constituye la Comisión Argentina de Ayuda a los Intelectuales Españoles "cuyo único propósito consiste en allegar los fondos necesarios para liberarlos de los campos de concentración, socorrer a los que se encuentran en Francia y proporcionarles los medios necesarios para que se trasladen a los países donde les sea posible reanudar su vida y su trabajo". Esta comisión está poblada por colaboradores de *Sur* como su presidente, Francisco Romero, la prosecretaria, María Rosa Oliver, y vocales como Borges y Mallea. En este orden hay que tener en cuenta que, por esa época, Alfonso Reyes, del comité de *Sur*, es embajador de México en Buenos Aires, y que México es casi el único apoyo diplomático de la República Española en América.

Los colaboradores de *Sur* de origen español aumentan durante la guerra civil y en la posguerra, reclutándose exclusivamente en el bando republicano. Los escritores residentes en España no participarán de la revista durante décadas, lo mismo que los sostenedores intelectuales de Franco. La lista total sería extensa y baste recordar algunos nombres, tal vez los más frecuentes y conocidos: Rafael Alberti, Francisco Ayala, Ricardo Baeza, Américo Castro, Rosa Chacel, Álvaro Fernández Suárez, José Ferrater Mora, Juan Gil Albert, Jorge Guillén, Juan Ramón Jiménez, José Moreno Villa, Segundo Serrano Poncela, Pedro Salinas, Arturo Serrano Plaja, Guillermo de Torre, María Zambrano y Concha Zardoya.

En el centenario de Menéndez Pelayo, de Torre intenta rescatar aspectos liberales del escritor y contrarrestar la ola de elogios integristas que surge de la España oficial. En 1945, Ricardo Gullón envía una *Carta de España* en que traza un rápido y opaco panorama de la literatura española, de la que sólo destaca la poesía de los jóvenes (Carlos Bousoño, José Hierro, Julio Maruri, José María Valverde) y la crítica de la misma. El gusto de los lectores está atrasado y las tertulias, en decadencia. El teatro es nulo y la narrativa, floja.

MARX

En este renglón podemos considerar que *Sur* mantiene una línea de respetuoso pero invariable cuestionamiento desvalorizador del marxismo.

En 1938, Augusto Durelli examina el *Manifiesto Comunista*, cuestionando la existencia de leyes económicas en la historia y reivindicando el rol histórico de las mentalidades. La burguesía no sólo piensa como tal porque es burguesía, sino al revés: es burguesa porque piensa como tal.

En 1941 Roger Caillois publica *Destino del materialismo histórico*, a propósito de *El materialismo histórico de Federico Engels* de Rodolfo Mondolfo. Examinando algunas aporías del marxismo clásico, se pregunta ¿para qué la actitud moral de elegir la revolución como lo bueno, si ella es inexorable, según demuestra la ciencia marxista? ¿Explica el marxismo al marxismo como históricamente determinado y, en su caso, cómo pretende explicar a las demás doctrinas por el mismo método? Caillois concluye que el marxismo no es una ciencia, sino un dogma religioso que sirve para distinguir lo revolucionario de lo reaccionario, siendo el PC la Iglesia de la revolución. En contra de las predicciones de Marx, que exigen ser resituadas históricamente, el comunismo es derrotado por el fascismo en los países industriales y llega al poder en una nación agrícola y atrasada. Con todo, Caillois deslinda a Lenin de Marx, definiendo al leninismo como un activismo más cercano de Sorel y Clausewitz que de la concepción marxiana de la violencia. Las "minorías actuantes" evocan a los nihilistas rusos como Netschaiev.

Etiemble (*Dialéctica materialista y dialéctica taoista*, 1941) previene sobre el peligro de fundar la política en la metafísica, que se ocupa de lo eterno e invariable, pues así se desemboca en el totalitarismo. Las políticas son siempre temporales y se hacen para lo temporal. La bajeza y la matanza provienen de que las sociedades esperan la prometida perfección, la felicidad absoluta, el prodigio. "El hombre no es la medida de todas las cosas, pero nada que no le esté a medida le sirve".

En 1947, Julien Benda ataca la dialéctica materialista por considerarla irracional. Cuando la razón se identifica con las cosas y no se forma opiniones sobre ellas desde el exterior, se convierte en una mística (esto podría decirse de toda dialéctica y el razonamiento de Benda resulta un tanto especioso, aunque explicable en un kantiano como él, necesitado de la extrañeza de la razón en un mundo de fenómenos).

FREUD

El psicoanálisis figura en la lista de las más perdurables fobias de *Sur*. Supongo que en ello intervienen razones muy puntuales, como el gusto personal de Victoria, un prejuicio de buen tono (hablar de ciertas partes del cuerpo no es elegante ni aun entre audaces mandarines), alguna distancia frente a la complacencia de la burguesía advenediza con el diván, una actitud general poco propicia al análisis y más inclinada a la opinión, la impresión o el rasgo de ingenio. Por lo mismo se buscará en vano, en *Sur*, artículos sobre analítica del lenguaje o, más genéricamente, sobre la validez del lenguaje como tal, analizada por la filosofía. Es como si los escritores de la revista estuvieran muy seguros de su plenitud expresiva y no dudaran jamás acerca del alcance de su elocución. Pues, como dice un joven psiquiatra que Victoria trata en el París de 1930 (me refiero a Jacques Lacan, para más datos novio de Silvie Bataille y médico de Luchino Visconti, un muchacho italiano que intenta aprender cine junto a Jean Renoir) el psicoanálisis es, entre tantas cosas, una meditación sobre el lenguaje.

En 1939, la muerte de Freud merece esta escueta galera anónima:

Exageró con la unilateralidad de los ensimismados y hasta falseó la índole humana. Tan sutil para percibir los meandros oscuros de la subconciencia, a menudo era torpe en la apreciación de los valores espirituales del hombre. Su obra, ya suficientemente discutida, cumplió su misión y ahora quedó atrás. Ha muerto Freud, glorioso y superado.

Luego, en 1948 encontraremos nuevas objeciones a Freud, esta vez firmadas por Abraham Rossenvaser y Lawrence Durrell.

ORIENTACIÓN FILOSÓFICA

Aunque en este campo tampoco *Sur* es programática, puede diseñarse cierto perfil filosófico que van cristalizando sus páginas. El punto de partida existencial alinea la revista en un campo de la filosofía, que no incluye a otros campos. Heidegger, el gran maestro existencial de la época, hace su temprana aparición con la traducción que Raimundo Lida propone de *¿Qué es metafísica?*, la célebre conferencia de Friburgo de 1929 y que la revista da en 1932. Luego hay textos de Astrada y de Levinas sobre Heidegger y también sobre cierta "constelación heideggeriana" que se repite en el discurso de *Sur*: Kierkegaard, Dostoievski, Pascal, alternando con alguna página suelta sobre Scheler, del mismo Astrada (que venía de ser discípulo de Heidegger y precoz lector del joven Marx). Esto implica elegir y desmarcarse de campos como la filosofía de la vida, la dialéctica, el idealismo, el espiritualismo, el materialismo histórico.

Enseguida, se advierte una decantación de este existencialismo hacia el campo cristiano, invocándose la autoridad de Chestov y Berdiaev, sobre todo, y alguna que otra intervención unamuniana (caso excepcional, pues los escritores del 98 están prácticamente borrados). Aportes españoles como los de Zambrano y Chacel refuerzan esta línea y la gran mudez de Ortega en *Sur*, a su modo, también. Frank y Mounier dan a este existencialismo un matiz peculiarmente humanista, con sus reclamos por un nuevo personalismo, por una nueva imagen del hombre unificado e integral, amenazado por la dispersión de las sociedades industriales.

Otra opción negativa de *Sur* es Nietzsche, que es defendido por Ricardo Baeza en 1940 ante las acusaciones de protonazi que entonces se le formulan por parte de Benda y de la instrumentación que los nazis (Karl Fuchs, por ejemplo) hacen de sus libros. Nietzsche, ambiguo exaltador de la decadencia como modelo humano, también fue perseguido por el saber universitario alemán de su época y empujado al exilio suizo, bajo la misma acusación: la de ser un enemigo de la ciencia. Pero, en cualquier caso, es un contacto nietzscheano aislado, y la revista se puede colocar fácilmente fuera del campo del superhombre y dentro de otra variante humanista.

Si hubiera que invocar un modelo filosófico para el *Sur* de la primera época habría que hacerlo con el catolicismo progresista francés de aquellos años. Otra expresión nostálgica del mandarinato porteño que, no contando cerca con un pensamiento católico "moderno", debía buscarlo en la lejanía europea. Los ejemplos abundan: Jacques Maritain, el cardenal Verdier, Georges Bernanos, Denis de Rougemont, las revistas *Esprit* (fundada en 1932), *Sept* y *La vie intelectuelle*. De especial importancia es la intervención de Maritain como conferencista, en *Sur*, en 1936 (el año en que Bernanos ataca las matanzas fascistas en las Baleares).

Maritain propone un nuevo humanismo que supere la antinomia capitalismo/comunismo por medio de una cristiandad refundada. Los comunistas deben ser asimilados y no exterminados, combatiéndose las causas que hacen posible su existencia: la miseria de las masas, el egoísmo de las clases privilegiadas y la propaganda chovinista rusa.

En el orden político concreto, Maritain también era ejemplar para la gente de *Sur*: hacía compatible el catolicismo heredado con el progresismo, se aproximaba a la izquierda sin mezclarse con el Frente Popular, proponía una serena regeneración de la Iglesia desde sociedades (Francia y Argentina) donde no existía un concreto peligro de bolchevización. De algún modo, su paradigma era el presidente Roosevelt, síntesis de religión y democracia, de respeto cristiano al Otro, de freno a las cruzadas, las guerras santas y la dialéctica militar amigo/enemigo que proponen los ideólogos autoritarios del tipo de Carl Schmidt.

No es gratuita la transcripción de las palabras que pronuncia monseñor Verdier en 1937, en plena guerra española:

> Los individuos, las instituciones, los Estados, deben ser siempre servidores de la libertad. No sacrifiquéis jamás ese ideal de la preeminencia humana a las nuevas ideologías. Se ha sustituido la primacía de la personalidad humana por ídolos ante los cuales se inmola a menudo la libertad. Que Francia, hija primogénita de la Iglesia, recuerde su misión en la historia.

En 1938 se registra la visita de Bernanos, católico antifascista. Su posición es extremadamente crítica respecto de la Iglesia, a la que acusa de haber abandonado sus deberes cristianos al negarse a entender la historia. Esta es la causa de la descristianización del mundo, y no las supuestas perfidias de la Ilustración y el socialismo. Hace falta una nueva separación de la Iglesia y el Estado, como la sostenida por los católicos franceses, para que aquélla recupere su libertad y cumpla su misión originaria. De hecho, la polémica está abierta en el seno de la Iglesia a propósito de las matanzas franquistas, que enfrentan a los cardenales Innitzer y Gomá Tomás con Verdier, Liénart y el patriarca de Lisboa.

Otro pensador muy influyente de esta tendencia es Denis de Rougemont, que asistió en Alemania, en 1935, a las primeras manifestaciones masivas del nazismo. Comprendió que un nuevo paganismo estatólatra había triunfado sobre el cristianismo, y que se imponía una nueva catacumba, una nueva dinámica de pequeños y recogidos grupos de cristianos primitivos. Para ello, se propone una unión de las iglesias cristianas que enfrente a la barbarie y al más reciente enemigo de la cristiandad. El mensaje de *Sur* se funda en estos presupuestos: la incredulidad de las masas es el origen del auge totalitario, ya que las democracias son incapaces de generar actos de fe. La tarea del mandarinato es, inevitablemente, regenerar la religión cristiana y salvar, a la vez, la herencia de la civilización racionalista europea. Unas masas inclinadas al combate y no a la discusión deben ser reencauzadas por una minoría inteligente que devuelva a las palabras su poder de precisar, disuelto por el irracionalismo pasional de los fascismos.

La opción mandarinal por esta filosofía es lógica, pues ella permite cumplir con las fantasías fundamentales del mandarinato: reconstruir las minorías rectoras y revigorizar una religión de dioses muertos. Para ello hace falta la libertad, que es disponibilidad, no inclusión, independencia crítica del intelectual. Servir a la verdad, sí, pero servirla creativamente, no a partir de dogmas inertemente prestigiosos y meramente hereditarios.

La posguerra va renovando los personajes ejemplares y el campo de *Sur* va cambiando del existencialismo cristiano a un existencialismo laico, de algún modo un retorno a la propuesta inicial. El paradigma, hacia 1946, es Albert Camus, el escritor antifascista cuyo origen es el existencialismo nihilista y que ha terminado sintetizando los valores socialistas y comunistas en el código de los derechos del hombre. Ahora el norte de *Sur* es *Combat*. Otro modelo es el André Gide que recibe el Nobel en 1947 (tras ser admirado y jaqueado por Victoria) y proclama:

> Si realmente he representado algo, creo que ha sido el espíritu de libre examen, de independencia y aun de insubordinación, de protesta contra lo que el corazón y la razón se niegan a aprobar... Nuestra cultura, todo aquello que nos importaba esencialmente y por lo cual vivíamos, todo, en suma, lo que da un valor a la vida, se halla en peligro inminente de desaparecer.

El libre examen, es, desde luego, un valor "protestante" y refuerza la necesidad de una heterodoxia cristiana por parte de *Sur*, a la vez que acredita el porqué de sus malas relaciones orgánicas con la intelectualidad católica. Pues, como dirá Caillois en 1948 (*Disolución de la literatura*), el escritor no usa las palabras para designar, sino como creativas en sí mismas. Le hace falta esa disponibilidad verbal que impida inerciar la palabra como mero vehículo vacío de la "comunicación", o sea del trasiego de contenidos previamente codificados y autorizados.

En páginas de la propia Victoria (por ejemplo, *Este lago*, 1940) se hace patente la imagen de este Cristo nuevo y heterodoxo, que excede los templos y que vuelve a ser crucificado por quienes construyen o queman templos. Si la guerra no es por la humanidad, si en lugar de divinizar al hombre se nacionaliza a Dios, entonces carecerá de sentido.

Si bien Victoria no es un filósofo, puede rastrearse en su discurso una línea filosófica humanista y laica, que intenta recuperar, libremente, sin apoyo en la autoridad dogmática, lo religioso del hombre a través de todas sus manifestaciones, el cuerpo en primer término, en tanto espacio privilegiado para la expresión del alma, de aquello que anima como la respiración a la vida. Esta preocupación es ética, pues se trata de la libre busca de una verdad exterior y objetiva, común a todos los hombres, que permita discernir lo bueno de lo malo. La belleza es sólo el epifenómeno de este encuentro. En rigor, platónicamente, el artista logra hacer algo bello cuando da con la verdad de lo bueno que es común a toda la humanidad. Por ello, la más elocuente imagen de la obra de arte es la música, no la palabra. La música es una apertura a lo impersonal que habilita a superar la pesadez de los sentimientos y de las cosas y, entre ellas, la singular pesadez de esas cosas llamadas palabras. Sólo el estar dispuesto a morir por una palabra (el ejemplo es Gandhi) libera a la palabra de su densidad meramente semántica, la necesidad de acudir a otra palabra, y a otra, y así hasta el infinito. La muerte es la única palabra concluyente. Y estas palabras parecen, precisamente, palabras del maestro Heidegger. El silencio final es la cifra de la plena elocuencia, que en vano buscan y rebuscan los escritores en su discurso.

He allí la apoyatura filosófica para explicar la constante preocupación moral y aun el moralismo que anima a Victoria en todas sus empresas. Un moralismo que Drieu caricaturizaba como de institutriz inglesa y otro escritor más familiar atribuía a una mera maestrita argentina (sic). La sumisión del arte a una instancia ética, la trascendencia de la lúdica libertad creativa por el hallazgo del bien como impersonal y común, hace de la misión del mandarín una tarea de moralización social, un trabajo cívico.

En otro sentido, esta filosofía cimenta la actitud concretamente neoclásica de una posible. aunque muy abarcante, estética de *Sur* (de nuevo, no programática). Todo clasicismo apela a valores intemporales, en el sentido de inmarcesibles, y explica por qué, como dice Virginia Woolf, en arte no hay progreso. Si la ciencia y la política se desarrollan, el arte, meramente, insiste. Y si hay una insistencia trascendente en él, es porque insiste siempre en lo mismo, en un fondo imaginario de la humanidad que está compuesto de objetividades con vocación de eternidad. Llámese a este fondo, espíritu, mito, belleza o como se quiera, tanto da, lo importante es la epifanía de la insistencia frente a las perplejidades de la mera existencia. Valéry, poeta de la mortalidad, se convierte en imprudente invocador de la inmortalidad, según razona Victoria ante *El cementerio marino* (1934).

Güiraldes, suerte de antecedente de *Sur*, en carta a Supervielle (15 de enero de 1927) y Leopoldo Marechal, defendiendo, precisamente, a Güiraldes de las críticas sociologizantes de Ramón Doll en *Nosotros*, apuntan a lo mismo: el arte trasciende su materia y señala lo eterno, frente a la política y a la historia, que se ocupan (y con derecho y necesidad) de lo coyuntural y efímero. De esta doble calidad (valerse de palabras históricas para denunciar lo ahistórico) Gide extrae, basado en Banville, la duplicidad del lenguaje poético, una precisión comunicativa que no pasa por la expresión, cualidad mágica que despierta sensaciones a partir de meros sonidos.

Dentro de las circunstancias históricas de la expresión, en el caso de Victoria, cabe rescatar una privilegiada: su bilingüismo, el hecho de que ella, criolla de varios siglos que se reivindica como tal, Ocampo y Aguirre por donde la miren, empiece a escribir en francés y haya usado del francés, por ejemplo, en circunstancias muy íntimas como sus cartas con Ortega.

Victoria atribuye, con cierto apresuramiento, esta cualidad a todos los argentinos (expresarse en varias lenguas y no acertar con la propia), envidiando en el escritor español (para el caso, Ramón Gómez de la Serna) su fácil identidad con un espacio lingüístico.

En *Palabras francesas* (1931), contestando a las objeciones de Max Daireaux contra ella y Delfina Bunge (que escriben en francés y se hacen traducir porque en la Argentina faltan lectores para los escritores aborígenes), Victoria devela el hondo contenido clasista de su bilingüismo.

Renunciar a las palabras francesas con las que fue educada, con las que aprendió a nombrar las maravillas de los cuentos de hadas y de las oraciones, es renunciar a las más remotas vivencias infantiles, de las cuales se extrae la materia de la literatura. Adheridas a estas palabras, serían eliminadas también las más americanas imágenes de su vida.

La niña ha sido educada en francés y su memoria registra el castellano en que se hablan los peones y los vendedores, palabras castellanas que se mezclan a los olores del campo y a los mugidos de las vacas. El español es el idioma de América, de ese cuerpo balbuciente y torpe que se enfrenta con la nitidez y la habilidad de la escritura francesa. Con esas palabras no se piensa (con las palabras de los vendedores y los peones).

Muchos de nosotros empleábamos el español como esos viajeros que quieren aprender ciertas palabras de la lengua del país por donde viajan, porque estas palabras les son útiles para sacarlos de apuros en el hotel, en la estación y en los comercios, pero que no pasan de ahí.

Francés, lengua de lo inútil (y lo bello) opuesto a castellano, lengua de lo útil y basto, es una oposición social: francés, lengua del propietario; castellano, lengua del trabajador. El francés se aprende para vivir en París y no entenderse con los peones de las estancias. El español es, finalmente, el idioma del trabajo. El idioma en que Victoria hará *Sur*, incorporándose al mundo de la productividad y abandonando el rol parasitario a que la destinaba su clase por medio de una lengua asociada al lujo y al despilfarro.

LA CONDICIÓN DE LA MUJER

Es éste un campo propicio a la contradicción, en parte por la oposición entre Victoria y un medio intelectual dominado por el sexismo, en parte porque ella misma ofrece dudas a la disputa sobre la expresión de la mujer. Las escritoras americanas que menciona (Anita Berry, Gabriela Mistral) como otra americana que admira, se caracterizan porque son

"ricas en sentimientos y en percepciones inarticula-
das", es decir porque representan a América como
hembra y suponen a Europa como macho.

Si bien Victoria, junto a ello, reivindica siempre el
derecho de la mujer a escribir, sin recurrir a subter-
fugios como el seudónimo masculino, ni limitarse en
lo temático, otras voces de *Sur* insisten sobre la diferencia espiritual "natural" entre el Hombre y la Mujer, que provoca un deslinde insuperable de campos
humanos. Por ejemplo, Marechal, en 1939, refiriéndo-
se a la propia Victoria, sostiene la existencia de una
literatura femenina basada en las cualidades que dis-
tinguen al sexo correspondiente (ser mutable, apegado al fenómeno, centrarse en la imagen y el recuerdo, ser sensible pero incapaz de metafísica), en tanto
el hombre tiende a lo inmutable, la esencia, la abstracción, la razón y la metafísica. Si un varón escribe
con más sensibilidad que razón, se trata de un hombre afeminado, y el ideal de la perfección es el andrógino que, como Orlando y Tiresias, logre complemen-
tar los opuestos.

En 1945, dirá algo similar una mujer, María Zambrano (*Eloísa o la existencia de la mujer*), atribuyen-
do a ellos la objetividad, la historia, el logos, la muerte, la razón desprendida de la vida, la fijeza, el he-
roísmo autosuficiente, el mundo, la aventura y la
libertad, en tanto que a ellas: la vida, la perduración
subterránea, el misterio, la eternidad, la entraña, lo
subjetivo, la errancia, la locura, la posesión, la hechi-
cería, la inmanencia y el alma.

El drama de la mujer (inverso del señalado por
Marechal) es que, si quiere participar en la aventura
del varón, debe renunciar a su feminidad. Sensatez
y fijeza sólo se alcanzan sumándose al hombre por
medio de la dependencia. Eloísa es la imagen de la
mujer excepcional, anormal, que "realizó la hazaña
de evadirse de esa imagen sagrada. Se escapó de la
cárcel de la objetividad para vivir y ser sujeto de su
pasión. Se atrevió a existir". Dejó de ser la esclava
del Señor que lleva originalmente la vida como la
mucama o la criada de la creación, pero lo hizo a
título de excepción. O sea que, si la mujer quiere ser
viril, debe desfeminizarse y, viceversa, si el varón

259

pretende hacer cosas de mujeres. El debate seguirá
en épocas posteriores.

LA LITERATURA ARGENTINA

Ya anticipé el carácter generacional que tiene *Sur*
como espacio literario argentino, y los criterios de
selección mandarinal que gobiernan tanto la formación del grupo inicial como su reaseguro en el tiempo, o sea la incorporación de elementos más jóvenes.
Ello explica que la revista sirva para mostrar la
obra de ciertos escritores y ocultar la de otros, como
siempre ocurre en este tipo de publicaciones. No
está libre, tampoco, de "amiguetismo": unos colaboradores elogian a los otros y, si polemizan, lo hacen
entre los notables del grupo, suponiendo que, en el
umbral del cenáculo, un público silencioso y algo
palurdo mira la hoguera de chispas.

Los jóvenes pasados por la vanguardia son hombres maduros y neoclásicos que invocan a ciertos
maestros de ultramar y prescinden, en general, de
los padres locales. Martínez Estrada declara a uno
(Horacio Quiroga) y Borges a otro (Lugones) pero
ambos cuando la muerte los torna poderosos y mudos. No hay mención a los grandes nombres "viejos"
de la época (Larreta, Gálvez, Capdevila, Banchs, Girondo) y de la limpia se escapan sólo Macedonio y
Baldomero. En cambio, hay recurrencia a los fundadores Ascasubi (Borges), José Hernández (Borges y
Amaro Villanueva), los gauchescos (Ángel Battistessa), Alberdi (Carlos María Onetti y Salvador de Madariaga), Sarmiento (en 1938 se le dedica un número
en su cincuentenario, en parte como afirmación antifascista).

Sur apoya la literatura llamada fantástica y el género policíaco, es decir que toma partido contra el
realismo y todo documentalismo literario, considerado de mal gusto por su tendencia a la grosera *tran-
che de vie* y al costumbrismo. También se protege de
toda vanguardia y experimentación, de toda devoción
surrealista, de cualquier sumisión de la literatura a
propósito de programa político.

Entre las polémicas rescato la censura que González Lanuza dirige a la antología poética hecha por
Borges, Bioy y Silvina Ocampo, que incluye a escritores para él impresentables (Roberto Godel, Gloria
Alcorta, Elvira de Alvear, Wally Zenner) o meramente pro semitas (César Tiempo y Carlos Grünberg), a
la vez que excluye al propio Borges, a Ricardo Rojas,
a Macedonio y deifica a Lugones, "gran poeta a ratos,
irremediablemente cursi siempre". También rescato
el ataque de Sabato contra Gálvez por su biografía
de Sarmiento, al tiempo que elogia a Renée Pereyra
Olazábal por la suya de Mitre (1945). Y el número
169 (noviembre de 1948) en que Sánchez Riva proclama la perfección de *El túnel* sabatiano mientras
González Lanuza apalea *Adán Buenosayres* de Marechal (tal vez, sin decirlo, por el carácter peronista
del autor), aludiendo a su "gracejo disperso en las
rupestres inscripciones de los WC de las estaciones
ferroviarias y de los colegios secundarios, normales
y especiales".

Del gusto neoclásico, a veces excesivamente prudente, de la revista dan cuenta sus secciones de poesía, donde menudean implacables series de sonetos, y
las firmas habituales como las del citado Eduardo G.
Lanuza, Vicente Barbieri, Francisco Luis Bernárdez,
Mario Albano, Juan Ferreyra Basso, Eduardo Lozano
y Jorge Calvetti.

Sur es, entre tantas cosas, un lugar privilegiado
desde donde lanza sus mejores textos Borges. En su
primer momento neoclásico, dominante de prosa, de
relato breve, de ensayo también rápido, de apunte
crítico. Borges, qué duda cabe, es, por su parte, el
más alto escritor del grupo y lo digo porque es el
que se ve desde más lejos. Sería fatigoso reseñar su
itinerario en la revista y sólo hay lugar para un rápido apunte.

He allí a un Borges escéptico y liberal, apasionado
por la lógica de lo divino y agnóstico en materia de
religión, que vacía el lugar de la verdad en el discurso, habilitando todas las libertades del lector, al
tiempo que se refugia de los horrores de la historia
en el cuarto de los juguetes literarios, que conduce
directamente al infierno. He allí su paradoja esen-

cial: el consuelo del arte nos lleva a una de las más acongojantes y placenteras tristezas de la vida.

Defiende la inverosimilitud del arte frente a las atroces verosimilitudes de la realidad, la estética del momento y no de la obra (mucho menos, del programa del *autor*), aunque su neoclasicismo le hace dar respingos ante cualquier gesto de "contemporaneidad":

> Es común atribuir la ineficacia de los poetas, que sin otorgarse una tregua, ejercen la moderna profesión de contemporáneos (como si hubiera otra cosa en el mundo, como si fueran habitables el pasado y el porvenir), al perverso propósito de hospedar en cada renglón y en cada hemistiquio un asombro, una alarma, una incomodidad. No estoy seguro de aprobar esta condenación.

Estas palabras de 1943 parecen ser la autocrítica del vanguardista que se presentó en sociedad veinte años antes y la revisión de sus condenas y aprobaciones subrayan la conjetura. ¿Qué lo autoriza a considerar pésimos a poetas como César Vallejo, Carlos Oquendo de Amat y Vicente Huidobro y a celebrar la invariable perfección de Silvina Ocampo? ¿Su amistad con la muchacha porteña y su lejanía del continente próximo?

Por su parte, en 1944, reseñando *Las ratas* de Bianco, formula su meditación acerca del rol protagónico que tiene el lector en el espacio literario:

> Es de los pocos libros argentinos que recuerdan que hay un lector: un hombre silencioso cuya atención conviene retener, cuyas previsiones hay que frustrar, delicadamente, cuyas reacciones hay que gobernar y que presentir, cuya amistad es necesaria, cuya complicidad es preciosa. "Necesito pensar en un lector, en un hipotético lector, que se interese en los hechos que voy a referir" leo en el segundo capítulo. ¿Cuántos escritores de nuestro tiempo sospechan esa necesidad? ¿Cuántos, en vez de interesar al lector, no se proponen abrumarlo e intimidarlo?

Esta exaltación de la perplejidad del autor ante la libertad del lector (¿qué lector leerá qué cosas en qué texto?) que culmina en *Pierre Ménard autor del Quijote* lleva al extremo una laicización del discurso, exento de toda trascendencia, porque lo que trasciende al discurso no es el discurso mismo sino el hecho de la lectura. Hay una nostalgia de la coherencia que la historia dio a la literatura en otro tiempo y que hoy se quiebra en mil fragmentos descentrados por una imagen de proliferante barroquismo del mundo: Cristo, como Sansón (sospecha John Donne) es un suicida y Dios hizo la historia como patíbulo de su hijo. La dispersa divinidad es un dios ávido de no ser que genera una historia igualmente agónica, mortífera, desmenuzada.

El número de julio de 1942 contiene dos desagravios: uno a Waldo Frank, por las agresiones de que fue víctima por parte de un grupo nazi, y a Borges, por una curiosa agresión simétrica: no haber recibido el Premio Nacional, por exclusión de la Comisión Nacional de Cultura (votos de Enrique Banchs, Horacio Rega Molina, Roberto Giusti y, sólo a su favor, Álvaro Melián Lafinur). Antonio Aita, el premiado, pasaría a la memoria de la caricatura en *El Aleph*. Los colaboradores de *Sur* no son unánimes y Aníbal Sánchez Reulet se permite decir:

> Disiento de Borges. Disiento de su crítica malévola, de su premeditado nihilismo, de sus crónicas de cine, de su inverosímil erudición. Disiento, sobre todo, del hombre Borges... Es un escritor muy porteño, que es un modo muy deficiente, pero muy efectivo, de ser argentino.

LITERATURA LATINOAMERICANA

Este es, quizá, el período más continental de *Sur* y así vemos textos sobre escritores consagrados, como Martí (Henríquez Ureña), Gabriela Mistral (Juan Marinello), Javier Villaurrutia (Octavio Paz), Salvador Díaz Mirón (Antonio Castro Leal), junto a colaboraciones de nombres conocidos o desconocidos

(Vicente Huidobro, Jorge de Lima, Jorge Amado, los jóvenes poetas chilenos que presenta Ricardo Latcham, Marta Brunet, Felisberto Hernández, Gilberto Freyre).

LITERATURA NORTEAMERICANA

Este es un campo en que, se supone, sobre todo por oficios de Waldo Frank, la revista cumple una tarea de importante difusionismo. Entre los nombres presentados por críticas u obras (cuentos, poemas) cabe destacar éstos: Gerald Sykes, Langston Hugues, Lewis Mumford, Edgar Lee Masters (traducido por Borges), Sinclair Lewis, Ernest Hemingway, Edith Wharton, William Faulkner, Scott Fitzgerald, Hart Crane, Jorge Santayana, Mark Twain (comentado por Borges), Erskine Caldwell, Archibald Mac Leish, Sherwood Anderson, William Saroyan, John Steinbeck, Winifred Williams, Robert Frost (presentado por Octavio Paz) y narradores del momento introducidos por André Gide. Aquí, como en el apartado anterior, cabe destacar la diversidad ideológica de los autores publicados.

LITERATURA EUROPEA

Este tema es el más tratado por los censores de *Sur*, que siempre han reprochado a la revista el haber concedido excesiva importancia a los escritores europeos en detrimento de los nacionales, sin sopesar debidamente las calidades de cada uno de los autores.

En general, puede decirse que la calidad literaria no es un valor objetivo, a menos que se parta de bases dogmáticas muy firmes. En otro terreno, tal vez se pueda observar que la visión de la Europa literaria de *Sur* es demasiado restringida, y así se privilegian las literaturas inglesa y francesa (dentro de ésta, especialmente, a los autores de NRF), se concede muy poca importancia a la italiana, se reduce la española a los autores republicanos desterrados y poco se mira hacia el mundo germánico. Nada, hacia el eslavo. La Europa de la revista es, ante todo, franco-inglesa. Para no fatigar al lector con catálogos, lo remito a los índices publicados por la misma *Sur*. Es de observar que, en materia de literaturas germánicas, cuando el posicionamiento antinazi de la revista, se incluyen nombres de autores antifascistas o, eventualmente, nombres germánicos que vienen presentados por nombres franceses (ejemplo: Hugo von Hoffmansthal introducido por Charles Du Bos).

RÉGIMEN DE ANUNCIOS

Los anuncios publicitarios aparecen de manera irregular en la revista. En rigor, un estudio de las fuentes de financiación debería comportar un examen de su contabilidad, pero quede para investigadores mejor provistos. En 1935, copio a guisa de ejemplos, alternan anuncios oficiales con privados: YPF, Banco de la Provincia de Buenos Aires, La Martona, CHADE (Compañía Hispano-Argentina de Electricidad), Caja Nacional de Ahorro Postal. En 1936 ocurre algo similar: junto al Ministerio de Agricultura se anuncia la confitería París. En 1943 pueden verse avisos de Medias París, Good Year, Compañía General de Combustibles, Elio Filomena, Leach Argentine, Heber Fotograbado, Schaal Parques y Jardines, Antonio Magnani (frutos del país), Aceite Bianco, Frigorífico La Blanca, C. Unger (Compañía Argentina de Huevos), nuevamente la CHADE. En 1947 ya se advierten anuncios de firmas importadoras de libros y Futuro, editorial vinculada al PC, propone libros con el aviso de *Conozca la Unión Soviética*. Un examen pormenorizado de las cifras percibidas por publicidad permitiría ajustar el alcance del mecenazgo de Victoria.

Queda sin ver la tarea de Sur como editora de libros, que también hace a sus finanzas y a su régimen de publicidad, y que empieza en 1933 con *Canguro* de D. H. Lawrence. También queda en el tintero el tema del cine en la revista, pero explíquese por la falta de espacio.

NÚMEROS ESPECIALES

1938: Homenaje a Sarmiento en el cincuentenario de su muerte. Colaboran Américo Castro, Aníbal Sánchez Reulet, Sebastián Soler y Bernardo Canal Feijoo. Antología de textos sarmientinos.

N° 61, octubre de 1939, dedicado a *La guerra*. Colaboran Victoria Ocampo, Eduardo González Lanuza, Enrique Anderson Imbert, Patricio Canto, Armand Petitjean, Jean Cazaux (estos dos últimos, soldados franceses), Roger Caillois, Eduardo Mallea.

Diciembre 1941, dedicado a *La guerra en América*. Colaboran Victoria Ocampo, Carlos Alberto Erro, María Rosa Oliver, Jorge Luis Borges.

Setiembre 1942, homenaje al Brasil, que acaba de declarar la guerra a Italia y Alemania. Colaboran Manuel Bandeira, Jorge Amado, Vinicius de Moraes, Rachel de Queiroz, Rubén Navarra, Marques Rebelo y Rubem Braga.

Marzo/abril 1944, dedicado a la literatura norteamericana. Colaboran Ricardo Baeza (traducción de Walt Whitman), Victoria Ocampo, Morton Dauwen Zabel, John Peale Bishop, Marianne Moore, E. E. Cummings, Hart Crane, Wallace Stevens, Karl Schapiro, Robert Pen Warren, Dunstan Thompson, Katherine Ann Porter, Delmore Schwartz, Mary Mac Carthy, James Thurber y Eudora Welty.

N° 120, octubre 1944, artículos sobre la liberación de París, de Victoria Ocampo, Ezequiel Martínez Estrada, Jorge Luis Borges, Gabriela Mistral y Eduardo González Lanuza.

N° 129, julio 1945, dedicado a *La Paz*. Colaboraciones de Victoria Ocampo, Jorge Luis Borges, Eduardo González Lanuza, Enrique Anderson Imbert, Ernesto Sabato, Juan Adolfo Vázquez; Bernardo Canal Feijoo, Guillermo de Torre.

N° 132, octubre 1945, dedicado a Paul Valéry. Colaboraciones de Jules Supervielle, Victoria Ocampo, Jorge Luis Borges, Etienne Noulet, Herbert Steiner,

Pedro Salinas, Jorge Guillén, Rafael Alberti. Fragmentos de *Mon Faust* y cartas de Valéry a Victoria Ocampo.

Nº 141, julio 1946, homenaje a Pedro Henríquez Ureña. Colaboran Ezequiel Martínez Estrada, Juan Ramón Jiménez, Francisco Romero, Amado Alonso y Enrique Anderson Imbert.

Primer trimestre de 1947, dedicado a Francia. Textos de Jean Paulhan, Paul Eluard, André Malraux, Roger Caillois, Louis Aragon, Julien Benda, Gaetan Picon, Noel Devaulx, Albert Camus (fragmento de *La peste* traducido por Rosa Chacel), Edith Boissonas, Francis Ponge, Jean-Paul Sartre (*El existencialismo es un humanismo*), Simone de Beauvoir (*Literatura y metafísica*), David Rousset, Julien Gracq y Maurice Merleau-Ponty.

Julio/Octubre 1947, dedicado a las letras inglesas. Textos de Bernard Shaw, T. S. Eliot, Gilbert Chesterton, John Hayward, Virginia Woolf, Aldous Huxley, Ciril Connoly, George Orwell, Rex Warner, Raymond Mortimer, John Lehmann, George Moore, Edward Morgan Forster, T. E. Lawrence (fragmento de *El troquel*), David Garnet, Christopher Isherwood, Evelyn Waugh, Graham Greene, Elizabeth Bowen, William Sanson, Osbert Sitwell, Vita Sakville West, W. Auden, Stephen Spender, Edith Sitwell, Herbert Read, Dylan Thomas y otros.

Nº 158, diciembre 1947, cuarto centenario de Cervantes. Colaboran André Suarès, María Zambrano, Américo Castro, León Felipe, Guillermo de Torre. Rescate de textos sobre Cervantes de Coleridge, William Hazlitt, Heine, Turguenev, Dostoievski, Unamuno y Rubén Darío.

Nº 161, marzo 1948, homenaje a Gandhi. Colaboran François Mauriac, Victoria Ocampo, Lanza del Vasto, Vicente Fatone, Romain Rolland.

SEGUNDA ÉPOCA: 1948-1961

Esta época coincide, en sus comienzos, con el auge del peronismo, gobierno al que *Sur* hará una oposición más bien supuesta y silenciosa, hecha más de sobreentendidos y omisiones expresivas, que de proclamación expresa. Desde el punto de vista generacional cabe destacar el liderato editorial de Murena, la incorporación marginal de Cortázar y los trabajos de Pezzoni, que encabezará la última etapa de la revista.

El modelo de intelectual que ahora se exalta no es el del mandarín triunfante o crítico, que toma distancia ante la sociedad para preservar sus valores más altos, sino el rebelde que, impuesto de la inutilidad de la historia, testimonia su disidencia y busca en ella el martirio. El modelo es Camus, que puede alcanzarse en toda su latitud en *La rebelión antigua* (1951), donde deslinda dos tipos de rebelión: la griega, que lleva al suicidio por ser la revuelta contra la naturaleza y el destino, y que carece de sentido en el orden, pues el culpable se señala más allá de su intención (Edipo); y la revolucionaria, invento de Lucrecio que se subleva contra los dioses en nombre del dolor humano, divinizando al hombre mismo.

Murena formula sus propuestas, sobre todo, a partir de mayo de 1949, cuando inicia su sección *Los penúltimos días*, suerte de diario misceláneo que él proclama ser el género propio al criminal y al santo, y que opone a la imagen de Borges dando una conferencia, incomunicado con un público que lo admira y atormentado por esta escena, como un símbolo del intelectual americano, cercado por los elementos e intentando someterlos.

La propuesta mureniana recupera al Heidegger irracionalista: todo discurso parte del silencio y ausculta la tierra, cuyas voces inorgánicas cobran cuerpo en el escritor, desdeñando tanto lo falsamente universal (el neoclasicismo tópico de la revista) como la vocinglería folklorizante.

Esta estupefacción atenta ante el abismo hace del artista un contemplativo, fatalista y pesimista, que comprende lo inmodificable de las cosas y renuncia a toda praxis modificadora de la sociedad y a toda ilusión de progreso. Si bien el hombre es elevado a la altura del artista por la obra, el poder vuelve, cíclicamente, a condenarlo, como condenó a Baudelaire, pues el artista es tan santo como maldito. Murena proclama, sin ambages, una actitud antiilustrada, de rechazo a la ciencia, que somete al hombre tras prometerle su libertad. En vez de conquistar y anular el mundo, el hombre debe aprender una mística congruencia con él.

De algún modo, a pesar de su quietismo, esta postura tiene algo de anárquico, en tanto descree por igual de las revoluciones y de las instituciones. Esto se advierte en la posición religiosa de Murena, abiertamente anticatólica, pues el catolicismo le parece un camino desprestigiado y gastado, "una puerta ya demasiado ancha para llegar a Dios..." Y también en su posición estética, de franca censura a la poesía divulgada por *Sur*, la fábrica de sonetos que personifica Horacio Esteban Ratti ("ofrenda a un altar sin dioses unos vacuos esfuerzos de trapecista que estrangula a la poesía en nombre de la destreza...") y los poemas de la Walsh y de Ángel Bonomini, "esta poesía llena de decoro y de hallazgos felices, esta poesía tan bien vestida, de tan perfecta educación", cuyo contraejemplo positivo sería Olga Orozco (digamos nosotros en su elogio: indecorosa, infeliz, desnuda, maleducada).

En 1954, Murena encuentra el héroe nacional del espíritu en el *Chaves* de Mallea. He allí su máximo punto de tensión, su límite. Intentando desmarcarse del pudor intimista de Mallea, que protesta en silencio contra la vulgaridad de la Argentina visible, Murena llega al mismo inexpresivo silencio de Chaves. Nadie puede aniquilar al silencioso, es el poder contra el que ningún poder terreno puede nada. Pero el silencioso, a su vez, nada hace con tal poder. Mallea sigue callándose como veinte años atrás, hundido en su bahía de silencio. Y el neo-Mallea (Murena) no obtiene voces del silencio.

Cortázar recibirá algunos encargos secundarios de la revista y luego, desde París, iniciará el viaje imaginario en torno a la figura del desterrado que, justamente, es lo opuesto a la propuesta de Mallea-Murena: el quedarse arraigado y levantar el nivel de la llanura circundante. Podemos leer reseñas de libros, algún poema, su perfil de Gardel, un encendido elogio de Victoria, que nunca huyó a este tipo de verdades en su propia revista, pero nada más. En 1952, con una nota sobre *Los olvidados* de Luis Buñuel, Cortázar desaparece de *Sur*, sin haber conseguido un encuadre demasiado lucido en sus páginas.

Con limitaciones cada vez más duras, la revista provee a una renovación generacional, y así se advierte la aparición de nuevas firmas: Alberto Girri (desde julio de 1949), F. J. Solero, Guillermo Orce Remis, Olga Orozco (tardíamente, en 1952), Beatriz Guido, Damián Bayón, Marta Mosquera, Jorge Paita, Carlos Alberto Gómez, Jorge Vocos Lescano, Helena Muñoz Larreta, Inés Malinow, Héctor Pozzi, Raúl Ballvé, Magdalena Harriague, Juan José Hernández, Elba de Lóizaga, Luis di Iorio.

Las limitaciones para incorporar nuevos escritores provienen de un endurecimiento político que lleva a *Sur*, como a todo el liberalismo argentino, a acentuar sus deficiencias históricas y exagerar sus componentes conservadores. Prueba de ello es el paso de algunos intelectuales que organizarán *Contorno*, notoriamente Juan José Sebreli (1952 con una crítica a *Monsieur Verdoux* de Chaplin), que sale tras elogiar *Las arenas* de Miguel Ángel Speroni, en junio de 1955 (el mes del bombardeo a la Plaza de Mayo), novela filoperonista que el crítico exalta como ejemplo de narración revolucionaria, síntesis de la subjetividad de los móviles personales (la aventura, el hombre solo) con la objetividad de los fines revolucionarios (la solidaridad y la militancia). También en 1955 pasa fugazmente por *Sur* Tulio Halperin Donghi, tras un agudo examen de la obra de Juan Álvarez, que bien puede ser una historia de la decadencia de una mentalidad liberal argentina: desde 1909, con su *Historia de Santa Fe* (exaltación del progreso y la Argentina alberdiana, en contraste con el ominoso pasado colonial), pasando por su *Estudio de las guerras civiles argentinas*, en 1914 (advertencia de una nueva era, reproche a la ceguera de las clases dominantes, profecía de nuevas guerras civiles), hasta *Historia de Rosario* (1943, año del putsch fascistoide, en que arremete contra los gobiernos surgidos del sufragio universal, cómplices de la subversión comunista organizada desde el extranjero).

El punto crítico, con el que termina esta·época, es la salida de José Bianco de la secretaría de redacción. motivado por su participación, en 1961, en el jurado del Premio Casa de las Américas, de La Habana, que dio lugar a que Victoria lo desautorizara públicamente, deslindando a la revista del gesto de su secretario (*Desacuerdo a propósito de Sain-John Perse y de una ardilla*, n? 270) y compulsándolo a renunciar. En el número 271 (julio-agosto 1961) María Luisa Bastos aparece como secretaria.

No obstante este giro (al que habría que añadir el distanciamiento de Martínez Estrada, también partidario de la revolución cubana) la revista mantiene cierto flanco de izquierda y ello se documenta en la publicación del *Coral de año nuevo para la patria en tinieblas* de Pablo Neruda (1949), escritor comunista temporalmente desaparecido en Chile, texto suyo que circula clandestinamente en su país, así como las páginas de Murena sobre su *Canto general* (1951), libro que saluda como un renacimiento de la épica y de una poesía espontáneamente americana, cristalizada en lo épico. Murena opone *Residencia en la tierra*, libro europeo (destructividad, subjetivismo, llanto por el abandono y la decadencia a lo Eliot) al *Canto*, texto donde el mismo comunismo de Neruda, contracultural y antieuropeo, es una expresión americana antiimperialista.

En esta línea se inscribe la polémica de María Rosa Oliver con *Criterio*, la revista católica que no cesa de atacar a *Sur* por su comunismo y que mantuvo simpatías fascistas que la desautorizan totalmente (1951), así como otra polémica de la misma Oliver con Alfredo Weiss (1953), también colaborador de *Sur*. En 1958, Oliver recibe el Premio Lenin y la revista se queja del ocultamiento que la prensa hace del hecho, pues sólo *Clarín* y *The Buenos Aires Herald* dan la noticia, haciendo, precisamente, el juego a los comunistas. *Sur*, inclusiva y plural, arremete contra su colaborador Patricio Canto, a propósito de su libro *El caso Ortega y Gasset* (1959), del cual concluye Juan Adolfo Vázquez: "Nietzsche quería filosofar con el martillo. Canto quiere filosofar con la hoz y el martillo."

El neoclasicismo de la revista y el viejo mito victorial del buen gusto sufren desconcertantes choques con el arte de posguerra y, no obstante el comedido malditismo de Murena, la opinión de *Sur* es generosamente puritana por momentos.

En 1949, un *Calendario* anónimo recoge las acusaciones de Maurice Nadeau contra Henry Miller, a propósito de su "inmoralidad" y la defensa que Georges Bataille hace del escritor norteamericano, lo que aprovecha el infirmado para dirigir pullas contra el surrealismo, esa Iglesia con Papa, cardenales y hasta algún obispo protestante.

Ese mismo año, Victoria no se ahorra este juicio sobre Tennesse Williams:

> El teatro moderno ha abusado de las anormalidades sexuales, de las perversiones, de la prostitución bajo sus diversos aspectos, de la venalidad, de la locura, de la violación misma. Es un nuevo género del Grand Guignol. Parece que los dramaturgos se complacieran en chocar por el placer de chocar, actitud mental de adolescente. Sus dramas acaban míseramente, sin conducir a nada. La inteligencia y el espíritu se quedan bostezando de hambre.

En 1950, el señor Weiss discurre a propósito de *Pompes funèbres* de Jean Genet:

> Nunca tuve igual sensación de hallarme ante una porquería, nunca sentí tantos deseos de vomitar... (en *Las criadas*) había una grandeza trágica de que este miserable relato de amores homosexuales carece en absoluto.

En esto, la revista sigue apegada a la concepción del arte como una ocupación de lo permanente y lo eterno, un saber del hoy y del mañana, cargado de poder profético (cf. Eduardo Lozano: *Permanencia y poesía*, 1951). Y, mientras Victoria se queja de cómo André Maurois descorona a Victor Hugo en su biografía, José Bianco, muy atinadamente, se queja de otra cosa: la ignorancia desdeñosa de ciertos intelectuales argentinos por la *Putaine respectueuse* de

Sartre (estrenada en Buenos Aires en 1956 por Malisa Zini, Lautaro Murúa y Daniel Alvaradi): superstición por el hastío y prejuicio contra las palabrotas que dichas todos los días, pasan, en tanto no se soportan si las escribe un Sartre.

La pieza maestra de este puritanismo neoclásico es *A propósito de "Las criadas"* de Victoria (1948). Como, según Bianco, la directora no leía los originales a publicar, y Louis Jouvet, su admirado director, la había estrenado en París con aplausos de Rinieri (prestigioso crítico de *La Nef*), la obra coló en las páginas de *Sur*. Leída por su directora, le produjo una escandalosa reacción, parecida a la que ella supo suscitar entre gente de su clase por cosas tan válidas como tener un amante o conducir un coche:

> Una de las características de la literatura sórdida es su afectación de creer que la mierda es más verdadera que la rosa. Que sólo la mierda existe, mientras que la rosa es una invención, una ilusión a la que se aferran únicamente los sentimentales o los imbéciles. El estiércol puede servir a la rosa si cumple su verdadero destino: la transformación, la metamorfosis. Pero el culto del estiércol por el estiércol no tiene sentido.

Se ve que en *Sur* había espacio para la disidencia pero, en ocasiones, si era necesario, la última palabra la tenía la propietaria. Y José Bianco supo bastante del tema, como queda dicho.

EL SER NACIONAL

Con matices y algunos disensos, sigue dominando en la revista, durante ese período, la concepción historicista splengleriana acerca del ser nacional. Curiosamente, esta filosofía de la historia sirvió, décadas más tarde, a posiciones tercermundistas y antiimperialistas que poco o nada tienen que ver con la ideología de la mayor parte de los colaboradores de *Sur*. ¿Se orientó el historicismo hacia rumbos divergentes o los filósofos de *Sur* no supieron sacarle sus últimas consecuencias?

Murena, que parece ser el escritor del grupo más interesado por problemas históricos concretos, choca, sin embargo, con la dura limitación que esta filosofía de la historia impone a su discurso. A cierta altura del análisis, el ser nacional detiene el proceso y congela el razonamiento ante sus misteriosas esencias. Vuelven los tópicos orteguianos del argentino "que no vive, que no se entrega a nada" y que sólo emerge de su inopia por irritaciones emotivas, irracionales. Un argentino obsesionado por sí mismo, cuyos caracteres exceden las matizaciones de clases y demás determinaciones concretas.

En esta sociedad primaria, de gente preocupada por la comida y el dinero, el escritor es una suerte de demente encerrado que lucha contra la realidad. Ante tal situación, la salida martinfierrista fue una ironía turística, de quien se ríe de su propio país como si estuviera de paso en él, y la opción del desterrado, un destino de fracaso en el extranjero por desarraigo.

En *La lección a los desposeídos* (1950) Murena rinde homenaje a su padre, Martínez Estrada, cuyos límites le resultan insuperables. Vuelve a definir al americano como el desposeído, o sea el ser que, al emigrar de Europa, ha perdido su calidad histórica y se ha degradado a muda animalidad que pone a prueba a la razón con su caótica oscuridad. Filosofía viva, América es el desafío de un pensar autóctono, enraizado en la tierra, que renuncia a la imitación de lo europeo.

Borges, en menor medida y con un tono irónico que rehúye todo apocalipsis, también insiste en estas características del argentino como un ser sin razón universal, hijo del azar y creyente en la casualidad como diosa dominante de lo real. Compara, metonímicamente, a los argentinos con los escandinavos, cuyo paso por la historia se borra como un sueño. "Aislado y sin rastro", es como si no hubiera sido.

Comentando *El sueño de los héroes*, de Bioy Casares (1955) Borges intuye que la allí narrada es la historia esencial y recurrente de los argentinos: la de un muchacho que se entrega al magisterio de un valiente que resulta ser un hombre siniestro y mata al discípulo. Buenos Aires, dirá en 1960, en melancólica celebración de Mayo, intentó ser la menos sudamericana de las ciudades, ser hospitalaria y curiosa, librarnos de lo español, lo negro y lo indio, pero acabó entregándose al canalla y al tahúr, proponiendo al país un recurrente y orillero "dictador cobarde y astuto".

Otros autores de *Sur* insisten sobre caracterizaciones parecidas. Así, Canal Feijoo (*Sobre la otra dimensión nacional*, 1960), que había inventado precozmente la expresión "pecado original de América", describe la historia argentina como el enfrentamiento estático de un hombre de tierra adentro desplazado por un mediterráneo desarraigado. Massuh (*Agonía y espíritu de síntesis*, 1953) propone a América una misión integrista, la de superar la imagen del hombre agónico, despedazado por las contradicciones, que privilegia la modernidad. Restauración de la unidad, supresión de la pluralidad, oscuro retorno a lo primitivo, anuncian la serena alegría del americano futuro. Algo parecido puede leerse en Rodolfo Kush (*Paisaje y mestizaje de América*, 1950) oponiendo al formalismo inauténtico del invasor, el demonismo auténtico del aborigen, reprimido por la violencia del conquistador.

Este panorama no es unánime y suscita algunas controversias. González Lanuza, a propósito de *Muerte y transfiguración de Martín Fierro* de Martínez Estrada, de 1949, arriesga la sospecha de que de cualquier pueblo podría decirse lo que EME sostiene de los argentinos: que tras lo visible no hay nada, que todo conjunto se disuelve en una inexistencia nocturna.

Carlos Viola Soto cuestiona en Murena el que confunda América con la Argentina y ésta con Buenos Aires, cayendo en el pecado de soberbia cínica y altanería despectiva que pretende censurar, o sea el sentimiento de inferioridad que se protege con la altivez. Su propuesta de una Argentina refundada a partir del vacío supone renunciar a la historia, es decir, estar condenado a repetirla. Juan Adolfo Vázquez y Ramón Alcalde también desvalorizan a Murena como observador social, reduciendo su alcance al de un arbitrario profeta que intenta conjurar a Dios para alejarlo y aplacar sus iras.

Quien más lejos llega en esta dirección es Juan José Sebreli (*Celeste y colorado*, 1952) alcanzando a cuestionar el mismo programa fundacional de *Sur* con su propuesta de una aceptación dialéctica de la historia que sintetice el cielo unitario con la tierra federal. El Bien y el Mal no son opciones maniqueas, sino aspectos de una misma realidad: para llegar a lo bueno hay que asumir lo malo. En 1954, comentando *Seducción de la barbarie*, de Kush, insistirá en la necesidad de entender históricamente el carácter argentino, y no, como hace el reseñado, privilegiando hechos geográficos y geológicos, conforme al modelo de Martínez Estrada. "No somos un producto de la pampa, la pampa es un producto nuestro". Roberto García Pinto (*Escatología de Facundo*, 1961) vuelve sobre lo mismo, o sea, la necesidad de integrar las aporías sarmientinas en una síntesis histórica.

POLÍTICA

Los hechos políticos inclinan cada vez más la torre y ello se debe a los diversos frentes en que atacan: el peronismo en lo inmediato, la guerra fría en lo mundial, el definitivo desplazamiento de Europa por los Estados Unidos en el bloque occidental. He aquí las causas de que proliferen en la revista unos textos sobre concretos problemas políticos, a los que fue, antes, renuente.

El fenómeno se desarrolla en diversas líneas:

1º) *El caso Murena*: la evolución política de Murena puede servir de indicador para entender la actitud dominante de *Sur* en este período. El suyo es el mayor intento de la revista por abordar eventos concretos de política argentina, y así desfilan por su diario la crisis económica de 1949, la campaña radical en Santa Fe, los elogios de Gómez de la Serna a Franco y Perón, el imperialismo norteamericano que censura al imperialismo argentino, la huelga de los frigoríficos, la superioridad del peronismo frente al socialismo para conquistar la opinión de las masas ("el pueblo sólo es capaz de gestos heroicos cuando tiene un alcohol de cualquier índole adentro y no sabe qué hace. En toda masa hay algo básicamente maligno que impone la necesidad de aceptar el mal como un punto de partida hacia el bien"), la tercera guerra mundial y el rol subsidiario en ella de la Argentina como proveedor de los Estados Unidos.

Marcando una excepción en la revista, Murena se ocupa de figuras tan poco de *Sur* como Hipólito Yrigoyen, del que traza un curioso retrato (1949) de "asceta libidinoso". Yrigoyen, parodia de Dios, se imagina absoluto: rehúye la escritura, no habla, viste de negro, se encierra en una cueva, se mantiene rígido, no permite que lo fotografíen. Tiene una enorme fe en los valores morales, en los principios, en abstracciones como la palabra dada y la inventada. El amor es la toma de contacto con la realidad y su forma yrigoyeniana es la violación. Partidario de la eternidad, resiste al tiempo y niega la historia: sólo una Argentina ahistórica puede ser neutral en la guerra. Modelo de dictador americano, desde el doctor Francia a Trujillo, Yrigoyen es un espejo inevitable de todo argentino, bien que desesperante y humillador.

En 1957 (*Notas a la crisis argentina*) todavía Murena ensaya una lectura histórica de los hechos, desmarcándose de la clásica mentalidad "gorila" que considera al peronismo una anomalía patológica de la historia nacional. Los golpes militares y Perón han hecho ver a los argentinos lo que nunca quisieron reconocer: que eran sudamericanos. Contra el peronismo no caben condenas morales, pues no se condenan los hechos históricos, sino que se los interpreta.

Por su parte, Perón tuvo modelos en la historia argentina, empezando por la oligarquía, que se limitó a enseñar a sus herederos el disfrute de sus privilegios económicos y proveyó a gobiernos sectarios. En la Argentina no hay clases sociales, sino estados de ánimo, lo cual deroga todo sentido de comunidad.

El problema de fondo no es económico (el nivel de vida es relativamente alto) sino cívico.

Entre la monarquía absoluta y el anarquismo, entre la nostalgia de un rey banderizo y la disolución nihilista, la sociedad argentina se debate en la inanición, mientras Brasil crece sin detenerse. Conglomerado inorgánico, falto de proyecto y de memoria, el pueblo argentino espera volverse a fascinar por un líder dionisíaco, que prometa destrucción y fatalidad.

Con los años, el pesimismo histórico de Murena se torna atrabiliario y apocalíptico, e inclina su contradictoria mentalidad hacia posiciones de un anticomunismo cerril y conservador. Así pueden leerse textos suyos como *La erótica del espejo* (1959), donde explica la homosexualidad de nuestra época como un síntoma de dionisíaco irracionalismo, junto con el comunismo, el auge del deporte y la toma del poder por las masas. El sodomita es un ídolo demoníaco de sí mismo que predica el amor a la nada y se rebela contra Dios, forzando a los ángeles. La homosexualidad se le aparece como un signo apocalíptico, el mojón que señala el fin de una edad, como ocurrió con las ciudades condenadas de la Biblia. Esta mezcla generosa de desviación sexual, marxismo y movimientos de masas va a caracterizar el giro del pensamiento liberal-conservador argentino de las décadas de los sesenta y setenta, con los resultados que ya conocemos. Murena no vivió bastante para ver la triste secuela de sus simpatías, pero otros colaboradores de *Sur* menos felices que él, tuvieron oportunidad de participar en dicho Proceso.

En 1960 define al comunismo como "la moda endémica de la juventud argentina" y si condena la clausura de revistas como *El grillo de papel* y *La gaceta literaria*, lo hace porque da argumento a los jóvenes comunizantes y a los viejos "que tiñen sus pálidas mejillas de rosado".

Los jóvenes afilan sus cuchillos ensayando la Revolución en sus revistas: fusilamientos, reescritura de la historia, bombas molotov, purgas, retórica partidaria, todo se practica allí, claro que a costa de la literatura.

Mientras denuncia al gobierno legal de Frondizi porque mantiene a funcionarios comunizantes en puestos clave, pidiendo el golpe de Estado que ocurrirá en 1962, se publica el número 269 de *Sur*, el último en que José Bianco figurará como secretario de redacción (1961).

En *Historia de algo que ocultamos* (mismo año) intenta describir la crisis de nuestro tiempo como religiosa: una sublevación dionisíaca de la materia extensa contra siglos de dominio apolíneo de la cosa pensante. El síntoma es la pornografía: pornógrafos y censores luchan por las llaves del mismo templo.

2°) *La política argentina*: como dije antes, este período es de intensificación del interés grupal por la política concreta y cotidiana. Si se sabe que *Sur* es una revista de escasas simpatías por el peronismo, se podrán rastrear ejemplos de su oposición al gobierno, en parte debidos a la restricción de las libertades públicas, en parte porque, como se verá, el arsenal ideológico antiperonista de *Sur* no era excesivamente lúcido.

Aparte de las páginas murenianas recordadas, encontramos el comentario de Alicia Justo (1952) a las obras de Lisandro de la Torre (un político de modelo "europeo" al cual *Sur* nunca llevó demasiado el apunte), en que defiende la herencia de Lisandro frente al dogmatismo de Juan B. Justo y al irracionalismo de Yrigoyen. Si bien uno dejó discípulos y el otro, un partido, Lisandro demostró que eran más importantes las ideas concretas que los ideales abstractos y dogmáticos.

En 1954, Victoria, en un gesto que la enaltece, aplaude la ley peronista que equipara los hijos matrimoniales a los extramatrimoniales, cuando acaba de salir de la cárcel. "Si el proyecto de reforma proviniera de mi peor detractor y de mi más cruel enemigo, le estaría aún, y a pesar de todo, profundamente agradecida". Tal vez haya un desdén mandarinal por la política en esta actitud, pero importa su contenido y no su motivación. Victoria ha reiterado su desprecio por el imperialismo de la política, que, orteguianamente, "no entiende nada" y siempre lamentará que hayan sido causas políticas las que la hayan alejado de amigos como Drieu o la Oliver.

En el seno de *Sur* el concreto proceso histórico volverá a producir un desgarro, esta vez más hondo y definitivo que el anterior, como ocurriera con la guerra y el fascismo. Su primer protocolo es el número 237, de noviembre-diciembre 1955, dedicado a la *reconstrucción nacional*. Hay, nada menos, una nación por reconstruir. Son significativas las ausencias de Murena, Bianco y Martínez Estrada.

Al llamado a la pacificación del gobierno peronista tras el bombardeo de junio de 1955, *Sur* contesta recordando sus manifiestos de 1937 y 1939 en favor de la democracia, y pidiendo que se restablezcan las libertades públicas. El gobierno de Perón, legal y legítimo, no es, en cambio, respetuoso de la ley, y ello lo hace plebiscitario pero no democrático. Muchos fuimos los argentinos que entonces salimos a la calle a celebrar la victoria de las armas sobre aquel gobierno, sin entender que estábamos apoyando los privilegios del ejército en un proceso que atañía sólo a la sociedad civil, entonces muy movilizada en varios sectores contra los abusos del poder peronista.

Una larga lista de colaboradores es unánime en censurar acremente al peronismo, defendiendo esquemas de libertad liberal, por encima de la voluntad general, de constitucionalismo tradicional, cuando no de repetición arquetípica: la batalla entre la civilización y la barbarie es eterna.

Pero hay silencios y hay tres voces que no encajan demasiado en el conjunto. Una es la pesimista de Girri, que cree en la vuelta cíclica del mal ("entre tiempo y tiempo / el espíritu repite sus infecciones" dice su poema *Acto de fe*). Otra es la de Sabato, que apostrofa: "Todos somos culpables de todo y en todo argentino había y hay un fragmento de Perón". Otra, acaso la más lúcida, la de Jorge Paita, que evoca la celebración de la Plaza de Mayo, donde no había obreros y sí gente de la clase media. Paita, entre ella, se sintió extraño, porque eran los mismos que pedían a Perón palos a los obreros. Querer volver a 1943 o a 1853 es negar la historia. Hay que asumir el proceso, no pretender anularlo. "Vencida la tiranía, nuestro lugar está junto a los que con ella se consideran vencidos. No podemos ni debemos prescindir de ellos." He aquí el discurso preventivo ante la revancha gorila, que entiende a Perón como un emergente histórico y no como una excepción a la historia.

La grieta se ensancha enseguida y Sabato, en su *La otra cara del peronismo*, y Martínez Estrada, en sus artículos de *Propósitos* y en *¿Qué es esto?*, marcan la línea disidente de *Sur*. En una nota del 10 de julio de 1956, en la mencionada revista, EME llega a querellarse con Borges llamándolo "turiferario a sueldo" (Borges era entonces director de la Biblioteca Nacional). La respuesta en *Sur* no se hace esperar, y es *Una efusión de Ezequiel Martínez Estrada*, ruda muestra del más triste Borges y expresión de un gorilismo militante y ahistórico:

> ...los comentadores del peronismo, que cautelosamente hablan de necesidades históricas, de males necesarios, de procesos irreversibles, y no del evidente Perón. A estos graves (graves, no serios) manipuladores de abstracciones prefiero el hombre de la calle, que habla de hijos de perra y de sinvergüenzas; ese hombre, en un lenguaje rudimental, está afirmando la realidad de la culpa y del libre albedrío.

Para Borges, la historia no tiene dialéctica, el mal no es necesario y EME es un "sagrado energúmeno". Comentando *Cuadrante del pampero* de Martínez Estrada (1956), Paita amplía los términos de la crisis:

> La actitud frente a los engañados nos dividía a los opositores de entonces en dos grandes grupos (porque muchos sólo querían la libertad para sí mismos y para sus parientes y amigos). Pero como la oposición al tirano nos juntaba a todos, al-

gunos no se daban cuenta. Hoy, aquella fisura alcanza proporciones cismáticas.

Paita propone, como contenido de la revolución, reconstruir el ser nacional con los peronistas, pues "la democracia vive de oposiciones, no de oficialismos". No se trata de convertir al antiperonismo en un peronismo al revés, sino de estructurar una sociedad plural y libre.

En concreto, la revista se manifestará, luego, muy escasamente sobre la vapuleada política argentina. Más en concreto, será indiferente a la suerte avara de nuestra Constitución liberal. Sólo habrá protestas muy aisladas por avasallamientos al mandarinato, como la organizada en torno a la prohibición de *Lolita* de Nabokov, en 1959.

El número 267 (noviembre-diciembre de 1960) propone una melancólica celebración de Mayo, a siglo y medio de la revolución. Entre quejas por el pobre presente y propuestas ahistóricas de retorno a los orígenes, se leen expresiones de compacto gorilismo:

> Los peronistas que siguen siendo peronistas no nos interesan. Existirán en alguna parte, pero no en nuestro horizonte de valores y respetos. Son, a lo más, materia educable. De ellos no tenemos nada que aprender. Ni siquiera nos importa desperonizarlos. Porque a los peronistas los despreciamos. (Enrique Anderson Imbert)

Alicia Jurado recuerda que, en 1910, se brindó por el Centenario con champán francés y que ahora es imposible pagarlo, debiendo beber del argentino, "puesto que ahora somos un país industrial y es preciso proteger nuestros engendros". La conclusión es preceptiva: "Abandonemos cuanto antes un tema tan penoso".

El desgaste de expectativas en el quinquenio 1955-1960 es enorme. Paita añora los tiempos en que era fácil coincidir y apuesta poco por una Argentina que se debate entre una oligarquía que no llega a ser aristocracia y una democracia que degenera en demagogia. Sabato sigue haciendo la crítica al gorilismo y recuerda que Aramburu lo echó de *Mundo Argentino* por denunciar torturas: no hay torturas buenas, y la Sección Especial peronista es tan abominable como las cárceles francesas de Argelia o los campos de concentración japoneses (la historia proveerá a Sabato de un elenco ampliado y mucho más triste).

3º) *Modelos tradicionales*: ante tanto desconcierto, una actitud es el repliegue hacia el "glorioso pasado"; si la historia es degeneración, se impone la regeneración, el viejo proyecto de la revista. En los artículos de Erro aparece constantemente esta apelación a la Revolución de Mayo, la batalla de Caseros y la Constitución de 1853, como si el consuelo fuera que, por irnos mal en 1945, volvamos a 1810. Norberto Rodríguez Bustamante, al hacer el elogio de Carlos Pellegrini (1951), propone restaurar el modelo demoliberal: un pueblo ilustrado elige libremente, según la propuesta sarmientina de hacer los Estados Unidos del Sur.

En su faz activa, esta doctrina tiene su expresión en los trabajos de Luis Elizalde: *Los arrecifes de coral* (1949), *Alberdi y el momento actual* (1957) y *Lenin y el momento actual argentino* (1958). En la crítica al autarquismo económico español, propio de países atrasados y agrícolas, hay una velada alusión al nacionalismo argentino, incompatible con una economía industrial, que depende del exterior y necesita divisas. En 1949 se prevé una crisis económica argentina originada en el ensimismamiento de la economía europea de posguerra, centrada en la reconstrucción y avara de dólares.

Años después, Elizalde hace un balance de la Argentina alberdiana, como el desarrollo de un conflicto entre el hombre federal, que encarna al pasado colonial, y el hombre unitario, que personifica el progresismo del XVIII. Los inmigrantes, provenientes de la Europa pobre, trajeron al país una mentalidad medieval, lo amaron pero lo pensaron de modo retrógrado. Alem e Yrigoyen ejemplifican esta mentalidad.

En el antiimperialismo de inspiración leninista, Elizalde ve la antinomia al proyecto alberdiano de un país integrado en el mercado mundial: una ideología nacionalista que va de Víctor Haya de la Torre a su amigo Homero Manzi. Mientras Alberdi propugna atraer al capital flotante mundial, que presta dinero barato y extiende el ferrocarril por el desierto, la xenofobia nacionalista es alentada por el neomarxismo de Lenin, que hace simpática la teología de Marx en los países atrasados, con su dialéctica de naciones explotadoras y explotadas. La oposición de fondo de la historia argentina es, pues, integración o autarquía, y todos los nacionalismos se tocan, sintetizando a Lenin con Perón a partir del putsch de 1943.

Estas antinomias aparecen en el seno de *Sur*, por ejemplo en la polémica de Victoria y Murena acerca de si debe darse primacía al conocimiento de Sarmiento o de Lawrence, o en las críticas de Paita a Francisco Ayala acerca del nacionalismo de los países dependientes, única vía de crear un concepto de nación en ellos.

4º) *Cambio de modelo mundial*: si bien *Sur* se crea con un demostrado interés por la civilización norteamericana y con el decisivo patronato intelectual de Waldo Frank, la dialéctica de partida es América-Europa. En la posguerra, estos términos aparecen desfasados y empieza a admitirse que el centro del mundo occidental ya no es europeo.

Protocolos de este cambio de actitud son la polémica de Victoria con Guillermo de Torre, en 1949, cuando éste habla despectivamente de la civilización de la Coca Cola, y Victoria subraya el palurdismo de los europeos ante la máquina, que en Estados Unidos no causa ningún asombro por ser cotidiana. Los viejos pobres del Viejo Continente son los nuevos ricos del Nuevo, provocando la envidia de los continentales. En 1950 se abre una encuesta sobre *Norteamérica la hermosa* de Mary Mac Carthy en la cual pueden verse los resabios de eurocentrismo de algunos intelectuales del grupo, a la vez que constatar la fugacísima aparición en *Sur* del joven David Viñas.

Con este fenómeno del cambio de eje mundial tiene que ver el inocultable interés de la revista por la guerra fría y la posibilidad de una tercera guerra mundial a partir del conflicto de Corea. Las opiniones evolucionan con los años: de una tercera guerra mundial inevitable se pasa a la aceptación de la guerra fría y la existencia legal de la URSS como alternativas racionales respecto a una confrontación atómica.

De otra parte, la revista acentúa su línea de censura a la URSS, ampliándola a la China comunista, por razones obvias. En general, se trata de denuncias sobre faltas de libertad de expresión, centradas en prohibiciones literarias y artísticas, a campos de trabajos forzados (denuncias de Octavio Paz y David Rousset), respuestas a las acusaciones de Neruda (Sartre es destructivo, T. E. Lawrence es un espía, Faulkner es perverso, Heidegger es nazi, Drieu es un traidor, T. S. Eliot es un falso místico reaccionario, Czeslaw Milosz es un vendido al oro yanqui, etc.), quejas por el caso Pasternak, etc. Especial relieve tiene la intervención de Thierry Maulnier en la polémica Camus-Sartre-Francis Jeanson acerca de si es oportuno o no denunciar los campos de trabajos forzados en la URSS, argumento que puede favorecer a la reacción, y si es legítimo condenar a un escritor de izquierda que recibe elogios de la derecha. Camus y Sartre tienen amplio espacio en *Sur* desde siempre, pero me permito creer que es Camus el modelo, el Camus de *Les justes* y su teoría del rebelde de manos limpias. En su prosa *El artista es el testigo de la libertad* (1949), Camus defiende la unidad que es la armonía de los contrarios frente a la totalidad que aplasta las diferencias:

El gran drama del hombre de Occidente está en que entre él y su devenir histórico no se interponen más las fuerzas de la naturaleza ni las de la amistad. Cortadas sus raíces, resecos sus brazos, se confunde ya con las horcas que le están prometidas. Pero al menos, llegados a este colmo de extravío, nada debe impedirnos denunciar el engaño de este siglo que finge correr tras el imperio de la razón mientras busca tan sólo las razones del amor que ha perdido.

La contemplación de Europa, la pobre, dividida y descabezada Europa de la posguerra (antes del milagro económico y el Mercado Común) merece algunas consideraciones melancólicas como las de Jules Romains (*Confesión de un europeo*, 1950), quien se pregunta si Europa es un sueño, una utopía, un malentendido, o el deseo de un continente unido como prenda de paz en el mundo, y las de Álvaro Fernández Suárez (1951), ante la disyuntiva de ser la cola de Asia o la colonia de América (recordar el chiste de Valéry). Carmen Gándara (*América la sin memoria*, 1951) se queja de los auropeos que siguen viendo a América como un mero cuerpo sin lenguaje (entre ellos habría que incluir a algunos escritores argentinos), ignorando su variedad expresiva.

5º) *Vindicaciones mandarinales*: entre éstas, aparte de las mencionadas, figura la persistente línea no violenta de la revista, encarnada en las figuras de Gandhi y Lanza del Vasto. La actitud parece triunfante en la descolonización de la India y el asesinato de Gandhi, que lo consagra como mártir, a la vez que Vasto organiza ayunos en París (1957) antes de venir a la Argentina, para protestar por la violencia de ambos bandos en la guerra de Argelia.

Gandhi, persistente devoción de Victoria, es visto como el desobediente civil que influye en la vida política sin hacer política, o sea el ideal del mandarín: desmarcarse del político profesional, que compite con su poder ideológico. Es curioso que Victoria nunca haya hecho hincapié en el feminismo gandhiano, basado en la liberación de la mujer dentro de una sociedad de castas, a partir de algunas pautas bastante pintorescas para una feminista occidental (simplificación de la cocina, instalación de carretillas para transportar los excrementos en ciudades sin alcantarillas, renuncia a los adornos y al acto sexual como medios de liberarse de la sujeción al hombre). La industria doméstica y la autogestión cooperativa de los consumos estaban en conflicto con la imagen de una Argentina moderna, integrada en el mercado mundial y tecnificada según un modelo europeo.

Otra vindicación mandarinal que es tradición en

Sur es la distancia frente a la jerarquía católica y a la intelectualidad orgánica del catolicismo. Así leemos protestas por la resolución del Vaticano de excomulgar a los católicos que se hagan comunistas, a la decisión del arzobispo de París de prohibir las honras fúnebres a Colette en la iglesia de San Roque (polémica de Graham Greene con François Mauriac, 1954), junto a textos de escritores cristianos como el propio Greene y Simone Weil.

MARX

Sigue siendo objeto de respetuosa descalificación. En 1949, cuando el centenario del *Manifiesto Comunista*, Dardo Cúneo señala el exceso de profetismo, la desmedida creencia en lo científico, la irritabilidad de la revolución, la intolerancia marxiana por otros matices de socialismo, la impaciencia insurreccional, como errores intelectuales del marxismo. Al no construir un programa de educación política del proletariado, Marx abrió el camino a la burocracia. También erró al considerar que la burguesía era una clase decadente y exhausta, cuando la historia ha mostrado lo contrario. El Marx insurreccional ha sido derogado por el tiempo, queda el Marx científico, aunque la técnica no ha bastado para liberar al hombre. Hay una soledad del socialismo, que vive desconectado del entusiasmo bárbaro y de la ciencia moderna capitalista, salvo, quizá, en Inglaterra y en Suecia. Se impone reconsiderar al hombre no como resultado de un proceso histórico, sino como sujeto del mismo, según lo plantea el pensamiento utópico.

Camilo Viterbo (*De Marx a Keynes*, 1949) quita importancia científica a Marx, sosteniendo que todo lo científico en él está tomado de Ricardo. León Ostrov opinará, en el centenario de Sorel, que nada tiene que ver con Lenin, Hitler ni Mussolini, que lo desvirtuaron, lo mismo que a Nietzsche. F. J. Solero sigue al variable James Burnham (1961) cuando, en *La inevitable derrota del comunismo*, afirma que el ideario marxiano es irrealizable y la sociedad soviética carece de dinamismo. Caillois repite lo agotado de la ciencia marxista, que ha debido convertirse en dogma para sobrevivir. Lo mismo cree Simone Weil, para quien el marxismo forma parte de las supersticiones de una época que creía en el progreso industrial y productivo, pero no de sus doctrinas. La única voz medianamente marxiana que se oye es la de Sebreli cuestionando el mecanismo de Jorge Abelardo Ramos (*Crisis y resurrección de la literatura argentina*, 1954), para el cual el escritor es un objeto pasivo e inerte, un desecho del proceso social que hay que tirar a la basura, como si el crítico fuera un juntacadáveres.

LA CONDICIÓN DE LA MUJER

Cabe repetir las observaciones anteriores. Domina la voz feminista de Victoria en diversos textos. Cuando critica *Les jeunes filles* de Montherlant (apoyándose en Simone de Beauvoir, 1949), se queja de que la mujer sea definida en relación al varón, por lo que no tiene, siendo él quien mide su poder en la hembra, como el ser humano genérico ante un animal. Montherlant sostiene la teoría de que el hombre desea a la mujer tonta porque la desprecia, para saciarse, porque lo que le importa es el encuentro con otro hombre, que es su igual.

Ese año escribe *En la selva* y dice:

Eso de creer que lavar platos es tarea humillante me parece una idea muy plebeya, en el peor sentido del término. Porque, créase o no, hay ideas plebeyas tan idiotas como ciertas ideas oligárquicas, sólo que hoy se estila denigrar, con preferencia, la idiotez oligárquica (muy idiota, por cierto).

Es interesante el giro ideológico de Victoria, que acompaña la transformación de la sociedad argentina como crecientemente industrial y, por lo mismo, con una creciente ocupación de mano de obra femenina y mayor oportunidad de actuación social de las mujeres. La constante relación de la mujer con el trabajador se pasa por allí ("la mujer, ese grande y

trágico proletariado del mundo"). En 1950 propone
junto a las declaraciones de derechos del hombre,
una paralela de derechos de la mujer.

Otra curiosidad de la revista es observar cómo un
varón ataca la naturalidad de los roles sexuales y una
mujer (ambos españoles) se desmarca de la Beauvoir en su denuncia de la exclusión femenina. Álvaro
Fernando Suárez (*La invención de la mujer*, 1950)
sostiene que los roles son inventos culturales y carecen de asidero natural. La cultura hace del hombre algo genérico, y de la mujer, algo meramente
femenino. De ello se derivan los caracteres sexuales terciarios, el fetichismo social de los roles, el
carácter atractivo de la mujer y el hombre como
atraído, la decoración del cuerpo mujeril y el poder social vicario de las hembras humanas. En
cambio, Rosa Chacel (1956) cuestiona a la Beauvoir
la tesis sobre la alteridad y la exclusión de la mujer
en la historia. Los hombres no excluyeron a las mujeres de ningún espacio, fueron ellas quienes no quisieron compartir los riesgos de los hombres.

En 1952, Sabato publica *Sobre la metafísica del
sexo*, texto en que, con apoyatura de Gina Lombroso,
Bergman y Simmel, intenta describir unos arqueti-
pos platónicos de Hombre y Mujer. Al primero atribuye ideas puras y abstractas, frialdad, objetividad,
intereses no utilitarios, amor a las causas, tendencia
a lo genérico humano, problematicidad, egoísmo, dirección existencial de la náusea al cielo de los tipos
ideales, de la lógica a la locura. A la segunda, tendencia a los objetos concretos, calidez, subjetividad,
el ser desinteresada y utilitaria, propender a las cosas
concretas, a la maternidad, a los seres peculiares,
al amor, a la permanencia en el magma carnal y a lo
centrípeto, el ir de lo ilógico a la sensatez.

Por esta vía, Sabato hace masculinos: el comercio,
la filosofía general, la revolución, la sexualidad, la duplicidad y la grandeza, la inmortalidad mental, el
mundo, el capitalismo (que somete a la mujer por
medio de abstracciones como la razón y el dinero),
el pensamiento y la ciencia; y femeninos: la filosofía existencialista, la industria, la restauración, la
conservación, el erotismo, el mundo de lo simple y

lo unitivo, lo pequeño, la inmortalidad carnal, la casa, la inmanencia como opuesta a la trascendencia, el arte.

Victoria (*Carta a Ernesto Sabato*) responde airada a esta teoría, rechazando la existencia abstracta de tipos y reivindicando la existencia concreta de algunos hombres y algunas mujeres. A su vez, Sabato no habla como sujeto humano, sino obedeciendo al rol de bípedo centrífugo, el animal noble que se ha reservado siempre el papel más lucido en la historia (la guerra y la filosofía). La alteración de los roles y el aumento de poder social de la mujer, sostiene Fernández Suárez (*El sexo y la técnica*), son resultado del cambio de las condiciones de producción y no de una crisis metafísica de los sexos.

Mientras Sabato intenta desvalorizar a su contrincante, sosteniendo que la debilidad lógica de las mujeres las lleva a valerse del paralogismo, Victoria reivindica su debilidad social y compara a la mujer con el negro, el judío y demás minorías oprimidas, con la agravante de que las mujeres son mayoría numérica. Las compara también con el proletariado, en tanto proletario es aquel desposeído que sólo tiene una prole.

FREUD

Aquí seguimos como antes. Algunos ejemplos: Alberto Zalamea (reseña al *Freud* de Emil Ludwig) juzga mediocres los escritos de Freud, aunque su intuición fuera genial (año 1952); Anderson Imbert considera que Freud llena de alimañas los abismos mentales y que conocer las alimañas ajenas es imposible; Eduardo Krapf (*Psicoanálisis e imagen del hombre*, 1957) conceptúa a Freud un positivista y un naturalista que propuso un método curativo ante el hecho de que la cultura es inevitable e impone dominar los instintos; algo similar sostiene entonces Raúl Ballvé, que ataca al psicoanálisis por negar la libertad humana.

DIFUSIONISMO LITERARIO

En este terreno sólo puedo ser esquemático y decir que, manteniendo la línea de incorporar novedades inglesas, francesas y norteamericanas, se balancea el panorama dando mayor relieve a las letras italianas y germánicas, así como, en las españolas, se incorporan algunas firmas de escritores residentes en la España franquista. Disminuyen las apariciones de escritores latinoamericanos y apenas hay trabajos de tema indígena. Se incorporan expresiones de las letras hebreas.

En cuanto a la literatura argentina, cabe destacar una línea editorial en los artículos de Murena, que ocupan, en esta materia como en otras, un espacio protagónico antes nunca visto en *Sur*, tanto más notable por la desaparición de algunos grandes nombres de la etapa anterior (Mallea, Martínez Estrada).

Murena se permite disentir radicalmente de algunas firmas cercanas y así rescata los artículos de Miguel Alfredo Olivera y Julio Cortázar, en *Realidad*, sobre Sabato y Marechal, con valoraciones opuestas a las de *Sur*, al tiempo que denuncia el silencio hecho en torno a *Adán Buenosayres*. En otro campo, mantiene la línea de oposición al realismo, propia de la revista, censurando a autores como Manuel Gálvez o Leónidas Barletta. "Lo imaginado es lo único lícito en el arte, porque el arte es esa singular fidelidad a lo real que no puede traducirse sino por medio de lo irreal". Las cosas como son —y no como deberían ser— están muertas y ése es el resultado paradójico de ser obediente a "la vida real" en el arte.

La estética mureniana parece enraizada en planteos existenciales: la poesía de la circunstancia de Carlos Viola Soto es opuesta, como ejemplar, al neoclasicismo de buenas maneras típico de *Sur* y a la tendencia joven de *Poesía Buenos Aires*, surrealista de academia y afectada de manierismo nerudiano: son jóvenes viejos.

Sur se mantiene en otra línea ideológica, que es el antinacionalismo. He allí en su abono las críticas de

Sebreli a la *Historia de la Argentina* de Ernesto Palacio, antiguo colaborador de *Sur*, ahora en la administración peronista y siempre fiel católico, y también la defensa de Murena ante las pullas que le dirige Hernández Arregui. Sebreli describe la mentalidad nacionalista como apegada a valores inamovibles, considerados con espíritu de seriedad, o sea ante los cuales el sujeto nada puede. La nación es permanente objeto de incomprensión persecutoria, por lo cual el nacionalista es una suerte de adolescente paranoico que ensaya constantes actitudes de desafío. Murena define, por su parte, al nacionalismo como "ese hijo bastardo del amor verdadero a la tierra en que se ha nacido, máscara torva que —como acontece en muchas familias— proclama hacia quienes tiene más cerca (por nacimiento) un colérico amor que en el fondo no es más que un pretexto para odiar al resto de la humanidad, y acaso a todo hombre".

Si Martínez Estrada sigue igual a sí mismo en el epílogo que escribe para su libro sobre Martín Fierro (literatura de frontera entre la naturaleza sin historia del campesino y la historia desnaturalizada del militar y el ciudadano), Borges evoca, con nostalgia, el perdido espejo del patriciado argentino, al comentar las memorias de Adolfo Bioy (padre): cortesía, recato, valentía, modestia, pudor, el privilegio de una vida a la vez rural y urbana.

En 1952, al morir Macedonio, Borges hace ante su tumba el retrato del padre insustituible, suerte de antepasado kafkiano que no admite herederos: un Zaddik de la mística judía "cuya doctrina de la ley es menos importante que el hecho de que él mismo es la ley".

Por el contrario, Sebreli reexamina a los fundadores (*La acción de Sarmiento y la razón de Alberdi*, 1954) y balancea sus contradicciones, tomando el partido de la historia: ellos no son la ley, la ley se hace entre todos a través del tiempo. Frente a un dialéctico activo (Sarmiento) hay un sujeto mecánico y pasivo (Alberdi), solitario, desesperado, sublime en el orden individual pero de un idealismo que lleva a la impotencia y al fracaso, alegoría intelectual de

David ante Goliath, según la figura de Martínez Estrada.

El campo de las letras nacionales se ensancha un tanto con temas y personajes antes censurados: González Lanuza se ocupa de Banchs, Sebreli de Roberto Arlt, José Edmundo Clemente del lunfardo, Jaime Rest del aporte negro a la cultura rioplatense, Elizalde recuerda a Enrique Larreta en su muerte (1961). Como Chateaubriand, quiso escribir para hacerse amar.

En un país y en una época donde sólo reinaban los políticos y las vacas, esa convicción solitaria le valió hostilidad y resistencias, llaga secreta de su vida afortunada y brillante.

NÚMEROS ESPECIALES

N? 190/191, año 1950: *Cuaderno San Martín dedicado a los Derechos del Hombre.* Colaboran Bat Bak, Jean Piaget, Carlos Sánchez Viamonte, Carlos Alberto Erro, Ezequiel Martínez Estrada, Álvaro Fernández Suárez, Sebastián Soler, B. Corbalán Pacheco y Jaime Benítez.

N? 192/3/4, diciembre de 1950, dedicado a los veinte años de la revista.

N? 200, junio 1951, en memoria de Bernard Shaw y André Gide.

N? 206, diciembre 1951, homenaje a Sor Juana Inés de la Cruz en su centenario. Colaboran Octavio Paz y Frida Schulz de Mantovani. Se incluye la *Respuesta a Sor Filotea.*

En 1952 se publican artículos sobre Leonardo da Vinci, de Rodolfo Mondolfo, José Babini y Enrique Anderson Imbert.

En 1953, sobre Rainer María Rilke escriben Rudolph Kassner, Herbert Steiner y Alfredo Terzaga.

N? 225, noviembre/diciembre 1953, dedicado a las letras italianas. Textos de Benedetto Croce, Guido Piovene, Antonio Gramsci, Giansiro Ferrata, Vincenzo Cardarelli, Geno Pampaloni, Sergio Solmi, Italo Svevo, Ricardo Baccheli, Aldo Palazzeschi, Enrico Pea,

Corrado Alvaro, Emilio Cecchi, Giovanni Comisso, Carlo Emilio Gadda, Massimo Bontempelli, Cesare Pavese, Giuseppe Ungaretti, Eugenio Montale, Salvatore Quasimodo, Umberto Saba, Alfonso Gatto, Vittorio Sereni, Leonardo Sinisgalli, Sandro Penna, Alberto Moravia, Elio Vittorini y otros.

En 1954, por el centenario de Almafuerte, escriben Carlos Mastronardi, Eduardo González Lanuza y Aldo Prior.

N? 235, julio/agosto 1955, nuevo homenaje a T. E. Lawrence. Con motivo del vigésimo aniversario de su muerte se publica *El troquel*. Colaboran Winston Churchill, B. H. Liddel Hart, Ronald Storrs, E. M. Forster, Raymond Mortimer y Victoria Ocampo (*Félix Culpa*).

N? 237, noviembre/diciembre 1955: *Por la reconstrucción nacional*. En setiembre ha caído el gobierno de Juan Perón, y colaboran Victoria Ocampo, Jorge Luis Borges, Francisco Romero, Vicente Fatone, Juan Mantovani, Sebastián Soler, Carmen Gándara, Manuel Río, Manuel Mercader SJ, Alberto Girri, Eduardo González Lanuza, Carlos Mastronardi, Guillermo de Torre, Bernardo Canal Feijoo, Silvina Ocampo, Aldo Prior, Jorge Paita, Ernesto Sabato, Víctor Massuh, Norberto Rodrígnez Bustamante, Tulio Halperin Donghi.

N? 240, mayo/junio 1956, dedicado a las letras canadienses. Escriben Victoria Ocampo, Douglas Grant, Alexander Brady, Guy Silvestre, Northrop Frye, Claude Bissel, Robert Choquette, Robert Finch y otros.

N? 241, julio/agosto 1956, homenaje a José Ortega y Gasset con motivo de su muerte, ocurrida en octubre 1955. Escriben Fernando Vela, Salvador de Madariaga, Julián Marías, José Ferrater Mora, Francisco Romero, José Adolfo Vázquez, Segundo Serrano Poncela, María Zambrano, Jorge Paita, Armando Asti Vera, Héctor Oscar Ciarlo, Carmen Gándara, Álvaro Fernández Suárez, Guillermo de Torre, Ricardo Gullón, Rosa Chacel, Luis Araquistain, Jean Cassou, Juan Mantovani, Héctor Pozzi, Germán Arciniegas, Raúl Ballvé, Jaime Perriaux, Corpus Parga, Carl Burckhardt, Elena Sansinena de Elizalde, Jaime Benítez, J. B. Trend y Victoria Ocampo.

N? 249, noviembre/diciembre 1957, dedicado a la literatura japonesa moderna, con prólogo de Octavio Paz.

N? 254, setiembre/octubre 1958, dedicado a Israel, con prólogo de Jorge Luis Borges.

N? 259, dedicado a la India, con introducción de Victoria Ocampo.

N? 266, setiembre/octubre 1960, homenaje a Jules Supervielle, con colaboraciones de Marcel Jouhandeau, Jorge Luis Borges, Rafael Alberti, Gloria Alcorta y Etiemble.

N? 267, noviembre/diciembre 1960: *A ciento cincuenta años de la revolución, examen de conciencia.* Colaboran Jorge Luis Borges, Carlos Alberto Erro, Frida Schulz de Mantovani, Enrique Anderson Imbert, Victoria Ocampo, Ernesto Sabato, Luis Emilio Soto, Jorge Paita y Alicia Jurado.

N? 268, enero/febrero 1961, dedicado al trigésimo aniversario de la revista.

TERCERA ÉPOCA: 1961-1971

Esta etapa, en lo personal, está signada por la vejez de Victoria (pasa de sus 71 a sus 81 años en el período) y la tarea directiva de Pezzoni en la revista y de Murena en la editorial de libros. Si hubiera de buscarse una caracterización interna de este *Sur*, podría sondearse un progreso de su crisis política, tensionada por las exclusiones (Bianco, Oliver, Martínez Estrada, completas; otras, parciales) y la incapacidad de convocatoria en vastos sectores de la intelectualidad joven (de *Contorno* en adelante), a la que se suman un contradictorio afán por ampliar el espectro mental de la revista (la tarea de Pezzoni) y el recalcitrante anticomunismo integrista de algunas firmas notorias. En cierto estadio de la crisis interna, se suma a ella el estado de asamblea que provoca en el logos occidental el mayo francés, con su constelación filosófica anarcoide, freudomarxista y hegeloespontaneísta, como se la ha definido irónicamente, y otra crisis más cercana: el derrumbe de la dictadura militar (1966-1973) y la montante de la violencia guerrillera. Ante este panorama, la vieja y fatigada dama de las letras opta por un digno silencio. Su perplejidad se resuelve en un rechazo señorial del escándalo del mundo y propone al paisaje argentino, tan proclive a la garrulería oportunista, una imagen de distancia ensimismada. Si la torre de *Sur* no puede tenerse en pie, queda la penumbrosa torre de San Isidro, de la cual saldrá a veces, triste, anciana y enferma, una Victoria que recorre las antesalas del Proceso pidiendo por escritores desaparecidos.

Con el número 325 (julio-agosto 1970) *Sur* se suspende y si reaparece en el 326/8 (setiembre 1970-junio 1971) se anuncia como bianual y se dedica, no casualmente, a la mujer. Es el último número activo hecho en vida de Victoria, pues los demás se dedican a reeditar antologías de trabajos, como si la revista no tuviera ya presente, sino sólo pasado.

Un perfil del intelectual que modeliza *Sur* sigue siendo esta suerte de individualista anárquico pero no opuesto al orden, sino rebelde, cuyo testimonio de disidencia pasa por su no compromiso político concreto, es decir que apunta a una moral inerte y no a una utilización del logos en la acción. Este escritor, que en la etapa anterior tuvo su líder en Camus, puede tenerlo ahora en Graham Greene, con un texto decisivo: *La misión del escritor en la sociedad contemporánea* (1963):

> Para el escritor es un deber el ser considerado como inseguro, como desleal. No solamente debe rechazar privilegios y condecoraciones del Estado, sino que ni siquiera debe merecerlos... Pero tenemos que estar seguros de no dar nada en cambio, absolutamente nada.

Greene propone ejemplos muy variados. El mismo, católico desleal a la Iglesia, puede ser uno. Otros, los que prefieren ser ahorcados, fusilados o encerrados en un manicomio (Lorca, Pound, tanto da). No, en cualquier caso, el intelectual orgánico, cuyo modelo es Mauriac. Ser un guijarro en la máquina del Estado es el más alto deber social del escritor. Vemos siempre el gusto de *Sur* por la santidad laica y el mandarín martirizado.

Otros textos del período van por esta línea: Michel Butor, la presentación de la novela objetivista (obra de un sujeto ausente del contrato social de la escritura), Emile Gioran y su anarquismo de derecha apocalíptica.

Un panorama político cada vez más desgarrado y de opciones más vidriosas (oh, nostalgia de los tiempos diáfanos del fascismo) ahonda ciertos gestos sureños en el sentido de una defensa de lo permanente y eterno frente a la moda y a la vanguardia. Recordemos que, en ese período, Buenos Aires asiste a una institucionalización del arte experimental a través de la "manzana loca" y sus aledaños y que se viven (sin saberlo, como siempre ocurre) esos años de nuestra juventud que hoy merecen la etiqueta de *happy sixties* o década prodigiosa. Mario Lancellotti, por ejemplo (*Siam, Di Tella y Cía.*, 1965) describe irónicamente una sesión del célebre instituto, ejemplo de un arte incomprensible e inhumano, un negocio dotado de ingenua filosofía. Sabato, revisando a Sartre (1968) vuelve a rescatar para el arte la tarea de la trascendencia que, antiguamente, tuvieron las religiones y que es la garantía de vínculo entre el hombre y la totalidad (sol y sombra, carne y alma, muerte y eternidad, el hombre es un animal incierto que sólo halla refugio a sus vacilaciones en la certeza de la obra bella): ninguna otra actividad humana es superior a la ejercida por el artista.

También en 1968, esta vez revisando a Claudel, un escritor cuyo catolicismo le resulta rechazante y cuya poesía la seduce, Victoria reflexiona:

Para las grandes obras de arte no hay modas. Hay modos y épocas que, sin destruir el pasado, lo enriquecen de nuevas combinaciones que se suceden unas a otras. Formas que varían a medida que varía el mundo circundante y nos ofrece otro repertorio de sugestiones, a medida que ese mundo se llena de nuevas y tremendas alusiones a lo desconocido con que nos topamos a cada paso, y que la ciencia ahonda sin explicar.

Victoria sigue siendo una sensibilidad neoclásica y liberal, respetuosa de la variedad de formas que giran en torno a la inquietud central del arte: el contacto con el misterio. En ese escatologismo aparece el enigma subsidiario del buen gusto. Escribe al respecto en 1969, ante la muerte de González Garaño, un coleccionista afecto al croquet, al tennis y el golf:

> Parecería que se nace con él, y aunque es necesario educarse para que el buen gusto rinda, las manifestaciones de buen gusto pueden darse en personas que ni han nacido ni han vivido en un medio que favoreciera estas características.

Gente nueva se va incorporando a *Sur* y es tan válido hacer su inventario como lo sería hacerlo de tantos nombres de escritores argentinos que no aparecen por las páginas de la revista. Vemos firmar a Alejandra Pizarnik, Norberto Silvetti Paz (traductor de Constantino Kavafis en 1962), Joaquín Giannuzzi, César Magrini (introductor de Malcolm Lowry en 1962), Haroldo Conti, Elvira Orphée, Guillermo Whitelow, Daniel Moyano.

POLITICA

Aquí observamos una suerte de balance final de *Sur* y de sus contradicciones, debidamente actualizadas por el giro del pensamiento contemporáneo. Por ejemplo, si se contrastan dos textos publicados el mismo año, 1962 (*Carta a Pablo Antonio Cuadra* de Thomas Merton y el *Crecimiento de las Naciones* de Walt Rostow) se observa la contraposición de dos tesis extremas. Merton culpa al modelo de hombre tecnológico occidental, modelo vacuo y de tormentoso corazón, de toda la crisis actual. Occidente (incluidas Rusia y China) es pecaminoso, cruel, codicioso, deshonesto e infiel a la verdad, soberbio ante el resto del mundo, desleal con Dios y con el hombre, causante de una barbarie creciente que surge de un falso humanismo sin Dios. Sólo el Tercer Mundo, si se evade del peligro del humanismo ateo, podrá salvarse de la confrontación final entre los grandes.

Este elogio del primitivismo y esta condena radical de la modernidad y de su historia, contrasta con la tesis de Rostow, que observa con optimismo cómo la infraestructura industrial permite desmarrar desde la sociedad tradicional a la moderna. La integración en el mercado mundial puede llevar a la confrontación de economías diversas y hacer que las inferiores asciendan al máximo nivel (Japón), o resistan luchando (Irlanda en el XVIII) o se encierren en un atraso igual a sí mismo, impermeabilizándose a toda influencia (China). El comunismo ruso continúa el desarrollo industrial del zarismo, incluyéndose en la opción "progresista".

Estas oposiciones se ejemplifican en el debate sobre la violencia organizado por la Fundación Sur el 22 de junio de 1968. Víctor Massuh no trepida en responsabilizar de la violencia actual a una constelación de intelectuales que va de Marx, Nietzsche, Freud y Sorel hasta Franz Fanon y Sartre. Estos pensadores han peraltado la violencia como sustancia de lo real y como proceso redentor, una suerte de éxtasis salvador y apocalíptico que estalla en las revoluciones. Hay violencia porque hay una extrema izquierda que propaga la justicia vengativa frente a la ética del perdón. Mariano Grondona también achaca el fenómeno a la pérdida de valores tradicionales destruidos por el proceso de desarrollo industrial.

En otro espacio, Edgardo Cozarinsky considera violenta a la sociedad en su cotidianeidad, por ser un orden de explotación que intenta perpetuarse y contra el cual explota, de manera pueril o elaborada, la violencia extrema. Arturo Paoli ve en los pobres a las verdaderas víctimas de la violencia diaria y la única vía de superación es el trabajo con esas clases desposeídas. José Luis Romero también ensaya explicar socialmente el fenómeno distinguiendo entre la fuerza (violencia racionalizada de las clases dominantes que cristaliza en las instituciones y disimula su carácter coactivo por su eficacia persuasiva) de la violencia que estalla contra aquélla, la revuelta que tiene aspecto de desorden irracional porque choca contra la costumbre de la razón establecida.

Se advierten dos posiciones bien distintas: un pensamiento defensivo y conservador, para el cual la violencia es ajena al sistema, y un pensamiento más amplio, que intenta entender al sistema como causa de sus propias contradicciones. Políticamente, hay una ideología autoritaria y policíaca que luego se verá actuar con generosidad en la Argentina, y otra ideología que, por admitir lo problemático de la vida social, puede servir de soporte a la convivencia democrática. Massuh (*Feuerbach, Marx y Nietzsche: del humanismo ateo a la religión,* 1969) insiste en que el origen de la crisis contemporánea está en el hecho de que se desacralizó la historia y el humanismo ateo ganó terreno a la religión, transformando al intelectual en un profeta de los tiempos laicos. Para Jacques Barzun (*El romanticismo en la actualidad,* 1962) asistimos, simplemente, desde la posguerra, a un retorno cíclico de la mentalidad romántica, a la creencia de la página en blanco y la ruptura radical con el pasado, que admite formas tan variadas como el marxismo-leninismo, el Action Painting, la novela de la destrucción y la música electrónica.

De otra parte, la revista intenta abrir sus curiosidades ideológicas al mayo francés, a Marcuse (artículos de Ivonne Bordelois y Jean-Marie Domenach), a ciertas expresiones del pensamiento de izquierda europeo, plasmadas en la Colección de Estudios Alemanes, fundada en 1966 y que da a conocer a Walter Benjamin, Theodor Adorno, Max Horkheimer, Jürgen Habermas, Herbert Marcuse, Ludwig Bentin, Ulrich Klug, Gustav Wetter, etc., en un esfuerzo sin precedentes en *Sur* por ampliar el espacio filosófico de la revista.

También, en este orden de apertura, cabe inscribir el número especial dedicado a América Latina, pues *Sur,* a pesar de sus propósitos americanistas, jamás se había preocupado por trazar panoramas americanos concretos. Allí pueden leerse opiniones contrastadas sobre la dictadura brasileña y la violencia en Colombia, así como sobre la revolución cubana (Alejo Carpentier vs. Humberto Piñera). En 1964 se rinde homenaje a Martínez Estrada, con motivo de su muerte, aunque obviándose su castrismo. Debe decirse que las relaciones entre EME y Victoria, más allá de toda distancia política, fueron siempre cordiales y amistosas, como consta en sus cartas.

Con todo, la posición victorial ante la política sigue siendo de mandarinal desdén. La tarea intelectual es siempre, para Victoria, algo que debe mantenerse alejado de los compromisos y las pasiones políticas. En 1963 escribe:

La política no aspira casi nunca a enterarse de las cosas. El espectáculo de desbarajuste perfecto que ofrece nuestro país (y el mundo en general, en ciertos aspectos) lo prueba con una abrumadora elocuencia.

En 1965, al recibir el Premio Moors Cabot, vuelve a referirse a la "lucha contra la invasión de elementos políticos que en esta época intervienen en todo y premian la entrega de las conciencias así como castigan toda actitud independiente". No es casual que su última intervención en *Sur* sea acerca del tema de la mujer, el único en que, radicalmente, Victoria estuvo contra el orden establecido (y no es poco decir, si pensamos en que la mujer es la mitad de la humanidad y se piensa, victorialmente, como un proletariado) y que su simpatía, compulsiva, si se quiere, sea hacia una izquierda donde había cierto lugar al feminismo (la izquierda de Sergio Eisenstein, desde luego) y no por una derecha en que la mujer era sólo la madre del soldado (Drieu la Rochelle). Se echan de menos, con todo, las protestas de otrora por atropellos del poder concreto. La única que se registra es en el nº 307 del año 1967, cuando el gobierno de Onganía secuestra y quema 1500 libros.

En cambio, es una adquisición mental de este período el dejar atrás el asunto del vetusto ser nacional argentino. Sólo un texto de Adolfo Obieta (*Independencia y argentinidad*, 1966) alude al tema, y lo hace históricamente, recordando la polémica que sostuvieron en 1888 Bartolomé Mitre y Joaquín González acerca de las raíces históricas europeas o indígenas de la Argentina. Una polémica que no arrojó resultados claros, en una sociedad que, por no esclarecerse al respecto, está condenada a repetir sus incertidumbres, como si acabara de salir de sus luchas civiles decimonónicas.

FREUD

En esta etapa, se matiza la posición tradicionalmente fóbica de *Sur* hacia el psicoanálisis. Alfred Kazin (*El lenguaje de los "pundits"*, 1963) si bien elogia a Freud como escritor y admite que parte de sus doctrinas tiene base literaria, cree que su influencia sobre la narrativa ha sido negativa. Jean Starobinski (*Psicoanálisis y crítica literaria*, 1969) reivindica el método freudiano, aunque relativizando su discurso como literario y no como científico. André Clair (*Freud y el hecho de la violencia*, 1970) rescata al maestro vienés como no violento, pues la pulsión de muerte lleva a la violencia si no logra transformarse en discurso por medio del tratamiento.

Mario Lancellotti y León Ostrov polemizan sobre Freud a partir de una opinión del primero, en el sentido de entenderse que la sociedad europea de la primera posguerra adoptó el psicoanálisis porque era una sociedad enferma, que se rindió como una histérica ante un seductor.

MARX

Hay poco material sobre el tema, pero el escaso es más matizado que en épocas anteriores. Destaca la polémica de Sartre y Jean Hyppolite contra Roger Garaudy y Vigier sobre la dialéctica de la naturaleza (1962) y un trabajo de Sebastián Soler sobre Hegel y Marx (1963) donde censura al segundo el haber traducido la acción hegeliana (modificación humana de la naturaleza) a trabajo (explotado y, por lo mismo, injustamente pagado). El error de Marx, como el del pansexualismo freudiano, es haber pretendido convertirse en filosofía perenne, metafísica universal que excede los marcos de la teoría económica. El hombre, en el modelo humanista, es genéricamente universal antes que proletario o burgués. No siempre el trabajo es bueno (puede ser destructivo) ni el ocio es malo (puede ser meditativo y creador).

Cabe constatar la aparición de trabajos de y sobre escritores de izquierda, como el homenaje a Rafael Alberti en sus 60 años y 25 de exilio en la Argentina (1963), el citado a Martínez Estrada, el retorno de la Oliver y el artículo que Victoria dedica a su autobiografía, y un poema de Neruda sobre Oliverio Girondo (1968).

LA MUJER

La vieja tipología se deja ahora, casi completamente de lado, salvo en un trabajo de Sabato (*Hombre y mujer*, 1970) en que el rol de lo femenino es valorizado como superador de las taras de la sociedad tecnificada y militar. La revalorización de lo mágico, las culturas primitivas, lo mítico, lo no lógico, etc., apunta a lo femenino y tiene un papel protagónico en la solución de la crisis actual.

Los otros textos sobre el tema pertenecen a Victoria y destaco la importancia de uno, el discurso en la Fundación Vaccaro (1966), en que reivindica su lucha como la de la mitad de la humanidad, y no tan sólo la de una mujer notable y, en muchos aspectos, privilegiada, por un lugar junto a los varones. Opone su caracterización victorial a la victoriana, pues la Reina Victoria era una mujer que ejercía el poder en nombre de la ley patriarcal, en contra de las otras mujeres. Ignoró a las sufragistas y a Charlotte Brontë, una modesta maestrita que se ocultaba tras un seudónimo masculino. Frente a Anna de Noailles, la diva un tanto prostituida que admiraba al machista Napoleón, propone otro modelo de mujer: la astronauta que domina la técnica y se eleva a las máximas alturas por medio del saber y del trabajo. Destaco la escena de María Rosa González bordando el nombre de Victoria Ocampo en la cárcel: la hermana reconoce a la hermana en la situación límite de lo humano, la pérdida de la libertad.

También caben aquí concretas reivindicaciones femeninas rescatadas por Victoria: el derecho a no usar el apellido del marido, el divorcio, el aborto, el control de la natalidad. A veces se echa de menos alguna censura de Victoria al ejército, institución masculina si las hay, y que tanto interviene en la vida cívica argentina de la época. En cambio, es valioso que la encuesta sobre la mujer se haga mezclando a mujeres notables con encuestadas anónimas, demostrando que el problema se enfoca como colectivo.

LA LITERATURA ARGENTINA

Los años permiten un panorama y un balance que saca, en parte, a *Sur*, de su parcialidad banderiza. Grupo brillante pero grupo al fin, de un gusto agudo pero estrecho, con arrogancias mandarinales a veces fundadas y otras no tanto, la familia literaria de *Sur* dejó a la literatura argentina una herencia irregular, algunos de cuyos desniveles se empiezan a examinar en estos años. Lamentablemente, la discontinuidad de la revista ha impedido progresar en la tarea.

Un texto de Nélida Salvador (1963) trata de sintetizar las oposiciones Florida/Boedo, que constituían uno de los tópicos insistentes en la crítica de la época, sin que, en la realidad de los hechos literarios, la separación fuera tajante (sí podría serlo en las abstracciones teóricas). Otro gesto de síntesis es la publicación, al fin, de un texto de Roberto Arlt (*Noviazgo moro en Marruecos*), carencia que siempre se reprochó a la revista y que ésta repara en su última aparición regular.

Otro movimiento esbozado y trunco es la revisión de los maestros sureños. Se empieza por Martínez Estrada y se echa en falta una relectura de Borges, Mallea, Murena, etcétera.

Martínez Estrada, que había sido un punto de partida para *Contorno*, luego es devorado totémicamente tanto por Murena desde *Sur* como por Sebreli y

Viñas desde la vereda de enfrente (el libro de Sebreli es decisivo en este orden). En 1965, Aldo Prior ensaya una doble lectura crítica: EME no es un ideó-
go, un pensador, ni siquiera un sociólogo, es un escritor hasta cierto punto ingenuo que, en una situación
extrema, habría preferido esconder su biblioteca y
ser considerado un analfabeto. Frente al optimismo
darwiniano del ochenta, EME representa el pesimismo inerte de una época histórica en que las energías
sociales argentinas se han paralizado y el país se ha
quedado arcaico. Pero EME, apegado al arcaísmo de
la realidad, pierde distancia y se queda también anti-
cuado como escritor, lo cual habilita a los más jóvenes (Murena, Sebreli) a quejarse de su pesimismo
irracionalista y de su inútil romanticismo.

En el homenaje de la revista (1965) también aparecen reservas, aparte de la censura de silencio sobre
su posición política tras la caída de Perón. El autodi-
dacto que quiso ser músico, el poeta cuyos versos se
marchitaron y fue convertido en ensayista lírico a
partir de su propio destino literario, es desvaloriza-
do como pensador por Canal Feijoo, quien señala
cómo confundía lo evidente con lo real y lo turbio
con lo profundo (metáfora nietzscheana: al hundirse
en la turbiedad no se ahonda, se pierde la perspectiva). Eugenio Pucciarelli subraya que, en el idilio paradisíaco de *Argentina* o en la profecía apocalíptica
de *Radiografía de la pampa* (de 1927 a 1933 pasando
por el crack de 1929 y el putsch de 1930), su visión
del país es ahistórica. Raúl Vera Ocampo, de la última hornada, describe la herencia de EME: Murena,
el jeremíaco ensayista de una Argentina sin padre y
sin historia, aunque defiende al maestro de quienes,
como Sebreli, intentan su cuestionamiento a partir de
la historia misma.

OTRAS LITERATURAS

Teniendo en cuenta las líneas anteriores, se observa que *Sur* continúa su tarea de difusionismo en
frentes amplios e intentando actualizarse en cuanto
al móvil panorama mundial de la época.

En materia de literatura española, por ejemplo, no sólo se publica a la vieja guardia republicana, sino que se intenta anoticiar tanto de lo producido en España como fuera de ella, por las nuevas promociones de exiliados (los Goytisolo, el disidente Ridruejo, etc.). Se describe alguna grieta en el frente tradicional, como cuando Francisco Ayala tercia en la momificada polémica Sánchez Albornoz/Américo Castro, para denunciar que ambos recurren a perimidos conceptos sobre el ser nacional español. Hay trabajos de José Luis Cano, José María Castellet, Ricardo Gullón y Alfonso Sastre que actualizan un panorama poco frecuentado en etapas anteriores.

En literatura francesa se incorporan las novedades del objetivismo y el estructuralismo. En literatura germánica se hace un esfuerzo inédito por describir la actualidad a partir del Grupo 47, la Escuela de Frankfurt, los dramaturgos suizos, etc. En otros campos se introducen nombres como Harold Pinter, Eduardo Sanguinetti y Nani Balestrini (la vanguardia italiana, el Grupo 63) y los infaltables escritores del boom latinoamericano que, si bien no son una escuela ni siquiera una época, constituyen un fenómeno de cambio en la actitud del lector y de operativo editorial muy notables. En el caso de César Vallejo, *Sur* hace otra reparación a uno de sus inexplicables silencios.

Finalmente, conste un cambio en el régimen de anuncios, en que alternan los intercambios con editoriales y librerías y los avisos de grandes firmas (Grafa, Olivetti, Iberia, etc.). Aquí vuelvo a confesar mi falta de elementos para contabilizar los recursos reales de la revista como entidad editorial.

En el momento de sumergirse en el pasado, por decreto de Victoria, *Sur* no es un grupo literario y, como asociación intelectual, muestra disidencias internas que hacen imposible su persistencia. No obstante, como la revista ha vuelto a publicarse, creo que cabe, al menos, una tarea de revisión crítica acerca de una experiencia cultural que tiene escasos paralelos en el panorama argentino.

NÚMEROS ESPECIALES

N⁰ 279, noviembre/diciembre 1962, dedicado a los escritores árabes. Colaboran Hani Abi Saleh, Laura Goraieb, Antoine Mechawar, Fouad Gabriel Naffah y Víctor Sater.

N⁰ 281, marzo/abril 1963, dedicado en parte a la *poesía española actual*, con un estudio de José Luis Cano y poemas de Vicente Aleixandre, Carlos Bousoño, Gabriel Celaya, José Agustín Goytisolo, José Hierro, Eugenio de Nora, Blas de Otero, Leopoldo Panero, Claudio Rodríguez y José Ángel Valente.

N⁰ 285, noviembre/diciembre 1963: incluye varios artículos sobre *la nueva novela*. Colaboran Hans Magnus Enzensberger (*Las aporías de la vanguardia*), Leonard Meyer (*¿El fin del Renacimiento?*) y Ernesto Sabato (*Algunas reflexiones sobre el "nouveau roman"*).

N⁰ 287, marzo/abril 1964, incluye una *selección de poesía peruana* hecha por José Miguel Oviedo.

N⁰ 287/290, julio/octubre 1964, dedicado a William Shakespeare en su centenario. Colaboran Victoria Ocampo, Aldous Huxley, Manuel Mujica Láinez, John Wain, Mario Praz, Ives Bonnefoy, Ivor Brown, Patricio Gannon, Ronald Watkins, Rober Donnington, Alicia Jurado, Edmond Tracey, C. A. Lejeune y Jaime Rest.

N⁰ 293, marzo/abril 1965, dedicado a América Latina. Colaboran Laurette Séjourné, Wilson Figueiredo, Germán Guzmán Campos, Aldo Prior, Sebastián Salazar Bondy, Francisco Pérez, Alejo Carpentier, Humberto Piñera, Juan Liscano (que presenta una breve selección de poesía venezolana), Ángel Rama, Augusto Roa Bastos, María Teresa Babín y Nilita Vientós Gastón.

N⁰ 295, julio/agosto 1965, homenaje a Ezequiel Martínez Estrada, con motivo de su muerte el año anterior. Colaboran Bernardo Canal Feijoo, Raúl Vera Ocampo y se publican cartas de Martínez Estrada a Victoria Ocampo.

N⁰ 308/309/310, dedicado a las *letras alemanas con-*

temporáneas (corresponde a setiembre 1967 hasta febrero 1968).

Nº 312, marzo/junio 1968: Guillermo Sucre, Juan Carlos Ghiano y James Higgins escriben sobre César Vallejo, en el trigésimo aniversario de su muerte.

Nº 322/323, enero/abril 1970, dedicado a la *joven literatura norteamericana*.

Con el número 325 (julio/agosto 1970) *Sur* suspende su publicación regular. En vida de Victoria Ocampo sólo editará algunos números especiales:

Nº 326/7/8, setiembre 1970/junio 1971, dedicado a *La mujer*, donde se anuncia como revista bianual.

El nº 329 (julio/diciembre de 1971) contiene una antología de ensayos ya publicados en la revista. El nº 330/1 (año 1972) contiene una antología de cuentos. El nº 332/3 (año 1973) contiene una primera antología poética. El nº 334/5 recoge una selección de artículos sobre el tema del cine.

OBRAS DE VICTORIA OCAMPO

De Francesca a Beatrice (con un epílogo de Ortega y Gasset). Revista de Occidente, Madrid, 1924. Sur, Buenos Aires, 1963.

La laguna de los nenúfares (fábula escénica). Revista de Occidente, Madrid, 1926.

Testimonios, I serie. Revista de Occidente, Madrid, 1935.

Domingos en Hyde Park, Sur, Buenos Aires, 1936.

Testimonios, II serie, Sur, Buenos Aires, 1941.

San Isidro (con un poema de Silvina Ocampo y 68 fotografías de Gustav Torlichent). Sur, Buenos Aires, 1941.

338.171 T.E. Sur, Buenos Aires, 1942. Sur, Buenos Aires, 1963.

Testimonios, III serie, Sudamericana, Buenos Aires, 1946.

Soledad sonora (Testimonios, IV serie), Sudamericana, Buenos Aires, 1950.

El viajero y una de sus sombras (Keyserling en mis memorias), Sudamericana, Buenos Aires, 1951.

Lawrence de Arabia y otros ensayos, Aguilar, Madrid, 1951.

Virginia Woolf en su diario, Sur, Buenos Aires, 1954.

Testimonios, V serie (1950-1957), Sur, Buenos Aires, 1957.

Habla el algarrobo (Luz y sonido), Sur, Buenos Aires, 1960.

Libro de cumpleaños (R. Tagore). Selección y traducción de ... Sur, Buenos Aires, 1961.

Tagore en las barrancas de San Isidro, Sur, Buenos Aires, 1961.

Testimonios, VI serie (1957-1962), Sur, Buenos Aires, 1962.

Juan Sebastián Bach. El hombre, Sur, Agosto, 1964.

La bella y sus enamorados, Sur, Setiembre, 1964.

Testimonios, VII serie (1962-1967), Sur, Buenos Aires 1967.

Diálogo con Borges. Sur, Buenos Aires, 1969.

Diálogo con Mallea. Sur, Buenos Aires, 1969.

Testimonios, VIII serie (1968-1970). Sur, Buenos Aires, 1971.

Roger Caillois y la Cruz del Sur en la Academia Francesa, Sur, Buenos Aires, 1972.

Testimonios, IX serie (1971-1974), Sur, Buenos Aires, 1975.

Testimonios, X serie (1975-1977), Sur, Buenos Aires, 1977, 2da. ed. 1978.

AUTOBIOGRAFIA I. El Archipiélago, Ed. Revista Sur, Buenos Aires, 1ª ed. 1979, 2ª ed. 1980, 3ª ed. 1981.

AUTOBIOGRAFÍA II. El Imperio Insular, Ed. Revista Sur, Buenos Aires, 1980.

AUTOBIOGRAFÍA III. La rama de Salzburgo, Ed. Revista Sur, Buenos Aires, 1981.

AUTOBIOGRAFIA IV. Viraje, Sur, Buenos Aires, 1982.

AUTOBIOGRAFÍA V. Figuras simbólicas. Medida de Francia, Sur, Buenos Aires, 1983.

AUTOBIOGRAFÍA VI. Sur y Cía., Sur, Buenos Aires, 1984.

Cartas a Ortega y Gasset (inéditas). Archivo de la Fundación Ortega y Gasset, Madrid.

Correspondencia con A. Reyes (Ed. Unam, México).

EN FRANCÉS

De Francesca à Béatrice. Editions Bossard, Paris, 1926.

Le Vert Paradis, Lettres Françaises, Buenos Aires, 1947.

338.171 T.E. (Lawrence d'Arabie). N.R.F., Gallimard, Paris, 1947.

EN INGLÉS

338.171 T.E. (Lawrence of Arabia). Traducción de David Garnet Gollancz, Londres, 1963.

TRADUCCIONES

Albert Camus: *Calígula*. Marzo-Abril 1946, Sur, Buenos Aires, nos. 137, 138.

Colette y Anita Loos: *Gigi*. Sur, Buenos Aires, 1946.

Dostoievsky. Camus: *Los poseídos*. Losada, Buenos Aires, 1960.

Will.am Faulkner-Albert Camus: *Réquiem para una reclusa*. Sur. Buenos Aires, 1957.

Graham Greene: *El cuarto en que se vive*, Sur, Buenos Aires, 1953.

Graham Greene: *El que pierde gana*, Sur, Buenos Aires, 1957.

Graham Greene: *La casilla de las macetas*, Sur, Buenos Aires, 1957.

Graham Greene: *El amante complaciente*, Sur, Buenos Aires, 1959.

Lanza del Vasto: *Vinoba* (en colaboración con Enrique Pezzoni), Sur, Buenos Aires, 1955.

T.E. Lawrence: *El troquel*, Sur, Buenos Aires, 1955.

Dylan Thomas: *Bajo el bosque de leche* (con la colaboración de Félix della Paolera), Sur, Buenos Aires, 1959.

Graham Greene: *Tallando una estatua*. Sur, Buenos Aires, 1965.

Jawaharlal Nehru: *Antología* (Selección y Prefacio de Victoria Ocampo), Sur, Buenos Aires, 1966.

John Osborne: *Recordando con ira*. Sur, Buenos Aires, 1958.

Mahatma Gandhi: *Mi vida es mi mensaje*. Sur, Buenos Aires, 1970.

Graham Greene: *La vuelta de A. J. Raffles*, Sur, Buenos Aires, 1976.

BIBLIOGRAFÍA SOBRE VICTORIA OCAMPO

Número de *Sur*, año 1981. Artículos de Enrique Pezzoni, María Luisa Bastos, Silvia Molloy y otros.

Número de *Pájaro de fuego*, año 1, número 1, setiembre de 1977. Artículos de Ernesto Schoo y Carlos Garramuña.

Juan José Sebreli: *El riesgo de pensar*, Sudamericana, Buenos Aires, 1984.

Doris Meyer: *Victoria Ocampo, una vida contra viento y marea*, Sudamericana, Buenos Aires, 1981.

Frida Schulz de Mantovani: *Victoria Ocampo*, ECA, Buenos Aires, 1963.

Blas Matamoro: *Oligarquía y literatura*, Sol, Buenos Aires, 1975.

Adriana Rodríguez Persico y Nora Domínguez: "La Pasión del modelo", en *Lecturas Críticas*, n? 2, julio 1984.

Testimonios sobre Victoria Ocampo, al cuidado de Héctor Basaldúa, La Comisión, Buenos Aires, 1962.

Francisco Ayala: *Recuerdos y olvidos. II: El exilio*, Alianza, Madrid, 1983.

José Bianco: *Homenaje a Marcel Proust seguido de otros artículos*, UNAM, México, 1984.

Luis Antonio de Villena: "José Bianco en Madrid", *Ínsula*, n? 460, marzo de 1985.

Tesis en curso de Jeanet Greenberg y Jean-Pierre Alban Bernès.

Marco Denevi: "Cartas a Victoria Ocampo", *La Nación*, 5 enero 1986.

Marta Gallo: "Las crónicas de Victoria Ocampo", *Revista Iberoamericana*, n? 182/3, julio-diciembre 1985.

Suplemento de *La Opinión* con motivo de la muerte de Victoria Ocampo (1979).

BIBLIOGRAFÍA GENERAL

Lou Andreas Salomé: *Lebensrückblick*, Wilhelm Heyne, München, 1974

Michelle Auclair: *Vida de Santa Teresa de Jesús*, trad. de Jaime Echanove Guzmán, Cultura Hispánica, Madrid, 1972.

Xesús Alonso Montero (recopilador): *En torno a Rosalía*, Júcar, Madrid, 1985.

Auguste Anglès: *André Gide et le premier groupe de la NRF*, Gallimard, Paris, 1978.

Paul Benichou: *Le sacre de l'écrivain*, José Corti, Paris, 1973. Sallory 223.

— *Le temps des prophètes*, Gallimard, Paris, 1977.

Carmen Bravo-Villasante: *Veinticinco mujeres a través de sus cartas*, Almena, Madrid, 1975.

— *La mujer vestida de hombre en el teatro español*, Revista de Occidente, Madrid, 1955.

— *Una vida romántica: la Avellaneda*, Edhasa, Barcelona, 1967.

— *Vida y obra de Emilia Pardo Bazán*, Revista de Occidente, Madrid, 1962.

Quentin Bell: *Virginia Woolf*, trad. de Marta Pessarrodona, Lumen, Barcelona, 1979.

— *El grupo de Bloomsbury*, trad. de Ignacio Gómez de Liaño, Taurus, Madrid, 1976.

F. J. J. Buytendijk: *La mujer. Naturaleza. Apariencia. Existencia*, trad. de Fernando Vela, Revista de Occidente, Madrid, 1970.

Julien Benda: *La trahison des clercs*, Grasset, Paris, 1927.

— *La fin de l'éternel*, Gallimard, Paris, 1928.

— *La France byzantine*, Gallimard, Paris, 1945.

Condesa de Campo Alange: *La mujer en España. Cien años de su historia*, Aguilar, Madrid, 1964.

Rosa Chacel: *La confesión*, Edhasa, Barcelona, 1970.

René Démoris: *La roman à premiére personne du classicisme aux Lumières*, Armand Colin, Paris, 1975.

315

Emilce Dio Bleichmar: *El feminismo espontáneo de la histeria*, Adotraf, Madrid, 1985.

Ingeborg Drewitz: *Bettine von Arnim*, Heyne Verlag, München, 1984.

Eduard Engel: *Geschichte der französischen Litteratur*, Baedecker, Leipzig, 1897.

H. S. Ferns: *Gran Bretaña y Argentina en el siglo XIX*, trad. de Alberto Luis Bixio, Hachette, Buenos Aires, 1968.

Geneviève Fraisse: *Clémence Royer, philosophe et femme de sciences*, La Découverte, Paris, 1985.

Waldo Frank: *Primer mensaje a la América Hispana*, Revista de Occidente, Madrid, 1929.

— *América Hispana. Un retrato y una perspectiva*, trad. por León Felipe, Espasa Calpe, Madrid, 1932.

— *Redescubrimiento de América*, trad. por Héctor de Zaballa, Revista de Occidente, Madrid, 1930.

Ezequiel Gallo-Roberto Cortés Conde: *La República conservadora*, Paidós, Buenos Aires, 1972.

Julio Godio: *La caída de Perón*, Granica, Buenos Aires, 1973.

Elizabeth Gaskell: *The life of Charlotte Brontë*, ed. por Alan Shelston, Penguin, 1975.

Anabel González y otras: *Los orígenes del feminismo en España*, Zero Zyx, Madrid, 1980.

Flora Guzmán: "La mujer en la mirada de Ortega y Gasset", en *Cuadernos Hispanoamericanos*, n? 403/405, Madrid, enero/marzo 1984.

André Gide-Paul Valéry: *Correspondance 1890-1942*, ed. Robert Mallet, Gallimard, Paris, 1955.

Renate Hörisch-Helligrath: *Reflexionsnobismus*, Peter Lang, Frankfurt, 1980.

José Luis de Imaz: *Los que mandan*, Eudeba, Buenos Aires, 1964.

Hermann von Keyserling: *Viaje a través del tiempo. I: Origen y desarrollo*, trad. de J. Rovira Armengol, Sudamericana, Buenos Aires, 1949.

— *Meditaciones suramericanas*, trad. de Luis López Ballesteros de Torres, Espasa Calpe, Madrid, 1933.

Armand Lanoux: *1900. La bourgeoisie absolue*, Hachette, Paris, 1961.

Herbert Lottman: *La rive gauche*, trad. de José María Guerricabeitia, Blume, Barcelona, 1985.

T. E. Lawrence: *El troquel*, trad. de Victoria Ocampo, Alianza, Madrid, 1975.

— *Los siete pilares de la sabiduría*, trad. de R. A., Sur, Buenos Aires, 1944.

Evelyne López Campillo: *La Revista de Occidente y la formación de minorías*, Taurus, Madrid, 1972.

Louis Mercier Vega: *Autopsia de Perón. Balance del peronismo*, trad. de Menene Gras Balaguer, Tusquets, Barcelona, 1975.

André Maurois: *Lélio ou la vie de George Sand*, Hachette, Paris, 1952.

Carmen Martín Gaite: *Usos amorosos del XVIII en España*, Siglo XXI, Madrid, 1972.

Salvador de Madariaga: *Anarquía o jerarquía. Ideario para la constitución de la Tercera República*, Aguilar, Madrid, 1935.

Eduardo Mallea: *Conocimiento y expresión de la Argentina*, Sur, Buenos Aires, 1935.

— *El sayal y la púrpura*, Losada, Buenos Aires, 1941.

— *La bahía de silencio*, Sudamericana, Buenos Aires, 1940.

— *Historia de una pasión argentina*, Espasa Calpe, Buenos Aires, 1937.

Benito Mussolini: *Scritti e discorsi*, edizione definitiva, Ulrico Hoepli, Milano, 1934.

Nigel Nicholson: *Retrato de un matrimonio*, trad. de Oscar Molina, Grijalbo, Barcelona, 1975.

José Ortega y Gasset: *Obras completas*, Revista de Occidente, Madrid, 1962.

— *Epistolario*, Revista de Occidente, Madrid, 1974.

José Ortega Munilla: *De Madrid al Chaco. Un viaje a las tierras del Plata*, Biblioteca Patria, Madrid, s/f.

Adolfo Prieto: *El periódico "Martín Fierro"*, Galerna, Buenos Aires, 1968.

— *La literatura autobiográfica argentina*, Facultad de Filosofía y Letras, Santa Fe, s/d.

Milcíades Peña: *Alberdi, Sarmiento y el noventa*, Fichas, Buenos Aires, 1970.

Octavio Paz: *Sor Juana Inés de la Cruz o las trampas de la fe*, Seix Barral, Barcelona, 1982.

Rosalynd Pflaum: *La famille Necker. Madame de Staël et sa descendance*, trad. de Delphine Marchac, Fischbacher, Paris, 1969.

H. F. Peters: *Lou Andreas Salomé*, Wilhelm Heyne, München, 1974.

Jorge Abelardo Ramos: *Del patriciado a la oligarquía*, Mar Dulce, Buenos Aires, 1970.

— *El sexto dominio*, Plus Ultra, Buenos Aires, 1972.

Guido de Ruggiero: *Historia del liberalismo europeo*, trad. de Carlos González Posada, Pegaso, Madrid, 1944.

Ricardo Rojas: *Historia de la literatura argentina. Los modernos II*, Losada, Buenos Aires, 1948.

Juan José Sebreli: *Buenos Aires, vida cotidiana y alienación*, Siglo xx, Buenos Aires, 1964.

— *La saga de los Anchorena*, Sudamericana, Buenos Aires, 1985.

Raúl Scalabrini Ortiz: *Política británica en el Río de la Plata*, Plus Ultra, Buenos Aires, 1971.

Herbert Scurla: *Rahel Varnhagen*, Fischer, Frankfurt, 1980.

La vida de la Santa Madre Teresa de Jesús y algunas de las mercedes que Dios le hizo escritas por ella misma por mandato de su confesor, Tello, Madrid, 1882.

Noemí Ulla: *La revista "Nosotros"*, Galerna, Buenos Aires, 1969.

Versants, nº 8, 1985, *Formes de l'aveu*, numéro composé par Ramon Sugranyes de Franch, La Baconniére, Neuchatel.

Marqués de Villaurrutia: *Mujeres de antaño. Madame de Staël*, Beltrán, Madrid, 1930.

Paul Valéry: *Oeuvres*, ed. Jean Hytier, Pléiade, Gallimard, Paris, 1968.

Leonard Woolf: *La muerte de Virginia*, trad. de Marta Pessarrodona, Lumen, Barcelona, 1975.

Virginia Woolf: *La torre inclinada*, trad. de Andrés Bosch, Lumen, Barcelona, 1977.

Emilia de Zuleta: *Relaciones literarias entre España y la Argentina*, Cultura Hispánica, Madrid, 1983.

OBRAS CITADAS EN EL TEXTO

Colección de la revista *Sur*.

ÍNDICE

CRONOLOGÍA 9

ESCENAS DE FAMILIA 11

Nombres, 13; Fechas, 14; Asuntos de familia, 15
El padre, 16; El norte y el sur, 18; Antepasados,
18; Confesiones, 19; Abuelas, 23; ¿Quién soy?, 23;
La nena al borde del aljibe, 24; Negros y hermosos, 24; La dueña de casa, 25; Maestras, 26; Hermanas, 28; ¿Cuál es mi cuerpo?, 28; La conquistadora blanca, 30; Maternidad, 30; La mirada del
amor, 31; Lecturas. 32; Oligarquía y literatura,
34; Negocios de familia, 35; Catolicismo, 35; París, 36; Príncipes encantadores, 37; Retrato de
bodas, 37; Evita y Victoria, 38; Ceremonias secretas, 39; La mujer única, 43; Neoclasicismo,
44; La Argentina, 46; El arte, 46; Amor, 48; La
mujer objeto, 49; El buen gusto, 50; La escritura,
el padre, 52; Casas, 54; Mujer y escritura, 59.

ESPEJOS VICTORIALES 111

Ortega y Gasset, 111; Paul Valéry, 124; Hermann
von Keyserling, 133; Waldo Frank, 141; Drieu La
Rochelle, 149; Rabindranath Tagore, 157; T. E.
Lawrence, 160; Marcel Proust, 167; Eduardo Mallea, 174; Benito Mussolini, 179; Virginia Woolf,
189; El espejo roto, 198.

"SUR": LA TORRE INCLINADA. PRIMERA ÉPO-
CA: 1931-1948 201

La crisis del mandarinato, 202; Liberalismo, 212;
Vidas paralelas, 215; "Sur": el proyecto original,
223; La historia argentina, 227; Generaciones, 234;
La política inclina la torre, 235; La guerra civil
española, 247; Marx, 249; Freud, 250; Orientación filosófica, 251; La condición de la mujer,
258; La literatura argentina, 260; Literatura latino-

americana, 263; Literatura norteamericana, 264; Literatura europea, 264; Régimen de anuncios, 265; Números especiales, 266; Segunda época: 1948-1961, 267; El ser nacional, 273; Política, 276; Marx, 287; La condición de la mujer, 288; Freud, 290; Difusionismo literario, 291; Números especiales, 293; Tercera época: 1961-1971, 295; Política, 298; Freud, 302; Marx, 302; La mujer, 303; La literatura argentina, 304; Otras literaturas, 305; Números especiales, 307.

OBRAS DE VICTORIA OCAMPO 309

BIBLIOGRAFÍA SOBRE VICTORIA OCAMPO 313

BIBLIOGRAFÍA GENERAL 315

Se terminó de imprimir en el mes de setiembre de 1986 en Imprenta de los Buenos Ayres S.A., Rondeau 3274 Buenos Aires - Argentina